JUSQU'À LA FIN

Carlene Thompson

JUSQU'À LA FIN

Traduit de l'anglais (États-Unis)
par Anaïs Goacolou

ÉDITIONS FRANCE LOISIRS

Titre original : *To the grave*
Première publication St MArtin's PRess.

Édition du Club France Loisirs,
avec l'autorisation des Éditions du Toucan.

Éditions France Loisirs,
123, boulevard de Grenelle, Paris.
www.franceloisirs.com

© 2012, Carlene Thompson. Tous droits réservés.
© Les Éditions du Toucan, 2013, pour la traduction française.
ISBN : 978-2-298-08343-9

Pour Pamela Ahearn et Jennifer Weis
Mes remerciements à Mollie Travers
et Keith Biggs

PROLOGUE

Par la fenêtre, Renée Eastman contemplait la nuit d'octobre. La lune brillait d'un éclat métallique agressif dans le ciel nu. Renée aimait les soirées emplies de lumières chaudes, de monde et de festivités. Ce calme et cette solitude la mettaient mal à l'aise.

Refusant de céder à l'angoisse en fermant les rideaux, elle préféra clore les paupières. Les environs étaient si tranquilles qu'elle parvint à entendre les chutes d'Aurora, qui avaient donné leur nom à la ville. Le son de l'eau qui s'élançait de presque quarante mètres de hauteur pour se jeter dans l'Orenda la ravissait comme au premier jour. Quel paradoxe, pensa-t-elle avec un sourire amer. Elle n'était pas une amoureuse de la nature, mais cette cascade spectaculaire avait été la seule chose à lui plaire quand elle avait emménagé ici à la suite de son mariage.

Le fait de repenser à cette période n'améliora pas son humeur. Elle avait commis la plus grosse erreur de sa vie en épousant James Eastman. Il était beau, intelligent, gentleman accompli... Qu'était-elle allée imaginer ?

Elle voulait fuir, se souvint-elle. Elle souhaitait échapper à sa famille, aux ex-amants qui lui en voulaient, aux petites amies légitimes jalouses, aux problèmes qu'elle avait le don de s'attirer et, par-dessus tout, aux mauvais souvenirs.

Malheureusement, la vie avec James n'avait pas tourné comme prévu, pas plus que la vie à Aurora Falls, la ville natale de James, où il était retourné, après ses études de droit à La Nouvelle-Orléans, pour y devenir l'associé de son père, la ville où il était tellement respecté et admiré. Renée Moreau Eastman, elle, était née dans l'animation incessante de La Nouvelle-Orléans, et avait gardé le besoin de sensations fortes chevillé au corps. Dans cette bourgade charmante de même pas cinquante mille habitants, elle était toujours restée une étrangère.

Non, pire qu'une étrangère. Elle avait été rejetée parce que, très vite, l'opinion publique avait décidé qu'elle n'était pas digne de James. Cette réaction prévisible ne l'avait pas blessée. Son mari n'était pas différent de la plupart des personnes qu'elle avait pu connaître : sérieux et honorable dans ses actions, mais en réalité rongé par les instincts réprimés, la colère, la haine et la violence. Renée, pour sa part, ne réprimait rien, ne se refusait rien, et ne manquait donc de rien. Elle se montrait telle qu'elle était, contrairement à lui.

Elle était partie deux ans auparavant, et n'avait jamais regretté sa décision. Tout le monde avait dû la croire disparue de la surface de la terre – James le premier.

Maintenant, elle était de retour dans cette ville, où tout avait commencé. Et ce n'était pas forcément une très bonne idée.

Elle frissonna. Plus tôt dans la soirée, une tempête avait provoqué une coupure de courant. Elle n'avait trouvé que deux lampes torches en plastique, dont une ébréchée au niveau du verre. Elle avait eu la chance de trouver quelques bougies, qui créaient peut-être un cadre sensuel, mais n'éclairaient guère. C'était sans doute la lumière tremblotante sur les murs qui causait sa nervosité. Les pièces prenaient des airs surréalistes et regorgeaient de coins d'ombre. Renée n'y voyait rien dans le couloir sombre, ni dans l'imposante cuisine, et elle n'aimait pas l'inconnu.

Pour détériorer encore l'ambiance, on entendait les trilles perçants d'un engoulevent. Ces maudits oiseaux n'avaient-ils pas encore migré vers le sud ? La nuit où son grand-père adoré avait rendu l'âme, elle lui avait donné un dernier baiser, le cœur brisé, et avait été renvoyée de la chambre. Une gouvernante malveillante l'avait obligée à venir dehors écouter le chant criard d'un engoulevent. Les engoulevents savaient toujours quand la Mort arrivait, avait-elle expliqué à Renée, et ils criaient pour signaler le départ d'une âme. La petite fille avait levé au ciel ses yeux sombres et avait fait mine de se moquer d'elle, mais en réalité, elle était terrifiée. Ce soir encore, ce chant pénétrant lui vrillait les nerfs. C'était insupportable.

Renée avait trouvé un lecteur à piles en état de marche. Elle y inséra un CD de Queen, et mit en route la chanson « Who Wants to Live Forever ». Le temps d'une minute, elle put tout oublier grâce à la voix de Freddy Mercury.

La musique ne l'empêchait pas d'avoir froid, en dépit de son pull en cachemire. La température était descendue en dessous des dix degrés, et la chaudière ne fonctionnait pas. Renée avait toujours été très frileuse. Quelle soirée ! Exaspérée, elle jugea qu'elle avait grand besoin d'un verre.

Elle s'empara de l'une des lampes de poche et entra dans la grande cuisine, contournant avec soin les cartons dispersés qui débordaient d'ustensiles. Elle avait posé une bouteille de whisky single malt sur un plan de travail, et n'eut guère besoin de lumière pour la trouver et s'en verser un verre à liqueur. Elle s'en versa un autre, se força à n'en prendre qu'une gorgée, puis abandonna les faux-semblants et vida d'un trait le récipient. Les petites gorgées pourraient attendre le troisième verre.

Elle emporta son verre dans la salle de séjour et s'assit sur le canapé. Le whisky l'avait réchauffée, mais elle était frustrée de devenir trop dépendante à l'alcool. Elle aimait ne dépendre de rien. Allons, elle n'était pas alcoolique, se dit-elle pour se rassurer. Elle pourrait réduire sa consommation quand elle n'aurait plus besoin d'autant pour se calmer les nerfs.

Le plus inquiétant, c'était qu'elle ait aussi souvent besoin de se calmer les nerfs désormais...

Le silence était revenu. Assise dans la pénombre, elle avala deux autres gorgées, en proie à une colère grandissante. Elle consulta sa montre : 22 h 10. Leur rendez-vous était à 21 heures. Elle se releva avec tant de précipitation qu'elle chancela, se dirigea avec raideur vers la fenêtre et promena le faisceau de la lampe par l'ouverture entre les rideaux.

Après une nouvelle gorgée, elle regarda. Il n'y avait pas de voisins à proximité, mais on pouvait en général voir des lumières de loin.

Ce soir, rien. Cette absence d'éclairage électrique l'irritait. Elle se sentait seule au monde. Son anxiété s'intensifia. Depuis toute petite, elle ne supportait pas la solitude. Elle souhaitait toujours la compagnie d'au moins une personne pleine de vie et d'admiration pour elle. À présent, c'était même un besoin.

Renée remit en route le CD et retourna sur le canapé. Une grosse bougie sur un support en verre envoyait une maigre lueur depuis la petite table, sur le côté. Bientôt, elle poussa un soupir excédé. La musique ne parvenait pas à la détendre. Elle n'allait pas endurer longtemps cette situation, mais il n'aurait pas été raisonnable de téléphoner pour savoir ce qui se passait. De toute façon, elle était fatiguée, elle avait froid, et elle commençait à être ivre.

Sous le coup de la colère, Renée décida de partir. Elle avait dans sa voiture assez de bagages pour répondre à tous ses besoins. Elle était tentée de passer la nuit au Larke Inn, la superbe auberge qui donnait sur la cascade, mais son restaurant était le plus fréquenté par la haute société d'Aurora Falls, et elle ne voulait pas être vue. Depuis des jours, elle s'efforçait d'éviter les regards, malgré quelques moments de relâchement bien regrettables. Elle n'allait pas aggraver les choses en descendant au Larke Inn, mais elle voulait quand même se rendre dans un endroit accueillant, où elle pourrait se pelotonner dans un lit confortable et arrêter d'attendre bêtement. Renée Moreau Eastman n'attendait personne, nom de nom !

Elle avait beau se dire qu'elle était simplement énervée par ce retard, elle savait que sous cette indignation se cachait une peur instinctive. Il y avait quelque chose dans cette soirée qui sonnait faux. Vraiment faux. Ce n'était peut-être que le whisky, qui la rendait pour une fois paranoïaque plutôt que sentimentale, mais elle n'arrivait pas à se défaire de cette impression. En fait, toute la journée avait sonné faux, ainsi que la veille. Elle n'avait jamais cédé à la peur, à l'angoisse, ou aux dérives de l'imagination qui lui paraissaient la marque de fabrique des pleutres. Pourtant, à cet instant, elle se prit à envisager l'existence de pressentiments... Renée frissonna. Décontenancée par cette réaction incontrôlée de son corps, elle cherchla avec frénésie la lampe torche qu'elle avait laissée sur le canapé. Ne la trouvant pas, elle saisit la bougie et se dirigea vers la chambre, dans le martèlement rythmé de ses talons aiguilles sur le plancher. Une fois arrivée, elle plaça la bougie sur une petite table de nuit, prit son gilet sur le lit, et se figea.

L'une des portes vitrées coulissantes, donnant sur un patio envahi par la végétation, était entrouverte, laissant un air froid pénétrer dans la pièce. Une heure auparavant, elle était fermée. Ou peut-être pas ? L'atmosphère confinée et humide de la maison l'avait écœurée. L'ouverture était toute petite, se pouvait-il qu'elle ne l'ait pas remarquée ?

Non. La brume de whisky qui obscurcissait son esprit se leva aussi vite qu'elle était venue. Elle se souvenait clairement que quand elle était passée par la chambre, à 21 heures, la température avait déjà chuté. Pourquoi aurait-elle ouvert une grande fenêtre dans une chambre déjà froide ? Elle ne l'aurait pas fait, point.

La porte-fenêtre n'était pas bloquée, et quelqu'un l'avait ouverte dans l'heure précédente – quelqu'un qui se trouvait maintenant dans la maison avec elle.

Cette certitude lui glaça le cœur, qui se mit à battre au ralenti. Pendant un moment, elle n'arriva plus à bouger. Puis elle se retint de s'enfuir en courant. Un instinct profond lui soufflait que la personne qui s'était introduite là voulait lui faire perdre ses moyens, la dépouiller de sa belle confiance en elle. Non, elle ne ferait ce plaisir à personne. Elle ne s'effondrerait pas, même si elle tremblait de peur.

De toute façon, elle avait ce qu'il fallait. Comme toujours.

Elle n'avait rien mangé depuis le matin, et elle avait trop bu sur un estomac vide. L'alcool et la peur lui donnaient la nausée. Enfin, il fallait qu'elle se comporte avec calme, se dit-elle. Si elle ne voulait pas qu'on sache qu'elle était intérieurement terrifiée, il lui fallait maintenir une apparence bravache. Elle enfila son gilet sans se presser. Mais quand elle s'empara de son sac à main, son assurance vola en éclats. Il était trop léger.

Quelqu'un en avait sorti son revolver de calibre .22.

La flamme de la bougie vacilla, puis mourut. Renée se tourna vers l'entrée de la chambre et s'immobilisa. Seule la lumière de la lune filtrait à travers le voilage.

— Il te manque quelque chose, peut-être ?

Renée reconnut la voix, même si elle ne l'avait jamais entendue aussi dépourvue de timbre. Elle était fière que son ton soit seulement irrité quand elle demanda :

— Qu'est-ce que tu fous ?

— Je voulais te surprendre. Et d'ailleurs, tu *es* surprise. Ivre, mais surprise.

Renée s'était accoutumée à l'obscurité, et elle vit la lumière de la lune se refléter sur le canon métallique du revolver dressé.

— C'est toi qui dois être ivre. Quel comportement ridicule. Je partais.

— Pour la nuit ?

— Je quitte Aurora Falls pour toujours. J'ai pris conscience que rien ne m'y rattache.

— Tu t'es décidée si vite ?

— Je suis venue sur un coup de tête, mais je doute depuis un moment déjà. Maintenant, je sais que ce n'est pas ce que je veux.

Je ne veux plus jamais voir cette ville, ni personne d'ici.

Le silence plana un instant. Finalement, la voix quasi méconnaissable gloussa :

— Ah, la belle Renée ! Toujours des mensonges !

— Je ne mens pas. Je suis plus que sérieuse. Sincère.

— Tu ne l'as jamais été et tu ne l'es pas non plus maintenant. Tu ne sais pas ce que signifie le mot sincérité. Ni fidélité. Tu ne sais même pas te tenir en société.

Le ton était sans émotion, définitif, comme celui d'un juge délivrant une sentence de mort. Dans l'autre pièce, Freddy Mercury demandait « *Who Wants to Live Forever ?* », des trémolos dans la voix. Vivre pour toujours ? Renée n'était pas contre. Même se sentant condamnée, elle essaierait jusqu'au bout de survivre à cette horreur. Elle décida de tenter une nouvelle tactique. Elle n'eut pas besoin de se forcer pour avoir la voix tremblante.

— J'ai changé.

— Pourquoi es-tu encore là, alors ?

— Je voulais juste m'expliquer, et dire au revoir.

— Ici. Tu voulais t'expliquer ici, dans ce petit cottage, alors que tu viens de prétendre ne plus vouloir remettre les pieds dans cette ville ?

Un rire éteint, sans joie, résonna dans la maison.

— Tu ne peux pas t'empêcher de mentir, même avec un revolver pointé sur toi.

— C'est vrai. Je sais que c'était une erreur de revenir ici. Je ne reviendrai jamais à Aurora Falls, jamais !

— Tu sais comme moi que c'est faux. Tu ne t'arrêtes jamais de rechercher ce que tu veux.

Renée avait en horreur le désespoir qui faisait trembler sa voix.

— Je peux avoir changé d'avis sur ce que je veux.

— Tu n'as *pas* changé d'avis.

Renée sentait maintenant son cœur battre si fort qu'elle avait l'impression qu'il allait lui fêler une côte.

— Tu menaces de me tuer ?

Silence. Un regard qui la brûle, un sourire étrangement inhumain, un revolver visant son visage. Prise d'une inspiration subite, Renée déclara :

— Il sait où je suis.

— Bien sûr qu'il sait. Tu me crois stupide ? Tu imagines que je ne sais pas que les apparences sont trompeuses ?

— Si tu brilles tant par ton intelligence, tu sais bien que ce ne sera pas la fin, poursuivit Renée d'une voix aiguë. Ce ne sera que le début. D'une vie d'angoisse, de soupçons. Tu ne pourras pas garder un secret pour touj...

Renée n'eut pas le temps d'entendre la détonation sèche du calibre .22, ni de sentir la balle lui traverser l'œil droit. Sa tête se renversa en arrière, puis en avant. Elle resta debout quelques secondes, le sang dégoulinant sur sa joue, ses lèvres, son menton, son pull de cachemire. Enfin, elle tomba, le visage heurtant de plein fouet le tapis au crochet.

La personne qui avait ouvert le feu sur Renée la regarda esquisser un dernier mouvement du bout de ses doigts manucurés. Un pied botté glissa sous l'épaule de la morte et la retourna sans ménagement.

Renée n'était plus belle.

CHAPITRE 1

Catherine Gray se mit en position sur la pelouse devant l'entrée, leva son appareil photo et cria à sa sœur de se dépêcher. Dès que Marissa eut franchi la porte, Catherine lui ordonna de sourire et prit aussitôt un cliché.

— Catherine, tu me rends folle, avec cet appareil, s'indigna Marissa. Et tu m'as photographiée par surprise !

Catherine regarda l'écran numérique.

— Pas terrible. Tu ouvres des yeux ronds et tu as la bouche grande ouverte. Je vais en prendre une autre.

— Je ne suis pas d'accord...

— Cette fois-ci, ne prends pas l'air d'avoir vu atterrir des extraterrestres. Un sourire, et un, deux, trois.

Clic. Catherine vérifia le résultat et hocha la tête.

— Très bien !

Marissa secoua la tête avec incrédulité.

— James était-il au courant qu'il créait un monstre, quand il a décidé de t'offrir cet appareil de compétition pour ton anniversaire ?

— Sans doute pas, reconnut Catherine avec un sourire penaud. Et l'idée n'est pas de lui, je lui glissais des sous-entendus depuis des semaines.

Marissa rejoignit sa sœur et regarda la photo.

— Parfait. Des cheveux qui dépassent de ma queue-de-cheval, aucun maquillage, et le blouson en jean sur lequel j'avais cousu des papillons quand j'avais 16 ans. J'ai l'air ridicule.

— Tu es resplendissante. Tu ne fais pas plus de 25 ans.

— J'en ai 26, répliqua sèchement Marissa.

— Et tu en fais 25 ! Preuve que tu vieillis bien.

— Toi aussi, pour une quasi trentenaire.

— Je n'aurai 30 ans que dans dix mois, et je n'ai pas peur du tout, déclara gaiement Catherine. Maman était aussi belle à 35 ans que dix ans avant. J'ai vu les photos. En fait, c'est de regarder les albums qui m'a donné envie d'avoir un bel appareil. Je veux laisser une trace de notre vie, comme l'ont fait nos parents. Avec un album à part pour les photos de chaque bébé.

Marissa leva un sourcil interrogateur.

— Tiens, tu as quelque chose à m'annoncer ?

— Non, mais un jour, ça sera le cas, et toi aussi tu auras quelque chose à m'annoncer, et je prendrai des centaines de photos de tous nos enfants.

Marissa éclata de rire et enchaîna :

— Des photos qui les feront mourir de honte quand ils seront ados et quand on montrera les albums aux élus de leur cœur.

— Pas moi. Je m'efforcerai de ne jamais faire honte à mes enfants.

— Catherine, tous les parents font honte à leurs enfants, à un moment ou à un autre.

— Je te prouverai que tu as tort.

Catherine admira le bleu éclatant du ciel, sourit et se dirigea vers sa berline blanche.

— Allez, le soleil est magnifique. Viens avant qu'on ait perdu tout l'après-midi.

— Euh, si on prenait ma voiture ? proposa Marissa, qui vit Catherine se rembrunir. Je sais que tu n'es pas fan de décapotables, mais on n'aura plus beaucoup de belles journées comme ça avant l'hiver.

Catherine fit la moue. Marissa s'avança derrière elle et la poussa doucement, mais sans relâche, comme un remorqueur accompagnant un bateau au port.

— C'est la journée idéale pour une balade en Mustang décapotable couleur pomme d'amour ! Ça va être sympa !

— D'accord, soupira Catherine, mais ne roule pas comme une folle, pour une fois.

— Promis, décréta Marissa d'un ton solennel. Je ne veux pas abîmer ma voiture, ni détruire ton merveilleux appareil photo. Je conduirai exactement comme toi.

Marissa chaussa ses grandes lunettes de soleil et partit à une vitesse d'escargot. Penchée en avant, les deux mains crispées sur le volant dans une attitude très vigilante, elle se garda bien d'attraper un CD et freina avec exagération à chaque stop.

Catherine finit par éclater de rire.

— Arrête, j'ai l'impression d'avoir un chauffeur centenaire. Je ne conduis pas comme une mémé !

Marissa garda le silence.

— Bon, ça peut m'arriver, mais quand c'est toi, c'est insupportable. Mets de la musique et force l'allure, un peu !

Avec un large sourire, sa sœur glissa un CD de Natasha Bedingfield dans le lecteur et enfonça un peu l'accélérateur. Catherine renversa la tête en arrière et laissa le vent jouer dans ses longs cheveux châtain doré. Elle ferma ses yeux verts et écouta « Pocketful of Sunshine », sentant le doux soleil d'octobre lui réchauffer le visage.

Elle savait que, selon la famille et les amis, elle était la sœur aînée raisonnable et prudente, par comparaison à une Marissa plus impulsive. Pendant leur enfance, elle avait essayé de se conformer à cette image. Peu de gens se rendaient compte que souvent, Catherine avait envie de donner libre cours à ses envies subites. Après tant d'années de modération, il était difficile de se laisser aller. Toutefois, depuis qu'elle avait emménagé dans la maison de famille des Gray, laissée par leur mère à sa mort, elle sentait ses préventions s'atténuer, et une nouvelle facette de sa personnalité voyait le jour.

— Je t'avais dit que ça serait sympa, cria Marissa pour couvrir la musique.

Catherine se contenta de sourire, puis leva les bras en l'air pour les bouger au rythme de la musique, comme si elle était à un concert de rock. Marissa rit de bon cœur.

Elles se dirigèrent vers le sud, s'éloignant de la ville et de la cascade. Catherine se souvenait qu'à l'âge de 8 ans, Marissa s'était mise à raconter l'histoire de Sebastian Larke, qui avait découvert la cascade en 1770. Il avait baptisé d'après une déesse grecque, Aurore, les chutes en forme de fer à cheval, qui culminaient à 38 mètres et se jetaient dans l'Orenda, le troisième cours d'eau des États-Unis. Catherine écoutait patiemment les leçons impressionnantes de précision de la petite maîtresse. À la fin, celle-ci ajoutait, la voix étranglée, en baissant ses yeux bleus embués : « Et il ne s'est jamais marié et n'a jamais eu d'enfants, ce pauvre solitaire. »

— Tu te souviens, quand tu nous racontais l'histoire de la découverte des chutes d'eau ? demanda Catherine. Tu étais tellement à fond dedans qu'une fois, tu nous as dit que tu aurais dû être la femme de Sebastian Larke. Dieu s'était mélangé les pinceaux et t'avait fait naître trop tard.

— J'étais bizarre, petite ! s'esclaffa Marissa.

— Tu étais intelligente et pleine d'imagination. J'ai toujours eu l'impression que tu voyais vraiment Sebastian travailler pendant la journée à construire la ville, puis regagner sa hutte solitaire le soir. Mais tu te trompais sur un point. Dieu voulait que tu sois avec Éric Montgomery.

— Ah, vraiment ? Et le Seigneur t'a confirmé ça en personne ?

— Oui, en rêve, répondit Catherine d'une voix douce et flottante, les yeux clos. Il m'a dit : « Éric va devenir le chef d'Aurora Falls City, la création de Sebastian, et la diriger avec Marissa à ses côtés. C'est écrit. »

— Tu as appelé un de ces astrologues qui donnent leurs prédictions par téléphone ? Ou tu te crois vraiment capable de voir l'avenir ? s'amusa Marissa d'un ton faussement solennel. Il faudra que tu parles à Éric de ce rêve. Il a peur de perdre les élections de shérif. Mais tu pourras laisser tomber ma présence à ses côtés.

Catherine ouvrit les yeux brusquement.

— Quoi ? Vous avez rompu ?

— Non, mais je ne veux pas qu'il se sente trop en confiance, expliqua sa sœur avec un sourire. Il faut qu'il pense encore devoir me faire la cour, m'offrir des fleurs, des friandises, et tant qu'à faire, une grosse bague de fiançailles pour Noël.

— Oh, c'est horrible de ta part, d'être aussi calculatrice !

— Je sais. Je me sens très coupable, d'ailleurs. Ça doit être l'influence de ma sœur.

— Je ne voulais qu'un appareil photo !

— Bien sûr, Catherine. Si James Eastman t'avait offert une bague de fiançailles pour ton anniversaire, tu lui aurais dit d'aller se jeter du haut des chutes.

Catherine fit mine de ne pas avoir entendu et referma les yeux. L'année dernière, à la même époque, elle n'aurait jamais imaginé emmener Marissa regarder la propriété des Eastman. En partant d'Aurora Falls à 17 ans pour Berkeley, à l'Université de Californie, elle avait pour objectif de devenir psychologue clinicienne. Lorsqu'elle s'imaginait épouser quelqu'un qu'elle n'avait pas encore rencontré et avoir des enfants, c'était beaucoup plus flou. Jamais elle n'aurait osé penser qu'elle se retrouverait dans sa ville d'origine, et encore moins qu'elle fréquenterait l'homme dont elle était amoureuse depuis des années.

— C'est quoi, ce sourire ? l'interrogea sa sœur. Tu penses à James ?

— Et si tu regardais la route plutôt que de me surveiller ?

— Oh, l'un n'empêche pas l'autre, rétorqua gaiement Marissa. Tu pensais à James ?

— Tu ne me lâcheras pas avant que je crache le morceau ! C'est simple, il y a dix ans, je ne me serais jamais vue revenir à Aurora Falls pour vivre avec ma sœur.

— Je suis consciente que le fait de vivre avec moi illuminerait le visage de n'importe qui, commenta froidement Marissa, mais je crois quand même que tu pensais à James.

— D'accord, c'est vrai. Je me rappelle avoir espéré qu'un jour il me remarque...

— Et ce jour est arrivé. D'où ton sourire.

Catherine passa en revue toutes les années qu'elle avait passées à être amoureuse de James Eastman, et son sourire s'évanouit peu à peu.

— Ça t'arrive, d'avoir l'impression que c'est trop beau pour être vrai ?

Après un instant de réflexion, Marissa répondit :

— C'est ce que je me disais quand j'ai renoué avec Éric après cinq ans de séparation. C'est peut-être pour ça que je m'obstinais à le repousser, d'ailleurs. Tu trouves que c'est trop beau, d'être avec James ?

— C'est génial, de former un couple avec lui. Ce qui me chiffonne, c'est juste le fait qu'il ait déjà été marié avant, j'imagine.

— Oh non, fit Marissa avec une grimace. Tu penses à Renée, en ce moment. Pourquoi ?

— Mme Paralon m'a parlé d'elle, l'autre jour.

— Bof, elle est capable de ressasser des vieux ragots de quarante ans comme si c'était le scoop du moment. Personne ne fait cas de Mme Paralon.

— Sans doute, mais je pense forcément à Renée, surtout que papa avait insisté pour que toute la famille assiste au mariage de James à La Nouvelle-Orléans.

— Catherine, ça fait des années !

— Oui, mais ça restera une des pires expériences de ma vie.

— Allons, ne râle pas contre papa maintenant. C'était un ami de toujours du père de James, et nos familles étaient liées. On ne pouvait pas s'abstenir d'y assister.

— Je n'étais pas obligée, moi.

— Je sais que papa n'arrêtait pas de te harceler à ce sujet, mais il pensait que ce serait notre dernier voyage en famille. Et il avait raison.

— Je ne lui en ai jamais voulu. Il ne connaissait pas mon béguin pour James.

— Non, il n'y avait que maman et moi.

Catherine dévisagea sa sœur.

— Comment ça, maman et *toi* ? Je lui en avais parlé sous le sceau du secret, et elle m'avait promis qu'elle n'en parlerait à personne !

— Oh, elle ne m'a rien dit, mais je voyais bien que tu étais folle de lui.

— Oh non ! gémit Catherine en piquant un fard. Si c'était flagrant pour toi, ça veut dire que ça l'était pour d'autres. Imagine qu'au mariage, les invités ont en fait raillé la pauvre fille qui suivait partout des yeux James, l'air alangui ? Je n'aurais pas dû le regarder du tout !

— Calme-toi. Tu cachais très bien ce que tu ressentais. Papa n'a rien remarqué, et tu n'as pas perdu la face, même quand James t'a présentée à son épouse.

— Renée... Je n'oublierai jamais cette masse de cheveux noirs brillants qui lui tombaient dans le dos. Ses immenses yeux de biche. Sa peau de porcelaine. Pas étonnant qu'il l'ait épousée après à peine trois mois. Elle était sublime.

— Disons qu'elle captait l'attention, avec son côté sexy. Toi, tu es vraiment sublime, répondit Marissa avec fermeté.

Catherine objecta :

— Tu dis que personne ne savait, mais elle, si. Je m'en suis rendu compte à sa façon de me regarder. Elle trouvait très drôle que je sois amoureuse et malheureuse, et je l'ai détestée, Marissa. Je crois que je n'ai jamais éprouvé de haine pour personne d'autre, mais elle, je la détestais.

— Comme tout le monde à Aurora Falls, jusqu'au moment où elle a disparu.

— Pourquoi disparu ? demanda Catherine avec un regard dur.

— Je ne sais pas. C'est le terme qu'utilisent les gens.

— Les gens qui pensent que c'est James qui l'a tuée, parce que ça fait film d'horreur...

— Bah, les gens aiment souvent les histoires abracadabrantes, et avec Renée, ils étaient servis. Pendant plusieurs années, elle s'est attiré des ennuis ici, elle a brisé au moins deux ménages, elle a poussé James à bout, et d'un coup, elle s'est évaporée. Personne ne l'a vue partir, et personne n'a eu de nouvelles. James aurait pu s'épargner bien du chagrin s'il avait divorcé quelques mois après le mariage, avant qu'elle ait eu le temps de devenir aussi... légendaire.

— Légendaire ! Génial...

— C'est vrai.

— Bon, tu es très divertissante aujourd'hui, Marissa, mais tu as mauvaise mémoire.

Je t'ai dit au moins vingt fois que James ne pouvait divorcer que pour différend irréconciliable, après un an de séparation effective. Tu parles comme si elle aurait été d'accord.

— Alors, il aurait dû l'accuser d'adultère. Elle ne faisait pas un mystère de ses liaisons.

— James est un gentleman, il n'aurait jamais fait ça ! protesta Catherine.

— Il y a des moments pour agir en gentleman, et des moments pour agir en homme.

Catherine dévisagea sa sœur avec fureur.

— Comment oses-tu sous-entendre que James est un... un...

— Ne me dis pas que tu ne l'as pas pensé, enchaîna Marissa sans se laisser arrêter par le regard meurtrier de Catherine.

Sa sœur serra les dents un moment. Puis elle déclara avec lenteur, en détachant chaque syllabe :

— Ce n'est pas un faible, ni un lâche, Marissa. Il aurait juste dû prendre des mesures plus tôt pour mettre fin à leur couple.

— Il n'a rien fait. Il a attendu qu'elle... parte.

— Qu'est-ce que tu insinues ? souffla Catherine avec colère.

— Que je n'ai jamais compris pourquoi il s'est accroché à Renée aussi longtemps.

Après une pause, Catherine répondit :

— Je ne te l'ai jamais dit, mais James a compris après le mariage que c'était une femme très perturbée. Il n'est pas entré dans les détails, mais le passé de Renée ne ressemblait pas à ce qu'on aurait pu croire en entrevoyant sa vie à La Nouvelle-Orléans. En tout cas, il pensait qu'avec suffisamment de temps, de compréhension et d'amour, elle pourrait changer. Et quand il a saisi qu'elle ne pouvait pas ou ne voulait pas changer, il a quand même hésité, parce qu'un divorce pour adultère aurait été une humiliation pour ses parents.

— Et il ne trouvait pas que Renée les humiliait aussi ? s'indigna Marissa.

— Je ne sais pas exactement ce qu'il en pensait à l'époque. Il dit que, pour une raison incompréhensible, elle adorait le faire souffrir, ainsi que sa famille. Il estime que c'est pour cette raison qu'elle est partie comme ça : pour que les gens se demandent s'il l'avait tuée. Je suis peut-être psy, mais je m'en fiche, qu'elle ait été perturbée ! C'était une garce !

Catherine avait élevé la voix. Marissa lui répondit d'un ton égal :

— Enfin, nous voilà d'accord sur un point. Mais la meilleure façon de lui faire mal aurait été de rester. Maintenant, elle est partie depuis des lustres, James a obtenu le divorce pour abandon du domicile conjugal, et les gens sont passés à d'autres ragots.

Après un instant de silence, Marissa ajouta :

— Si tous ces vieux cancans sur le mariage de James avec Renée te mettent dans un tel état, tu ferais mieux d'arrêter de le voir.

— Arrêter de voir James ? s'indigna Catherine. Mais je l'aime !

— Et lui, est-ce qu'il t'aime ?

— Quoi ? Mais oui. Il me le dit tout le temps.

— Dans ce cas, focalise-toi sur le moment présent et arrête de te montrer aussi susceptible au sujet du passé. N'y pense même plus.

La colère de Catherine s'évanouit, la laissant avec l'impression d'être bête et méchante.

— Tu as raison. Je devrais arrêter d'être si sensible à ce sujet. C'est de l'histoire ancienne. Et... désolée de m'en être prise à toi. Mais si jamais tu traites encore James de lâche...

— C'est toi qui as dit lâche, pas moi !

Zut, c'est vrai, pensa Catherine, qui chercha une échappatoire désespérément.

— Je n'ai dit que ce que tu sous-entendais.

— Ouais, ouais.

Elles roulèrent en silence quelques minutes, puis Marissa reprit la parole comme si de rien n'était :

— Bon, l'éternelle question des enfants, maintenant : « Quand est-ce qu'on arrive ? »

— Dans une dizaine de kilomètres. Pourquoi tant d'impatience ? Je croyais que tu adorais conduire.

— Oui, mais pas tout l'après-midi. C'est samedi, et on a toutes les deux quelque chose de prévu ce soir. Le week-end dernier, vous n'avez pas eu droit à votre petit dîner, avec la conférence de James à Pittsburgh, alors je suis sûre qu'il t'emmènera dans un endroit particulièrement bien pour compenser. Il nous faut dégainer le fer à friser, le vernis à ongles, choisir notre ombre à paupières, et essayer une dizaine de gloss et rouges à lèvres avant d'atteindre la perfection.

— Comme des petites ados ?

— Comme des êtres combinant un esprit de jeunes filles en fleur à la sagesse des femmes.

— Ben voyons.

Elles étaient sorties de la ville, et Catherine regarda les paysages. À 29 ans, demeurait-elle plus romantique que raisonnable ? Elle était amoureuse d'un homme qu'elle connaissait depuis presque toujours, et qu'elle avait aimé la moitié de sa vie. C'était ce qu'elle pensait, tout du moins. En tant que psychologue, elle savait qu'il était très facile de confondre attirance et amour pendant l'adolescence.

Et puis, l'hiver dernier, lors des vacances universitaires, elle était venue pour son premier Noël sans sa mère, morte l'été précédent. James Eastman était enfin passé du statut d'ami de la famille à celui d'amoureux. Les fêtes avaient été à la fois singulières et merveilleuses, et elle avait eu la certitude qu'elle aimait passionnément James, d'un amour de femme.

Par la suite, ils avaient effectué des allers et retours entre Aurora Falls et la Californie pour se voir. Quand elle avait obtenu en juin son diplôme lui permettant d'exercer, Catherine avait décidé de faire sa vie à Aurora Falls. Elle avait intégré le cabinet d'un psychologue renommé. Cela faisait quatre mois, ce qui était vraiment peu, se raisonna-t-elle. L'espoir que James la demande en mariage d'ici le printemps n'était peut-être qu'un vœu puéril, surtout après ce qu'il avait connu avec Renée.

Ils ne vivaient pas ensemble. Catherine n'avait pas envie d'emménager dans l'appartement de James, mais il ne le lui avait jamais proposé pour autant. Peut-être se doutait-il qu'elle refuserait. Avait-il peur qu'un concubinage dans une petite ville soit dommageable à sa position, dans son cabinet d'avocats bien établi, ou à celle de Catherine ? Non, il devait bien avoir conscience qu'on était au XXIe siècle. Il ne devait pas avoir envie qu'elle partage sa vie pour le moment. Peut-être jamais. Elle se sentit soudain rejetée, ce qui la troubla. Elle n'aurait pas dû se laisser autant affecter par de vagues suppositions sur les sentiments de James, s'inquiéta-t-elle. Elle était bien trop dépendante de son affection, trop...

Regardant sans y penser un champ de soja bruni et un autre plein de tiges de maïs flétries, Catherine émergea soudain de ses réflexions et cria presque :

— À droite !

Marissa donna un coup de frein qui les projeta en avant, bloquées par leur ceinture.

— Qu'est-ce que tu as, à hurler ? s'époumona-t-elle. Tu veux que je prenne à droite ? Que je fonce dans le champ de maïs ?

— Je voulais dire juste après le champ. Excuse-moi de t'avoir fait peur.

— Tu m'avais annoncé une dizaine de kilomètres. On n'en a même pas fait cinq.

Marissa accéléra à nouveau en marmonnant :

— Tu es le cauchemar du conducteur, Catherine. Je ne sais pas comment tu t'y es prise pour avoir ton permis. Bon, à l'allure où tu roules, tu n'en aurais pas vraiment besoin. Une voiture à cheval te conviendrait parfaitement...

— La route est là, l'interrompit Catherine, encore gênée par son éclat. Perry Lane. C'est pas une chanson des Beatles, ça ?

— Mais non, c'est « Penny Lane », sur l'album *Magical Mystery Tour*. On a le vieux vinyle, que tu as entendu des centaines de fois. La version CD, qu'on possède aussi, est sortie en 1987...

Elle va continuer sur cette idée quelques minutes, pensa Catherine avec soulagement. Sa sœur était une anthologie ambulante du magazine *Rolling Stone*, et une erreur sur un nom de chanson de rock était la manière idéale pour détourner la conversation.

Marissa tourna avec énergie quelques mètres plus loin et emprunta Perry Lane sur plusieurs centaines de mètres. Après des pluies deux fois plus abondantes que la normale en ce mois d'octobre, l'herbe était plus verte que d'habitude, et la terre boueuse.

Catherine regarda à droite pour chercher à apercevoir le cottage des Eastman. Le soleil brillait, et l'air était vif. On aurait dit que tout sortait de la machine à laver, pensa-t-elle sans raison. Bientôt, elle pointa le doigt au loin.

— Je crois que c'est là.

Marissa s'arrêta sans couper le moteur. Le petit cottage vert-de-gris décati avait une galerie couverte sur la moitié de sa façade, une grande fenêtre et deux plus petites sur l'aile sud. Partout, la peinture s'écaillait, et quelques bardeaux du toit étaient tombés sur ce qui faisait office de pelouse. De part et d'autre, de grands arbres dépassaient du haut de la maison, donnant au bâtiment l'air de ployer sous le poids des branches.

— Tu es certaine que cette maison appartient à la famille de James ? demanda Marissa d'un air suspicieux.

— Pas vraiment, mais sa mère m'a bien dit qu'elle était grise.

— Elle n'est pas grise.

— Je pense que si on la voit verte, c'est à cause de l'ombre et des moisissures.

— C'est moisi ? Beurk !

— Allons, ne sois pas bégueule. Gare-toi dans la petite allée.

Marissa laissa retomber ses mains sur ses genoux.

— Où ça, une petite allée ?

— Juste ici. On ne la voit pas, à cause des branches de résineux. Les Eastman ne font pas souvent tondre. C'est pour ça que le jardin est dans un état lamentable.

— Il n'y a pas que le jardin, fit Marissa, qui ajouta d'un air sérieux, tournée vers sa sœur : Catherine, cet endroit émet de mauvaises ondes.

Catherine se força à esquisser un sourire moqueur.

— Moi qui croyais être la seule à être sensible aux « ondes ». Tu as toujours dit que tu étais trop intelligente pour croire à toutes ces histoires irrationnelles de sixième sens.

— Je viens de me rendre compte que je n'étais pas aussi intelligente que ce que je pensais, rétorqua sa sœur. Je ne plaisante pas.

— C'est un peu déprimant parce que c'est négligé, déclara Catherine d'un ton décidé. C'est juste un vieux cottage de pêche utilisé seulement l'été. Ne me dis pas qu'il te fait peur.

— Seulement parce qu'on dirait l'antre d'un tueur en série. Même les résineux ont l'air malades.

— Tu regardes trop de films, répliqua Catherine d'un ton sec. L'antre d'un tueur en série, franchement, c'est...

— Vrai ?

Catherine regarda les environs, surprise de se sentir vexée, et reprit plus doucement :

— Ce n'est pas un palace, mais tu exagères. (Sourire forcé.) Avance-toi devant le cottage, dans le jardinet de devant.

Marissa jeta un regard au bout du terrain en piteux état et soupira :

— C'est parti.

Elle évita soigneusement les bardeaux et une branche d'arbre gisant à terre, puis arrêta la Mustang.

— Voilà pour le parcours d'obstacles. Le père de James a une raison pour ne pas s'occuper de sa maison de famille ?

— Il la déteste. Son père le traînait là tous les week-ends pour aller à la rivière, pendant son enfance et même son adolescence, alors qu'il ne savait pas nager et n'aimait pas pêcher. L'arrière-grand-père de James a fait construire ici dans les années quarante, expliqua Catherine en sortant de la voiture et en regardant autour d'elle.

— Les années 1740, tu veux dire ? ironisa Marissa en sortant à son tour.

— Juste après la deuxième guerre mondiale, mademoiselle, même si on dirait l'endroit abandonné depuis un siècle au moins. La mère de James voudrait vendre le domaine. Il y a plus d'un hectare de terrain, ça serait remarquable si c'était bien entretenu. Peter, le père de James, était fils unique, donc il n'y a pas de problème de partage.

— C'est quoi, le problème, alors ?

— Il se sentirait sans doute coupable de le vendre en dehors de la famille. La solution serait que ce soit James qui l'achète.

— Il est intéressé ?

— Il ne dit rien quand sa mère aborde le sujet.

— Alors qu'est-ce qui te fait penser ça ?

— C'est une idée en l'air.

— D'accord, commenta Marissa d'un air entendu. C'est toi qui penses que James pourrait acheter le terrain pour y construire une nouvelle maison.

— Comme je disais, ce n'est qu'une idée, répondit Catherine, évasive. Aujourd'hui, je voulais juste te montrer le terrain et savoir ce que tu penses d'une belle maison pour James dessus. Tu sais bien qu'il n'aime pas vivre en appartement.

— Euh, non. Il ne m'en a jamais parlé.

— Eh bien, si, fit Catherine, faisant mine de ne pas voir le sourire de Marissa. Il a vendu sa maison après que Renée l'a quitté. Je suis sûre qu'il en voudrait une nouvelle.

— Mais il ne sait pas que tu viens ici pour affaires, dit Marissa devant le sourire serein de Catherine. OK, explorons. On peut entrer dans le cottage ?

— Non, je n'ai pas la clé, mais on peut regarder par les fenêtres.

Les planches inégales de la longue galerie craquèrent sous le poids des deux sœurs, qui s'approchèrent de la porte-fenêtre centrale, dont les rideaux étaient entrouverts. Les mains autour du visage, elles aperçurent une pièce faiblement éclairée par une ouverture à l'arrière : un canapé affaissé, une table basse ovale, un tapis au crochet et une lampe surmontée d'un abat-jour de guingois.

— Visiblement, le cottage n'a pas été meublé pour impressionner les foules, déclara Marissa avec une grimace.

— Ils ont sans doute fait simple pour éviter les cambriolages, mais l'aspect est plus sympa que ce qu'on aurait pu croire de l'extérieur. Il doit y avoir quelqu'un qui vient faire le ménage une ou deux fois par an, et ils gardent l'eau, le gaz et l'électricité pour éviter que les tuyaux n'éclatent en hiver.

Catherine admira une bordure envahie d'herbes folles, comprenant tournesols, asters sauvages mauves et verges d'or. Quelques mètres derrière, une rangée de chênes et d'érables perdaient leurs feuilles aux chatoyantes couleurs d'automne. Prenant une profonde inspiration, elle sentit une odeur sucrée de pommes. James lui avait dit que sa grand-mère avait planté une poignée de pommiers, qu'elle avait baptisés « verger ».

— Laisse tomber le cottage, s'exclama-t-elle, tout sourire. Regarde un peu ce domaine. Il pourrait être magnifique, avec un peu de soin et d'amour. Tu as vu la rivière ?

Elles contournèrent le cottage. Catherine se félicitait d'avoir suggéré de porter jean et tennis : les herbes étaient hautes, leur arrivant au genou pour certaines. Derrière la bâtisse, les arbres, en l'absence de taille, masquaient le soleil, et différentes herbes poussaient çà et là. Bras dessus, bras dessous, elles descendirent la modeste pente vers la rivière et l'ancien ponton.

— Tu dirais qu'il y a quelle distance entre le cottage et la rivière ? demanda Marissa.

— Je n'ai pas le compas dans l'œil. Peut-être soixante-dix mètres jusqu'à la rive. Je mettrais une barrière tout le long.

— Surtout si tu veux éviter que tes bambins tombent à l'eau. Tu penses en avoir combien ?

— Une douzaine, dit Catherine d'un ton égal. Je pense que ça ferait un très beau jardin.

— Tu l'as dit. Tu avais raison, c'est un bel emplacement pour une maison.

— Et tes mauvaises ondes, alors ?

— Elles devaient venir de cet affreux cottage. Le reste du domaine est superbe. Toute la place qu'il faut pour une maison de bonne taille qui accueillerait la flopée d'enfants que tu comptes avoir, une belle pelouse pour qu'ils puissent jouer avec leurs copains, et vous auriez même la place de construire un bel abri à bateaux. Vous pourriez y garder l'*Annemarie*, proposa Marissa, faisant référence au cruiser baptisé d'après leur mère, dont elles étaient maintenant propriétaires conjointes. Et James a envie d'un bateau à moteur, non ?

— Oui.

— Voilà, c'est parfait, conclut Marissa, qui prit l'air intrigué. Ce que je ne comprends pas, c'est que tu montres cet endroit à ta sœur, comme si c'était moi que tu essayais de convaincre. Pourquoi tu n'emmènes pas James ? Tu crois vraiment qu'il ne veut pas d'une nouvelle maison, un vrai foyer pour loger son épouse et ses enfants ?

— Le problème, soupira Catherine, c'est que James parle d'une maison sans pour autant me demander en mariage. Pourtant, il dit m'aimer. Est-ce qu'il refuse l'idée du

51

mariage à cause du désastre avec Renée ? Moi, je ne veux pas être une espèce de copine à long terme qui lui fait les deux gamins qu'il a l'air de vouloir. Je sais que beaucoup me considéreraient passéiste, mais je veux un engagement clair.

— Dans ce cas, enchaîna Marissa avec gravité, tu devrais demander franchement à James s'il compte se remarier. Après tout, c'est toi la psy. On ne croit pas au fait d'exprimer ses sentiments, dans ta profession ?

— Si, à part que...

— À part que là, ça te concerne, et tu as peur de la réponse. Dans ce cas, je vais te donner mon opinion. Je pense que James veut t'épouser, mais il est du genre à tout planifier, et à ne pas se lancer dans un projet avant d'avoir mis au point le moindre détail. Le choix d'un lieu d'habitation pour vous deux, ça fait partie de ces détails, qu'il veut régler avant de te faire sa demande. Il n'a pas un tempérament impulsif, ce qui est très bien, parce que toi non plus. Si tu épousais quelqu'un d'impulsif, tu courrais à la dépression.

Catherine resta un instant immobile, le regard posé sur la rivière. Les ondulations créées par la brise étincelaient au soleil, et l'eau clapotait doucement contre le large amas de blocs de granit destiné à prévenir l'érosion du rivage. Un rouge-gorge chantait sur la gauche, et un écureuil remonta dans les arbres, une noisette à la bouche, en pré-vision de l'hiver. Oui, ça pouvait être un bel endroit, pensa Catherine. Un endroit parfait pour un foyer. Elle fit part à sa sœur de son impression, et celle-ci s'exclama :

— Alors bécasse, c'est à James qu'il faut faire un petit appel du pied plutôt qu'à moi ! Ne sois pas timide quand il s'agit de faire des propositions à celui que tu aimes. Est-ce que je le suis, moi ?

— Je sais bien que non, dit Catherine sur le ton de la plaisanterie. Éric aussi !

— Éric apprécie ma franchise. Enfin, la plupart du temps. Parfois, il s'entête à ne pas suivre mes conseils. Mais ce n'est pas parce qu'il ne me demande pas mon avis qu'il ne doit pas l'entendre. Euh, tu m'écoutes ?

Catherine s'était éloignée et prenait un cliché de feuilles aux tons éclatants qui descendaient la rivière au rythme enlevé de la brise. Une idée lui traversa l'esprit, et elle se retourna aussitôt pour crier à sa sœur :

— Allez, encore quelques photos avant de partir !

— Tu t'es décidée ? demanda Marissa, dont le visage s'éclaira.

— Je vais tenter le coup, mais si James n'est pas partant, je veux des souvenirs de cet endroit superbe, en cette journée superbe, en compagnie de ma superbe petite sœur.

Le sourire ne quittant pas ses lèvres, Catherine prit plusieurs photos. Elle s'entendit rire avec légèreté, et eut l'impression qu'il s'agissait de quelqu'un d'autre : Marissa, ou sa mère Annemarie, avec leur inaltérable joie de vivre. C'était un sentiment à la fois étrange et enivrant.

Une fois qu'elles furent à nouveau devant le cottage, Catherine insista pour que Marissa ôte son blouson en jean et pose assise sur la décapotable rouge.

— Ce n'est pas avec une photo de moi sur le capot d'une voiture que tu vas convaincre

James d'acheter le terrain, protesta l'intéressée.

— Elle est pour Éric, celle-là. Il pourra la
mettre dans un cadre sur son bureau quand
il aura été élu shérif le mois prochain.

Quand Marissa obtempéra, Catherine lui
demanda de défaire sa queue-de-cheval.
Marissa libéra ses longs cheveux blond
cendré aux mèches dorées et les secoua sur
ses épaules.

— Ça te va ?

— Super. Allez, les lunettes noires sur le
front, pour un look de plagiste décontractée.

Marissa rit, mais s'exécuta.

— Merveilleux ! s'enflamma Catherine.
Maintenant, appuie-toi sur ta main droite. Je
vais faire quelques pas en arrière...

— Tu dois me prendre de plus loin pour
m'embellir ?

— Non, tu es très bien, mais l'effet sera
encore meilleur. Avance un petit peu l'épaule
gauche et...

Catherine sentit son talon heurter quelque
chose de rigide. Regardant derrière elle, elle
vit de vieilles planches disjointes recouvrant

un cercle de béton qui dépassait du sol. Elle prit appui dessus et regarda l'objectif.

— Parfait ! Éric va adorer.

Marissa ouvrit de grands yeux.

— Attention ! Tu es sur une citerne...

Tout à coup, Catherine entendit un craquement. Le vieux bois céda sous ses pieds et, sans pouvoir réagir, elle tomba dans la cuve d'eau froide. Elle coula à pic pendant une éternité, jusqu'à ce que ses pieds touchent une surface dure. Elle avait avalé de l'eau, et lutta contre le réflexe d'ouvrir la bouche pour tousser. Terrifiée, elle se projeta vers le haut, ses bras battant l'eau ralentis par les manches de sa lourde veste en velours doublée de flanelle. Elle entra alors en collision avec quelque chose de grand, mou au toucher, mais dur à l'intérieur. Elle comprit instinctivement que c'était un cadavre. Elle hasarda de grands mouvements paniqués et avala encore de l'eau. Elle essaya de tempérer sa frayeur. C'est un animal. Ce n'est qu'un gros animal...

Avec des bras exactement comme les miens, nota-t-elle, abasourdie, quand ses propres bras glissèrent sous les membres

56

inconnus et remontèrent sur un buste. Elle entreprit de se dégager, mais elle avait la main droite prise dans des milliers de longs fils accrochés au macchabée. Si elle continuait de se contorsionner pour s'en libérer, elle allait finir par perdre la vitesse acquise avec l'impulsion vers le haut. Elle battit des pieds avec frénésie, ses poumons sur le point d'éclater sous l'effort de retenir sa respiration tout en supportant le poids supplémentaire, et enfin, elle arriva à la surface, prit quelques inspirations saccadées, et ouvrit les yeux.

Elle hurla en découvrant le visage mutilé et bouffi d'une femme, sans vie.

CHAPITRE 2

Sous le choc, Catherine sentit ses pieds faiblir, et elle sombra à nouveau. Une douleur intense explosa sur son crâne, et elle refit surface pour voir Marissa allongée à terre, le bras au-dessus de la citerne. Sa sœur lui avait agrippé une bonne partie des cheveux pour la remonter, d'où la douleur.

Catherine regarda le corps auquel elle était encore accrochée et hurla :

— Oh, mon Dieu !

— Lâche ! cria Marissa. Débarrasse-toi du corps !

Catherine regarda l'atrocité qui lui faisait face, ouvrit la bouche pour hurler à nouveau, et leva sa main droite, emmêlée dans une longue et épaisse chevelure noire.

— Coincée !

De l'eau pénétra dans sa bouche, mais elle parvint à la recracher.

— Je suis coincée !

Marissa tira encore une fois sur les cheveux de Catherine, l'approchant du bord de la citerne.

— Aide-moi, Catherine. Il faut que tu attrapes le bord en béton.

Bord en béton ? Catherine n'arrivait plus à penser. Le bord de quoi ? Elle n'y voyait rien, à part un visage horriblement déformé à quelques centimètres du sien.

— Catherine, reviens à la réalité ! s'écria Marissa. Tout de suite !

Catherine toussa, cilla, tourna la tête, puis finit par trouver un rebord en béton. Elle voulut tendre le bras, mais la masse de cheveux emmêlée dans ses doigts ne lui permettait pas de l'atteindre. Elle sanglota et essaya de se propulser en entraînant sa macabre compagne. L'effort qui se lisait sur le visage de Marissa lui soufflait qu'elle ne pourrait maintenir sa poigne beaucoup plus longtemps.

Sa sœur lui ordonna :

— Arrache les cheveux !

Catherine tira dessus avec dégoût.

— J'y arrive pas ! Il y en a trop !

— Allez, merde, la peau est toute spongieuse. Vas-y, tire de toutes tes forces ! vociféra Marissa avec un désespoir brutal.

Dans son état de panique et d'affaiblissement, Catherine vit sa répugnance s'envoler. Elle dégagea son bras gauche, coincé sous l'aisselle du cadavre et appuya sa main sur la poitrine. Elle arrêta ses mouvements de nage, leva les jambes pour qu'elles touchent le corps, puis poussa vers l'arrière avec autant de force que possible, jusqu'à ce que sa main se détache de la tête.

Catherine coula un moment, puis bougea de nouveau les pieds. Elle émergea, tandis que le corps sombrait dans l'eau. Elle s'approcha du rebord en béton de la citerne, s'y accrocha, puis saisit la main tendue de Marissa, qui lui lâcha les cheveux et, des deux mains, entreprit de la soulever par les avant-bras.

Après ce qui sembla une éternité, Catherine sortit complètement de l'eau ; elle s'effondra à côté de Marissa, qui était affaissée

sur elle-même par terre. Toutes deux, épui-
sées, reprenaient leur souffle à grand bruit,
et Catherine tremblait violemment. Elle finit
par apercevoir sa main droite. Elle avait les
doigts entremêlés de longs cheveux noirs
terminés par des lambeaux de chair.

— Quelle horreur, gémit-elle, prise d'une
envie de vomir.

— Arrête de regarder ta main, fit Marissa
d'une voix atone. Il faut qu'on appelle les
secours.

— Je peux pas. Pas maintenant.

Catherine frissonna.

— Marissa, reprit-elle, je crois que c'était...

Elle roula sur le côté, prise d'un désir de
pleurer, mais sans larmes. Elle émit en fait
un bêlement empli de souffrance qui n'avait
pas grand-chose d'humain.

Après quelque temps, Marissa demanda,
tout doucement :

— Tu vas bien ?

— Non.

Enfin, Catherine commença à sangloter.

— Marissa, je crois que c'est Renée.

Une fois que Marissa eut appelé les secours depuis son téléphone portable, le temps sembla s'étirer pour Catherine. Elle eut l'impression qu'une heure s'écoulait avant que les sirènes ne troublent l'ambiance toujours paisible de cet après-midi d'octobre. Marissa l'avait forcée à sortir de sa position fœtale et, après lui avoir enlevé son blouson, l'avait enveloppée dans une couverture sortie du coffre, et lui avait ordonné de se reposer sur le siège baquet inclinable de la Mustang. L'ambulance des urgences arriva, et aussitôt deux soignants en surgirent. Catherine resta de marbre pendant qu'ils prenaient son pouls, sa tension, sa température, et promenaient une petite lumière agressive devant ses yeux. Elle se sentait extrêmement vulnérable et n'avait pas envie d'être touchée. Elle leur répéta qu'elle allait bien, hormis le fait qu'elle se sentait sale et gelée, mais ils se contentèrent de la gratifier de sourires patients et vides, et poursuivirent leur examen.

Le premier officier de police à arriver était Roberta Landers. Les deux sœurs avaient rencontré Robbie au Noël dernier. La jeune femme au visage grave et fin, aux cheveux châtains brillants et aux yeux bleus sérieux, venait d'être promue nouvelle adjointe du shérif. Son père, Hank Landers, travaillait avec Marissa à la *Gazette d'Aurora Falls*. Les infirmiers continuaient leur check-up, et Robbie Landers s'approcha, bloc-notes à la main. Je ne peux pas lui parler, pensa Catherine, dont les muscles se tendirent. Je ne peux pas répondre à des questions avec lucidité. Je ne peux pas lui dire : « Je pense qu'on a assassiné l'ex-femme de James pour la balancer dans cette citerne. »

Elle fut soulagée par la soudaine et ferme intervention de Marissa :

— Bonjour, Robbie. Je suis contente que vous soyez la première sur les lieux. Je vais vous donner les détails pendant qu'on examine ma sœur, si vous voulez bien.

— Évidemment, fit Robbie, qui adressa un petit sourire et un signe de tête encourageant à Catherine.

Elles s'éloignèrent un peu, mais Catherine les entendait toujours. Marissa expliqua :

— Ce cottage appartient à la famille Eastman. On voulait y jeter un œil. La citerne est grosse, mais il y a tellement de végétation partout que je n'ai même pas remarqué le couvercle, au début. Pas avant que Catherine ne marche dessus. Les planches étaient pourries, et elles ont cédé.

Robbie, qui prenait des notes, demanda :

— Les Eastman ne vous ont pas prévenues que cette citerne était là, mademoiselle Gray ?

— Voyons, Robbie, ça fait un an qu'on se connaît. Appelez-moi Marissa. Non, les Eastman ne nous ont pas prévenues parce qu'ils ne savaient pas qu'on venait. Bref, quand le couvercle a cassé, Catherine est tombée. Avec toute la pluie de ces derniers jours, il y a beaucoup d'eau dedans. Elle n'est pas remontée à la surface tout de suite... Elle avait attrapé le cadavre par les bras et s'était emmêlé la main dans les cheveux. Elle n'arrivait pas à se dégager, et le corps l'entraînait vers le fond... C'était affreux, conclut-elle, la voix brisée.

Robbie continuait d'écrire, mais même de loin, Catherine remarqua que son visage se crispait.

— Pourriez-vous estimer le niveau de décomposition ? Quand vous parlez de cadavre, je suppose que ce n'est pas un squelette. La chair est-elle encore attachée aux os, ou... hésita Robbie avec un geste d'impuissance. Je ne sais pas comment tourner la chose à la manière d'un médecin légiste.

— Le corps a la plus grande partie de sa chair et de ses cheveux. Je l'ai seulement entrevu, mais le visage était horrible à voir. Pas seulement bouffi, mais aussi... abîmé, dit Marissa, qui fit une pause avant de poursuivre. C'est une femme, pas de doute.

— Je vois, dit Robbie, la voix soigneusement dénuée d'émotion. Qu'entendez-vous au juste par « abîmé » ?

— C'est... du côté droit. Comme... un trou à l'emplacement de l'œil...

— Un trou ? Une perforation, ou un impact de balle ?

— Les deux sont possibles, je dirais.

— À combien estimeriez-vous l'âge de cette femme ?

— Ce n'est pas facile à dire, le corps est

resté dans l'eau et je ne l'ai vu qu'un instant. Sans doute moins de 40 ans.

— Couleur de cheveux ?

— Noirs. Longs, épais et noirs. Je ne l'oublierai jamais, ajouta Marissa avec une inspiration mal assurée. Je n'en sais pas plus, et je voudrais vraiment aller voir Catherine.

La policière donna son accord et suivit Marissa, pour retrouver Catherine avec les ambulanciers.

— Comment va ma sœur ?

— Elle a peur et froid, mais elle n'est pas en état de choc. Pas d'os cassé, de coupures ni de contusions, répondit un ambulancier roux d'une voix enjouée.

Comme il s'adressait à Robbie, Catherine se demanda s'il essayait de flirter avec elle, car elle était fort jolie.

— Elle n'a pas l'air désorientée, ajouta-t-il avant de se pencher pour regarder Catherine dans les yeux. Vous êtes désorientée, poulette ?

— Je ne crois pas, marmonna Catherine.

Le deuxième soignant, plus âgé, regarda son partenaire d'un air ennuyé.

— Elle ne s'appelle pas « poulette ».

Le plus jeune rougit, puis esquissa un sourire contraint.

— J'essayais juste de détendre l'atmosphère. Mes excuses, « madame », dit-il à Catherine.

Il se tourna à nouveau vers Robbie, avec un sourire engageant. Celle-ci ne lui accorda aucune attention, mais resta à proximité. Marissa demanda à sa sœur :

— Tu vas vraiment bien ?

Catherine hocha la tête.

— Pas trop mal, vu les circonstances.

— Madame Gray, votre sœur m'a dit que le corps est celui d'une femme, commença Robbie. Avez-vous une idée de qui il s'agit ?

Catherine et Marissa échangèrent un regard.

— Elle avait le visage gonflé, j'étais terrifiée et je suffoquais, répondit Catherine, qui vit l'expression de Marissa se décrisper un peu en l'entendant éviter de parler de Renée. Nous n'avons pas vu d'autre voiture.

— Vous étiez là depuis combien de temps ?

— Peut-être vingt minutes, une demi-heure au plus. (Robbie hocha la tête.) Peut-être qu'elle s'était fait déposer, ou qu'elle était venue en taxi, mais je ne vois pas pourquoi, continua Catherine. Il n'y a presque personne dans le coin, à cette période. Il n'y a personne à qui rendre visite, surtout chez les Eastman. Ils ne viennent jamais. Ils ne sont même pas chez eux, ils sont en voyage...

Marissa lui lança un regard d'avertissement, et Catherine se rendit compte qu'elle en faisait trop pour essayer de dissimuler ses soupçons. Même Robbie avait cessé d'écrire et gardait les yeux posés sur elle. Catherine détourna le regard avec nervosité, et vit la voiture du shérif approcher.

— Ouf, voilà Éric !

Éric Montgomery, vêtu d'un jean et d'un gros sweat-shirt, descendit de voiture ; les rayons du soleil éclairèrent ses cheveux blonds ondulés, accentuant la jeunesse de son visage. Adjoint principal, il remplaçait depuis presque un an le shérif Mitch Farrell. Un cancer avait contraint celui-ci à abandonner le poste auquel il avait été élu vingt ans auparavant. Dans deux semaines, une nouvelle élection déciderait d'officialiser ou non Éric dans ses fonctions. Pour Catherine, il était sans aucun doute le meilleur en lice. Il n'avait que 30 ans, mais avait acquis une solide expérience à la police de Philadelphie, avant de démissionner pour retourner à Aurora Falls, où il avait vécu toute sa jeunesse et était tombé amoureux de Marissa il y avait bien longtemps.

Marissa courut vers lui, l'amour et le soulagement éclairant son visage. Elle faillit se jeter dans ses bras, puis se ravisa et commença à parler avec animation. Éric hochait la tête avec gravité, visiblement très concentré, puis Marissa arriva à court de détails. Quand elle se tut, Éric se dirigea vers Catherine.

— Sale journée, hein ? demanda-t-il sans cérémonie, avec un sourire compatissant.

— J'ai connu mieux, reconnut-elle.

Elle frissonnait encore malgré la couverture placée sur ses épaules par les ambulanciers. Ses tennis trempées étaient comme des poids de plomb, et elle sentait une telle tension dans son crâne qu'elle avait l'impression que ses oreilles étaient tirées en arrière.

— Qu'est-ce que tu fais là ? demanda Marissa à Éric. C'est ton jour de repos.

— Ils se doutaient que je voudrais être présent, alors ils m'ont appelé. J'étais tout près.

— Je suppose que Marissa t'a donné les détails de... ma découverte.

— Oui, elle m'a dit que vous passiez un après-midi sympa à découvrir les environs jusque-là.

La voix grave d'Éric était amicale et ses yeux bruns emplis de sympathie, quoique soucieux. Il la parcourut rapidement du regard, mais évita sa main droite. En baissant les yeux, Catherine vit de longs cheveux noirs encore coincés sous ses ongles, et frotta aussitôt la main contre la surface rêche de la couverture.

— Les ambulanciers m'ont dit que tu étais en bonne forme, au moins physique, reprit Éric avec un sourire encourageant.

— Oui. Ils m'ont recommandé d'aller à l'hôpital pour un check-up plus complet, mais je pense que c'est ce qu'ils disent à tout le monde. Je vais très bien, je pense.

— Tant mieux, commenta Éric, qui s'adressa ensuite à Robbie et à son autre adjoint, Jeff Beal. Délimitez le périmètre du crime.

— C'est ce qu'on fait, répondit Jeff avec empressement.

Catherine s'attendait à un salut militaire. Il avait trois ans de plus qu'Éric, mais n'était pas jaloux de son statut de supérieur. Quand Marissa vint les rejoindre, Catherine déclara à Éric :

— Je voudrais que Marissa me ramène à la maison, maintenant. S'il te plaît.

— Elle peut y aller ? s'assura Marissa. Elle n'a rien à dire de plus, et...

Elle s'interrompit en voyant un camion de pompiers s'arrêter sur la pelouse. Deux hommes jaillirent du véhicule. Catherine savait qu'ils étaient là pour récupérer le corps, et elle se débarrassa de sa couverture.

— Bon, maintenant, je veux vraiment partir. Éric, je t'en supplie, ne me fais pas rester pour ça.

— Je ne te demande pas ça, mais... fit remarquer Éric en regardant la Lincoln Town argentée qui ralentissait devant le cottage. James est là.

Celui-ci arrêta sa voiture sur le bas-côté, pour ne pas gêner les véhicules officiels, puis ouvrit en coup de vent la portière pour se précipiter vers Catherine, qui était assise derrière les portes arrière ouvertes de l'ambulance. Il portait un jean et une chemise vert pâle, dont les longues manches étaient un peu retroussées sur ses avant-bras. Ses cheveux noirs, un peu plus épais au sommet du crâne, étaient coiffés de côté et brillaient au soleil. Quand il s'approcha, elle vit que ses yeux noirs étaient encore plus intenses qu'à l'accoutumée.

Une soudaine bouffée de culpabilité l'envahit, comme si c'était elle qui avait fait en sorte de lui créer des problèmes. Elle s'efforça de paraître calme.

— Comment as-tu fait pour venir aussi vite ? Je croyais que tu étais au golf.

— J'avais du travail au bureau, que j'ai estimé plus important. Je devais jouer avec des amis de mon père, et tu sais que, de toute façon, je n'aime pas trop ça.

Tout à coup, James afficha un air angoissé. Il la saisit par les épaules et plongea les yeux dans les siens.

— Mon Dieu, Catherine. J'ai eu la peur de ma vie quand Éric a appelé. Tu te sens bien ?

— Ou... oui.

— Tu n'as pas l'air sûre.

— Tout le monde me demande la même chose, expliqua-t-elle avec un faible sourire. Je vais m'accrocher un panneau autour du cou.

James la serra plus fort.

— Catherine, n'essaie pas de donner le change. Dis-moi franchement : est-ce que tu vas bien ?

Elle hocha la tête avec véhémence et le regarda, incapable de parler.

— Je suis au courant pour le cadavre, et je ne veux pas de détails, reprit James. Tu n'as besoin de *rien* dire pour l'instant.

Après un instant de silence, il explosa.

— Mais qu'est-ce que tu fais ici, bon sang ?

La culpabilité revint, accompagnée de gêne. Catherine avait l'impression d'avoir agi dans le dos de son compagnon.

— Ta mère dit toujours que ça pourrait être une jolie propriété si on abattait le cottage. Je voulais montrer l'endroit à Marissa.

— Mais pourquoi ?

— Je ne sais pas, hésita Catherine. Pour être honnête, je me disais que ça pourrait t'intéresser. Pour une maison. Pour toi. Je sais que tu détestes ton lotissement de ville, avec les maisons accolées.

James la dévisagea. Catherine fut tentée d'esquiver son regard scrutateur, mais elle se força à prendre un air innocent.

— Tu ne me donnes pas l'intégralité de l'histoire, conclut James d'un ton voilé d'indulgence. Mais ce n'est pas grave.

Il l'étreignit, et elle se lova contre la chaleur de son corps. Elle pensa alors à ses cheveux dégoulinants, à ses vêtements sales, et se sépara vite de lui. Il la regarda, soucieux.

— Tu es trempée et gelée. Je te ramène.

— James, ce serait bien que tu restes encore quelques minutes.

Catherine avait oublié la présence d'Éric, qui désignait la citerne.

— J'aurais besoin que tu regardes quelque chose.

Le corps, pensa Catherine, pétrifiée, avec un sentiment de fatalité. *Marissa lui a dit que je pensais que c'était Renée.*

James hésita. À l'évidence, il savait ce que voulait Éric... et à l'évidence, il aurait préféré partir. Mais James Eastman ne fuyait jamais ses responsabilités.

— Bien sûr. Reste là, ma chérie. N'essaie pas de marcher toute seule, je reviens tout de suite.

Elle le regarda s'éloigner, le cœur serré. Il avait carré les épaules, mais son pas était traînant. Elle aurait voulu ne jamais être venue regarder cet endroit, ne jamais en avoir entendu parler. S'il avait pu ne jamais exister... Mais il existait, elle s'y était rendue la tête pleine de projets joyeux. Et voilà ce qui était arrivé. Dieu du ciel, c'était le corps d'une morte ! Sa curiosité avait jeté un fardeau de sinistres tracas sur la famille Eastman, surtout sur son cher James.

Elle ferma les yeux un instant, glacée par l'idée du corps gonflé en décomposition que les pompiers s'apprêtaient à tirer de l'eau froide. James était obligé de regarder, et elle ne voulait pas le priver de son soutien. Malgré ses instructions, elle quitta la sécurité de l'ambulance et, les jambes flageolantes, s'avança vers lui pour lui donner le bras. Il la regarda, et elle voulut lui adresser un sourire encourageant, mais c'était absolument impossible.

Elle se rendit compte que James n'avait pas besoin d'un sourire. Il ne lui avait accordé qu'un vague regard avant de fixer à nouveau les yeux sur l'espèce de civière orange que deux hommes approchaient de la citerne.

— C'est un brancard Sked, expliqua Éric, qui devait chercher à changer les idées de James. C'est très efficace pour le sauvetage dans les espaces confinés, comme les citernes ou les bouches d'égout. C'est souple et facile à soulever avec des cordes. Ça pèse à peine cinq kilos sans le système de levage, dont ils n'ont pas besoin, apparemment. Ce n'est pas difficile.

James hocha la tête et serra Catherine contre lui. Un grand homme musclé portant des lunettes de protection abaissa la civière dans la cuve et glissa dans l'eau avec l'agilité d'une otarie. Une fois revenu à la surface, il reprit sa respiration et annonça à Éric :

— Le corps est presque en place.

S'adressant à son collègue, il ajouta :

— Pas besoin de cordes. Je relève la civière dans quelques secondes.

Catherine respira plus lentement. L'un des secouristes s'empara des poignées pendant que l'autre sortait de la cuve, sans aide. Ensemble, ils soulevèrent leur charge, la penchant autant que possible pour la tirer, et la déposèrent doucement à terre.

Éric lança un coup d'œil à James, qui ordonna à Catherine de rester où elle était. Il s'avança vers la civière avec Éric. Catherine voyait le pantalon sombre, le pull à manches longues, une main bouffie et pendante, et de longs cheveux noirs mouillés. Elle ne pouvait se résoudre à regarder le visage, mais James garda les yeux dessus pendant presque une minute, son teint virant au gris sous son restant de bronzage estival. Il regarda ensuite Éric, sans une trace d'émotion sur le visage, et Catherine l'entendit dire d'une voix sans timbre :

— C'est ma femme Renée.

CHAPITRE 3

Partagée entre le devoir qu'elle se faisait de rester auprès de James et le besoin irrépressible de rentrer chez elle, Catherine protesta quand Marissa lui annonça qu'elles partaient. Éric lui ordonna de rentrer de sa voix la plus autoritaire, ce qui ne suffit pas à la convaincre. Quand James, après un rapide et doux baiser, lui assura qu'il se sentirait mieux s'il la savait en sûreté, au chaud, et, ajouta-t-il avec un faible sourire, *lavée*, elle accepta.

Marissa conduisit un peu au-dessus de la limite de vitesse autorisée, comme à son habitude, et Catherine ferma les yeux, laissant le vent frais faire claquer son pull humide et ses cheveux ramenés en queue-de-cheval.

— Si tu as froid, je peux remonter la capote, proposa enfin Marissa.

— Non, je préfère avoir de l'air. Je sens mauvais.

— Mais non.

— Si. Je vais brûler ces vêtements. Et mes cheveux...

— Tes cheveux seront impeccables après un ou deux shampooings. Ne va pas les brûler.

— J'allais dire qu'ils ont une odeur fétide. Je n'avais pas l'intention d'y mettre le feu.

— Voilà qui est rassurant. Après l'après-midi de folie qu'on a vécu, j'ai peur de la suite.

— Tu n'as jamais peur. C'est moi, la timorée.

— Oh, on ne va pas revenir là-dessus, grommela Marissa, sur un ton mi-moqueur, mi-sérieux. J'ai très souvent peur. Je ne l'avoue pas, c'est tout. Et tu n'es pas timorée. Tu penses que tu l'es parce qu'on te l'a répété toute ta vie. Voyons, Catherine, tu es psy. Tu devrais le savoir.

— Les psys ne sont pas très doués pour l'auto-analyse.

— Eh bien crois-moi, tu es plus courageuse que moi.

Après une pause, Catherine dit :

— Il l'a appelée sa femme.

— Pardon ?

— James. Il a regardé le corps, et il a dit à Éric : « C'est ma femme Renée. » Pas mon ex-femme. Ma femme.

— Et alors ?

— Peut-être qu'il la considère encore comme sa femme, expliqua Catherine d'un ton lugubre.

— Pas du tout. Il était dans tous ses états.

— Peut-être qu'il l'aime encore.

Marissa poussa un long soupir.

— Catherine, tu viens de subir un terrible choc, et tu vois tout en noir. N'oublie pas que James aussi a été très choqué. Il était abasourdi, il se ronge les sangs à l'idée que tu aies trouvé le corps, et il n'a pas trouvé le bon mot. Il ne pense pas à Renée comme à sa femme. Il ne l'aime pas. C'est de toi qu'il est amoureux. Point final.

— Si tu le dis, marmonna Catherine.

— Allez, pleure, crie, agite les bras, tape des pieds, mets un CD à fond la caisse, mais ne reste pas recroquevillée comme ça !

— Tu te sentirais mieux, toi ?

— Beaucoup mieux. Un sourire, ou j'accélère. Qu'est-ce que tu dirais de 130 à l'heure ?

— Parce qu'en plus de tout le reste, tu voudrais une amende, protesta Catherine avec une ébauche de sourire.

— Bon, c'est beaucoup mieux ! Il faut garder le cap. Alors, tu veux écouter de la musique, discuter tranquillement, ou rester dans le silence ?

Catherine savait Marissa incapable de se taire après leur expérience, et toute conversation impliquerait de ressasser les événements, aussi elle choisit la musique, et s'immergea dans sa migraine, son malheur et les chansons de Coldplay.

Une heure plus tard, dans la maison de famille des Gray, Catherine émergeait de la salle de bains embuée de l'étage. Elle avait revêtu un long peignoir en éponge pardessus un tee-shirt à manches longues et un pantalon de pyjama, et elle avait encore froid. Elle enroula une serviette autour de ses cheveux, les doigts fripés d'être restés longtemps au contact de l'eau. Elle s'était récuré les ongles avec tant d'énergie que sa peau brûlait.

— J'ai fait du feu, annonça Marissa depuis en bas. Je t'ai aussi préparé quelque chose à manger, que tu en veuilles ou non. Dépêche-toi avant que ça refroidisse.

Catherine ferma les yeux en poussant un soupir. Tout ce qu'elle voulait, c'était se pelotonner dans son lit. Malgré tout, elle resserra la ceinture du peignoir, enfila de vieux chaussons tout doux et descendit. Marissa lui souriait du bas de l'escalier. Elle avait visiblement fait des efforts pour rendre encore plus accueillant que d'habitude le séjour aux couleurs crème, muscade et bleu canard. Derrière la grille, un feu crépitait gaiement dans la grande cheminée de pierre, et Marissa avait allumé deux lampes de cuivre et trois bougies parfumées à la cannelle.

— Tu te sens mieux ?

— Plus propre, en tout cas.

— Sans doute ! C'était le record de la plus longue douche.

Marissa désigna la chienne jaune de taille moyenne assise à son côté, qui tenait dans la gueule un petit tigre en peluche.

— Lindsay pensait qu'on allait devoir venir te secourir !

Catherine caressa la tête de la chienne.

— C'est gentil de t'inquiéter pour moi, Lindsay. Je me sens toujours plus en sûreté quand tu es là.

La chienne se dressa sur ses pattes arrière et remua la queue, maintenant le tigre en place avec fermeté.

— Tu as raison, approuva Marissa. Elle t'est très loyale, même si, officiellement, elle est à moi. Viens t'asseoir sur le canapé. J'ai préparé un repas de roi.

Difficile de savoir ce que pouvait donner un repas de roi, pour Marissa, dont les plats s'échelonnaient du « mauvais » au « mangeable ». Malgré ses craintes, Catherine s'assit et s'efforça de scruter avec intérêt le plateau.

— Tends la main, dit Marissa, qui lui déposa un petit cachet bleu dans la paume et lui donna un verre d'eau. Tu as déjà pris de l'aspirine pour ton mal de tête. Maintenant, un Valium. Je n'ai pas insisté tout à l'heure de peur que tu tombes sous la douche, mais ne te braque pas. Tu es la première à dire qu'il n'y a rien de mal à prendre un tranquillisant dans une situation d'urgence.

— Je n'allais pas protester, répondit Catherine, qui avala aussitôt le cachet. Je crois que je tremble de partout.

— Tu m'étonnes.

— Et je me trouve ridicule d'avoir été chamboulée sous prétexte que James a appelé Renée sa femme.

— C'est normal, on était toutes les deux terrifiées. J'ai fait un sandwich au fromage fondu – avec le gruyère que tu as acheté. Et il y a aussi du velouté de tomate, et une théière de camomille. C'est censé être apaisant, et il ne te faut pas d'alcool après un tranquillisant. Qu'est-ce que tu en dis ?

— Formidable. Il ne fallait pas t'embêter comme ça.

— Bien sûr que si. Et pas de compliments avant d'avoir goûté. Même pour moi, c'est difficile à louper, mais on ne sait jamais. Moi, je prendrai du café et une part du gâteau au chocolat que j'avais acheté avant-hier à la boulangerie. Il en reste pour toi aussi.

Sur ce, Marissa lui étendit une serviette sur les genoux et lui versa sa tisane comme si elle était grabataire.

— Ne le prends pas mal si je ne mange pas tout, dit Catherine en riant. Je me sens encore un peu vaseuse.

— T'inquiète. Lindsay et moi, on se charge des restes.

Marissa parla sans discontinuer de sujets légers, commentant les faits et gestes des célébrités hollywoodiennes comme si c'étaient des amis de la famille. Tout en écoutant le récit théâtral de sa sœur sur l'acteur qui avait quitté sa femme pour un top model après deux mois de mariage, Catherine retira la serviette de sa tête pour laisser ses cheveux sécher à la chaleur du feu. Quand Marissa eut épuisé sa réserve d'histoires de stars, Catherine regarda avec étonnement son plateau vide.

— Ça alors ! J'aurais pu jurer que je n'avais pas faim !

— Tu n'as pas mangé à midi, et tu n'avais avalé que quelques tartines au petit déjeuner. Tu avais besoin de te nourrir. Un bout de gâteau ?

— Je crois que j'ai quand même atteint ma limite. Merci pour ce repas.

— Avec plaisir.

Marissa entreprit de débarrasser. Lindsay arborait un air déconfit devant les plats vides, ce qui fit sourire Catherine.

— Marissa, il faut que tu lui donnes un petit quelque chose. Elle me fend le cœur, là.

— Ne te fais pas avoir. C'est une championne du regard qui fend le cœur, mais elle va avoir au moins un autre biscuit pour chiens et peut-être un deuxième bout de bacon.

Marissa disparut dans la cuisine, et Catherine regarda la chienne vive et affectueuse qu'elle aimait maintenant beaucoup et qui, en cet instant, penchait la tête comme si elle la comprenait. Catherine s'allongea, s'enveloppa dans la couverture et attrapa le téléphone.

— Je vais appeler James, tant que j'arrive à garder les yeux ouverts.

* * *

James Eastman se trouvait dans le jardin du cottage. Sous un splendide ciel étoilé, la bâtisse paraissait encore plus petite et éloignée de tout qu'en plein jour. La zone de la citerne, de l'auvent, et de la porte d'entrée était condamnée par un ruban signalant la scène du crime.

— Tu disais, ma chérie ? demanda James dans le téléphone portable. Excuse-moi, j'étais distrait.

— Je te demandais ce que tu faisais, répéta Catherine. On dirait que tu n'écoutes pas.

— Je t'écoute. Je suis à l'appartement, en train de lire, répondit James, pris d'une furieuse envie d'abattre l'engoulevent qui décida de crier juste à cet instant. Il y a un documentaire animalier à la télé, improvisa-t-il, mais je n'arrive à me concentrer ni sur la lecture ni sur la nature. Je suis fatigué, et à ta voix, tu l'es aussi. On devrait tous les deux aller dormir.

— Mais pas dans le même lit.

— C'est ce qui arrive cinq soirs par semaine, et aujourd'hui, ça vaut mieux. Tu pourras te retourner, donner des coups de pied et marmonner à ta guise.

— C'est toi qui fais tout ça, fit remarquer Catherine.

— Faux. Bon, je te promets que si demain, tu me dis que tu n'as pas dormi, je t'emmène courir dix kilomètres.

— Dans ce cas, je promets de dormir.

— C'est bien ce que je me disais. Bonne nuit, ma chérie.

James raccrocha. Il aurait aimé parler plus longtemps avec Catherine, mais ce n'aurait pas été possible sans aborder le sujet de Renée.

Elle était morte. Nombre de ses concitoyens pensaient qu'il l'avait tuée quelques années plus tôt. Il avait enduré les rumeurs et les sous-entendus, agi comme si de rien n'était, mais en réalité, il les prenait très à cœur et en éprouvait de la colère. Il était persuadé que c'était ce qu'espérait Renée. Quand il avait enfin compris qu'elle n'allait pas revenir pour une séparation en bonne et

due forme, il avait lancé les recherches offi-
cielles, ce qui était légalement nécessaire à
un divorce discret pour abandon du domicile
conjugal. À son soulagement, comme elle
n'avait toujours pas réintégré le foyer un an
après, le divorce avait pu se dérouler sans
bruit. Il n'avait plus à penser à elle. Il pouvait
commencer une nouvelle vie.

Mais maintenant, avec la découverte de
Catherine, il ne pouvait plus repartir de zéro,
pendant que le souvenir de Renée Eastman
s'effaçait peu à peu des mémoires. Quand
elle était en vie, la plupart de ses connaissances ne l'aimaient pas, voire la détestaient.
Cependant, les sympathies pouvaient changer
d'un jour sur l'autre. Beaucoup auraient soudain du chagrin quand ils sauraient que
Renée s'était fait tuer. Pire que tuer. Elle
s'était pris une balle dans la tête et on l'avait
laissée à pourrir dans une citerne.

James se rapprocha de sa voiture, garée
dans l'allée de fortune, non loin du bosquet.
Sur la surface d'à peine deux acres, les
arbres étaient espacés, mais de nuit, l'ensemble avait l'air dense. Dans la pénombre,
il repéra le mouvement d'un animal qui

s'aventurait vers lui, protégé par les arbres. Il faisait déjà trop froid pour que ce soit un chien de prairie. Un raton laveur en quête de restes de nourriture ? Le cottage, généralement inoccupé, ne faisait sans doute pas partie du circuit des éboueurs. Un chat, plus probablement.

Et des phares de voiture. Oh non, pas encore des badauds, pensa James, furieux. Perry Lane était en dehors des grands axes, et bien des gens ne connaissaient même pas l'existence des petits cottages de pêche dans le coin. Cela s'était avéré utile aujourd'hui, et seuls quelques curieux étaient venus tout à l'heure. Cependant, la nouvelle avait dû circuler, et il était possible que des personnes n'ayant rien de mieux à faire un samedi soir veuillent découvrir la scène du crime.

La voiture s'arrêta lentement devant le cottage, et les phares s'éteignirent. C'était une intrusion. Qui donc avait l'audace de venir lui parler après ce qui s'était passé ici ? De quel droit ? Ou le prenait-on pour un autre badaud animé de la même curiosité morbide ?

Une femme sortit du véhicule, éclairée par la lumière intérieure.

— Salut, James ! Je n'arrivais pas à te joindre chez toi, alors je n'ai même pas essayé ton portable. Je savais que tu serais là. Je voulais m'assurer que tu allais bien. J'espère que ça ne te dérange pas.

La colère de James se calma en voyant son associée au cabinet Eastman & Greenlee. Il connaissait Patricia Greenlee depuis l'enfance.

— Je suis content que tu sois là, dit-il d'une voix forte. Je commençais à avoir la trouille.

Quand Patricia arriva à sa hauteur, elle l'étreignit. Elle avait 40 ans, une allure sportive avec son mètre soixante-dix et son corps musclé, des cheveux blond cendré bouclés, des pommettes hautes et des yeux d'un remarquable gris clair. Elle portait un grand manteau de cachemire boutonné sur une robe bleue chic et des tennis blanches.

— Pourquoi tu ne m'as pas appelée ? l'interrogea-t-elle. J'ai entendu sur la fréquence de la police qu'on avait trouvé un corps ici, et je me suis souvenue de ton cottage de

famille. J'ai appelé au bureau, à ton appartement, mais je n'ai pas eu de réponse, et je
me suis angoissée tout l'après-midi.

— Tu te serais épargné cette angoisse en
évitant d'écouter la police à la radio.

— J'ai toujours besoin de savoir ce qui se
passe dans le coin.

— Et du coup, tu écoutes, et tu te mets
dans des états comme aujourd'hui, fit James
en secouant la tête. Où est ton promis, ce
soir ?

Lawrence Blakethorne, qui possédait une
compagnie d'aviation à son nom, était fiancé
à Patricia depuis deux mois.

— Il a reçu un appel pendant notre dîner
au Larke Inn. Il y a des moments où je
déteste les portables. C'était à propos de la
fameuse fusion entre Blakethorne Charters
et Star Air qui inquiète tant Lawrence. Il a
dit que c'était une urgence, comme d'habitude, et qu'il devait chercher un dossier à
son bureau. Il m'a déposée à la maison, et
j'ai décidé de venir te chercher. Je ne me
suis même pas changée, à part les chaussures. Classes, les tennis, hein ?

Sans attendre de réponse, elle poursuivit :

— Alors, ils ont bien trouvé un corps.

— Malheureusement, oui, soupira James. Je pensais que ça ne me ferait rien de revenir jeter un œil ici, mais... bref. Tu as toujours le don pour savoir quand j'ai besoin d'une présence amicale.

— Personne ne devrait se retrouver ici tout seul, répondit aussitôt Patricia.

Elle regarda le cottage et enfonça les mains dans ses poches.

— Ils ont été aussi vagues que possible sur la station de la police, ils ont seulement donné le code « cadavre ». C'est un homme ou une femme ?

— Une femme.

— Elle a été tuée comment ?

— Par balle.

— Ils l'ont identifiée ?

Un silence s'établit, puis James répondit avec lenteur :

— Non, mais c'est Renée.

Patricia s'immobilisa, puis répéta le prénom dans un murmure avant de demander :

— Ta Renée ?

— Oui.

— Pas possible.

— Si.

— Oh, James, non !

— Arrête de crier. Je suis déjà suspecté de l'avoir assassinée, alors s'il y a quelqu'un par ici, il croira que je suis en train de te tuer aussi.

Patricia lui donna un léger coup sur le torse.

— Ne va pas dire de choses comme ça ! grommela-t-elle. Depuis combien de temps le corps est-il là ?

— Sans doute une semaine, d'après la police.

— Une semaine ? suffoqua Patricia. Pas des mois ? Pas des années ?

— Sûrement pas.

— Alors tu t'es trompé, affirma-t-elle. Ça ne peut pas être elle. C'est une sans-abri. Quelqu'un l'aura vue traîner par ici, et l'aura tuée dans un accès de panique. Il a eu trop peur de se dénoncer à la police, et a caché le corps.

— Personne ne vit dans les environs, à cette période. De toute façon, je l'ai vue. C'était Renée.

— Mais non !

Patricia se tut un instant avant de demander, comme à regret :

— Et même si c'était elle, que serait-elle venue faire dans ton cottage ?

— Je n'en ai aucune idée. Catherine l'a trouvée dans la citerne.

— Catherine ?

— Heureusement, elle était avec Marissa. C'est une grande citerne enterrée, au bout de la maison, qui fait bien deux mètres de profondeur. Elle était pleine, avec toute la pluie qu'on a eue récemment. Le couvercle à moitié pourri a cédé sous le poids de Catherine, et une fois qu'elle a refait surface, elle tenait le corps. Elle n'est pas bonne nageuse, et entre la panique et le fait de s'être pris les doigts dans les cheveux de Renée, je pense qu'elle se serait noyée si Marissa n'avait pas été là pour l'aider.

Patricia avait l'air épouvantée.

— C'est horrible ! Elle devait être hystérique.

— Au contraire. Elle était complètement renfermée, mais elle avait l'air très mal.

— Elle est blessée ?

— Elle n'a que quelques égratignures, des bleus, et sans doute des muscles froissés. Marissa l'a ramenée chez elle, lui a donné un tranquillisant, l'a fait manger et envoyée au lit.

Il soupira.

— Elle vient de m'appeler. Pour l'instant, ça va, mais elle va avoir du mal à s'en remettre.

— Ne la sous-estime pas. Catherine a bien plus de force que ce qu'on croit, et elle sait rebondir, répondit Patricia d'un ton encourageant. Que faisait-elle ici avec Marissa ?

— Mes parents lui avaient parlé de cette propriété, et Catherine a dit qu'elle voulait voir si c'était un bon emplacement pour une maison pour moi.

— Le cottage ?

— Non. Ma mère parle toujours de l'abattre et de vendre le terrain à quelqu'un qui pourrait y construire une belle maison. Catherine ne l'avait jamais vu. Peut-être qu'elles sont venues parce qu'il faisait beau et qu'elles étaient curieuses de le découvrir. En tout cas, je suis content que Catherine n'ait pas été seule.

Patricia serra ses jolies lèvres minces, ce qu'elle faisait toujours lorsqu'elle réfléchissait. Après un moment, elle demanda avec une pointe d'irritation :

— Si c'est Renée, d'où sortait-elle ? Tu te rends compte, James, elle est partie depuis plus d'un an, et quand elle revient, c'est dans cet état !

— Je suis au courant du temps que ça fait.

James garda le silence un instant, puis ajouta sèchement :

— Et je suis certain qu'elle n'avait pas prévu de revenir « dans cet état ».

Patricia ignora cette tentative d'humour noir.

— Mais pourquoi est-elle ici ?

— Je n'en sais rien.

— Peut-être qu'un de ses anciens amants savait où elle était, et l'a attirée ici dans l'espoir de raviver leur flamme. Ils n'étaient pas du genre à renoncer facilement, ni l'un ni l'autre. Ou il y en a un qui a fait semblant de vouloir renouer avec elle, alors qu'il voulait lui faire payer de l'avoir largué. Ou alors... désolée d'avoir l'air méchante, mais qui sait s'il y en avait seulement deux ? Connaissant Renée...

— Connaissant Renée, elle pouvait très bien avoir une douzaine d'amants dans le coin. Mais tout de même, après si long-temps...

James resta silencieux un moment, puis réfléchit à voix haute.

— C'est quand même une belle ironie du sort. Notre divorce avait été finalisé lundi. Il y a cinq jours.

— Et elle était au courant ?

— Je n'ai eu aucune nouvelle d'elle depuis qu'elle m'a quitté. Elle était peut-être en contact avec ses parents, ce n'est pas sûr. Ils ont arrêté de répondre à mes appels quelques semaines après le départ de Renée, mais j'avais envoyé une lettre recommandée à son père au début de la procédure de divorce, ainsi qu'une autre l'informant de la probable date de finalisation. J'ai eu l'accusé de réception pour les deux.

James regarda le cottage sans le voir.

— Dans tous les cas, je suis sûr qu'elle n'était pas revenue à cause du divorce.

— Tu ne peux pas être sûr. Après tout, c'est une coïncidence suspecte. Si son père lui a parlé du divorce, elle a peut-être voulu se réconcilier à la dernière minute.

— Après la manière dont elle m'a traité quand on était mariés ? Après être partie sans un mot d'explication, ni sur le moment ni dans les années qui ont suivi ? Elle aurait voulu renouer avec moi, soudainement ?

James secoua la tête.

— Non, Patricia, je suis certain qu'elle n'est pas revenue pour moi.

Après un silence, Patricia dit lentement :

— On dirait que tu es amer.

— De savoir qu'elle ne voulait pas revenir avec moi ?

— Euh... je ne sais pas, dit Patricia, qui avait l'air mal à l'aise.

— Elle a fait de ma vie un enfer, avant et après son départ. Si je suis amer, c'est seulement parce que je n'arrive pas à être libre. Je suis amoureux de Catherine. J'étais heureux. Et revoilà Renée, qui fout ma vie en l'air, fout Catherine en l'air.

— Elle est morte, elle ne peut pas changer ta vie, dit doucement Patricia.

— Tu crois ? Elle a été assassinée. Il y aura de nouveau une enquête, et je serai de nouveau le principal suspect. Et pense à ce qui s'est passé aujourd'hui. Catherine aurait pu mourir noyée dans la citerne, tirée vers le fond par Renée. Même son cadavre est dangereux, conclut-il avec un rire sardonique.

— Tu m'inquiètes, James. Je te trouve...

— Fou ?

— Différent, en fait. Pas comme le James Eastman calme et rationnel que je connais depuis des années.

James cessa de sourire. Il regarda dans le vide un instant avant d'ajouter d'un ton las, comme si sa colère s'étiolait :

— Je pense que je suis en état de choc, Patricia. La retrouver dans le vieux cottage familial miteux, où quelqu'un lui a tiré dessus pour la balancer dans la citerne, c'est... vraiment...

Patricia lui prit le bras.

— Arrête, James. Arrête d'en parler, de te l'imaginer, d'y penser tout le temps. Il faut que tu rentres chez toi.

— C'est ce que je vais faire. Bientôt. Je crois que je vais me saouler.

— Tu ne te saoules jamais. Tu devrais suivre l'exemple de Catherine.

— Je n'ai pas de gentille sœur qui me donnera un tranquillisant, de la nourriture et me mettra au lit.

— Catherine et Marissa se chamaillent comme des gamines, parfois, mais elles s'aiment beaucoup et prennent soin l'une de l'autre, commenta Patricia avec un sourire, avant de soupirer. J'étais comme ça avec ma sœur. Ça me manque, ce lien inconditionnel. Tu as parlé à Éric Montgomery ?

— Oui, il était là avant que j'arrive, même si c'était son jour de repos. J'avoue que je suis content qu'il soit responsable de l'affaire, même s'il a déjà commencé à s'enquérir de mes allées et venues du week-end dernier.

— C'est normal. Le conjoint est toujours le premier suspecté.

— Je ne suis pas le conjoint.

— Tu l'étais la semaine dernière. De toute façon, tu étais à la conférence de Pittsburgh. Des tas de gens t'ont vu.

— Pas tant que ça. Je suis arrivé le jeudi, et j'avais déjà des symptômes de grippe. J'ai manqué plusieurs séminaires vendredi et samedi, et je ne suis pas allé au grand dîner du samedi soir. De toute façon, une semaine, ce n'est qu'une estimation. Ça aurait pu être il y a six jours, dimanche, quand je suis rentré et que je suis allé directement au lit. Tout seul. Même Catherine ne peut pas témoigner en ma faveur.

— Donc même morte, cette Renée te nuit, reconnut Patricia. Mais au moins, Catherine va bien, et tes parents sont en croisière. Tu vas leur dire ce qui s'est passé ?

— Et interrompre leur voyage en Italie pour fêter leurs trente-cinq ans de mariage, avec cette nouvelle atroce ? Non.

— Ta mère sera furieuse si tu ne le fais pas.

— Elle s'en remettra, comme toujours.

Patricia consulta son élégante montre au fin bracelet et conclut :

— Bon, tu as l'air de tenir le coup, James, même s'il faut que tu rentres de reposer.

Sur la pointe des pieds, elle lui déposa un baiser sur la joue.

— Je suis désolée pour toi. Tu vas prendre des jours de repos, la semaine prochaine ?

— Non. Je serai là lundi matin, de bonne heure, de bonne humeur.

— Tu devrais t'octroyer au moins deux jours pour te remettre.

— En restant à l'appartement à regarder la télé ? Merci bien. Le mieux, pour moi, c'est de travailler.

— Tu es un homme exceptionnel.

— Oh oui, je me sens exceptionnel ce soir.

— Allez, rentre chez toi.

— Bien.

Patricia fit demi-tour dans sa voiture et, avec un signe à James, repartit d'où elle était venue. Celui-ci resta encore quelques minutes, puis s'installa au volant de sa Lincoln gris métallisé. Après avoir démarré, il recula d'un ou deux mètres, puis s'apprêta à allumer les phares pour regarder une dernière fois le vieux cottage hideux, semblable à un monstre aux aguets dans la nuit.

Tout à coup, une colonne lumineuse fusa depuis l'arrière du cottage. Quelques secondes après, une deuxième boule de feu embrasa le ciel nocturne. La colonne se transforma en un mur de flammes qui incendia tout l'arrière de la maison. Des débris enflammés atterrirent sur le toit, des bouts de bois grésillants volèrent dans la nuit noire, et la petite bâtisse se transforma en un bûcher rugissant.

CHAPITRE 4

Catherine se redressa sur le canapé en hurlant. Aussitôt, la chienne se mit à aboyer avec frénésie. En quelques secondes, Marissa avait accouru pour la saisir par le bras.

— Qu'est-ce qui se passe ?

Catherine, tremblante, étreignit sa sœur et enfouit la tête dans ses cheveux.

— Quand je suis revenue de la cuisine, tu t'étais assoupie, récapitula Marissa. Tu dormais depuis à peu près vingt minutes. Ce n'est qu'un cauchemar.

Catherine se dégagea et secoua la tête.

— Non ! Il est arrivé quelque chose à James ! Il faut que je l'appelle !

— D'accord. Respire.

Marissa prit le téléphone sans fil sur la table basse et considéra les doigts tremblants de sa sœur.

— Tu veux que je compose le numéro ?

— Oui. À l'appartement.

Catherine récita les chiffres à l'allure d'une mitraillette. Le répondeur était coupé, et elle gémit quand l'appel resta sans réponse après six sonneries.

— C'est pas vrai...

— Pas de panique. Après tout ce qui s'est passé cet après-midi, il a peut-être débranché. Donne-moi son numéro de portable.

Au bout de deux sonneries, James décrocha.

— Salut, dit Marissa, soulagée. Catherine vient de faire un cauchemar à ton sujet, alors j'ai composé le numéro à sa place. Je te la passe.

Catherine arracha le combiné à sa sœur et cria presque :

— James, tu vas bien ?

— Euh... oui. B... bien sûr, articula-t-il avec peine.

— Tu n'as pas l'air. Pourquoi tu n'as pas répondu sur ton fixe ?

— Parce que je ne suis pas chez moi, répondit-il, restant dans le vague.

— Où es-tu ?

— Par là...

Catherine se réveilla complètement. Visiblement, il esquivait la question.

— James, ne me cache rien, dit-elle avec sévérité. Dis-moi ce qui ne va pas !

— En fait... je... j'ai failli me retrouver au milieu d'une explosion. Enfin, pas vraiment au milieu...

— Une explosion !

Catherine eut l'impression d'avoir reçu un coup de couteau dans le ventre, et elle entendit Marissa s'étrangler.

— Tu es blessé ? Tu es à l'hôpital ?

— Ma chérie, calme-toi. Je ne suis pas blessé.

— Tu es blessé et tu ne me l'avoues pas.

— Non, je t'assure. Je n'ai pas une égratignure.

Catherine inspira profondément, dans l'espoir fou de retrouver son calme.

— Où es-tu et que s'est-il passé ?

— Au cottage. Quelqu'un l'a fait sauter.

— Comment ça, au cottage ? Ah, la police t'a demandé de revenir à cause de l'explosion.

— Euh...

Catherine expliqua à Marissa :

— Il est au cottage. Ça a explosé, mais il va bien.

Toujours très nerveuse, Lindsay s'ébrouait bruyamment. Avec un signe de tête, Marissa emmena la chienne dans la pièce voisine. Le tourbillon de pensées de Catherine s'apaisa, et elle commença à reprendre ses esprits.

— James, tu as dit que tu avais failli être là. Tu y étais déjà. Ce n'est pas la police qui t'a appelé.

— C'est vrai, avoua James dans un soupir.

— Oh, fit Catherine, dont la voix devint atone. Tu m'as menti.

— Oui. Je suis désolé.

— Qu'es-tu allé faire là-bas ce soir ?

— Je sais pas. C'était une erreur, je suis désolé, répéta James, qui enchaîna avec maladresse, mais franchise : Chez moi, j'ai bu un ou deux verres, et ça n'a rien réglé du tout. Je n'arrêtais pas de penser à l'atrocité d'aujourd'hui. Ce pauvre vieux cottage transformé en maison de film d'horreur... J'ai décidé d'y retourner. J'ai dû me dire qu'il n'aurait pas l'air aussi effrayant à la lumière de la lune qu'à celle du soleil. J'avais tort.

James s'interrompit, attendant manifestement que Catherine dise quelque chose. Submergée par la colère et la confusion, elle préféra garder le silence plutôt que d'exprimer à voix haute ses émotions tumultueuses.

James respira longuement, lui assura à nouveau qu'il n'avait rien, puis ajouta avec un ton honteux qui faisait mal à entendre :

— Catherine, je suis désolé pour tout ce qui est arrivé aujourd'hui.

— Je sais, réussit-elle à répondre d'une voix calme. Tu n'as pas besoin de me le répéter. Mais je ne comprends pas pourquoi tu m'as menti...

— Voilà les pompiers ! cria James pour couvrir le bruit d'une sirène. Retourne au lit, Catherine, ordonna-t-il d'un ton soulagé. Tout va s'arranger, je te promets.

Il raccrocha sans crier gare et Catherine regarda le combiné, abasourdie.

Une explosion. L'homme qu'elle aimait venait d'échapper de justesse à une explosion. Après cette journée surréaliste, elle n'arrivait pas à digérer la réalité d'une nouvelle abomination. Elle se leva du canapé, dans le désir de retrouver la paix et la solitude de sa chambre. Elle n'aurait dû ressentir que du soulagement que James soit en bonne santé, mais elle ne pouvait cesser de penser à cette curieuse visite de nuit au cottage où son ex-femme avait été assassinée. Il lui avait donné une raison, mais qui paraissait futile et ne ressemblait pas au James Eastman qu'elle connaissait.

Qu'était-il vraiment allé faire là ?

Et pourquoi lui avait-il menti ?

*
* *

Patricia Greenlee regarda par la fenêtre de la véranda. La terrasse baignée de soleil donnait sur une pelouse prolongée par une surface dallée. Au fond, un grand étang était entouré d'une haie au feuillage persistant de deux mètres de haut.

— J'espère que le temps va se maintenir pendant la semaine. Idéal pour notre mariage.

— Qui se déroulera dans une église. Tu sais, avec des murs, un toit, du chauffage. Le temps, quelle importance ?

Patricia se tourna vers son fiancé, Lawrence Blakethorne, qui était assis à la petite table. Il abaissa son journal du jour et lui sourit. Elle l'avait rencontré vingt-quatre ans auparavant, quand il avait épousé sa sœur aînée, Abigail, et il n'avait guère changé, à part quelques rides sur sa peau bronzée en permanence, les fils argentés qui s'entrelaçaient dans ses épais cheveux noirs, et presque dix kilos de muscles qu'il avait ajoutés à sa haute silhouette, autrefois maigre. Patricia se dit qu'à 50 ans, Lawrence était encore plus séduisant que dans sa jeunesse.

— J'ai peur que beaucoup de gens refusent de venir parce qu'ils désapprouvent ton mariage avec ta belle-sœur, dit-elle doucement.

— Mon ex-belle-sœur. Abigail est morte depuis plus de douze ans. Je doute que ça choque grand monde.

— Ma mère serait scandalisée.

— Tout à fait. Si on s'était mariés alors qu'elle était encore en vie, elle ne nous aurait jamais laissés en paix.

— C'est pour ça que tu as attendu qu'elle meure pour faire ta demande ?

— Oui, affirma Lawrence, dont le regard se fit distant. Vous ne vous êtes jamais bien entendues, toutes les deux. Elle n'a jamais été juste avec toi, mais il n'y avait que son opinion qui comptait. Je n'ai jamais compris pourquoi. En tout cas, elle aurait détesté l'idée, elle aurait gâché ton bonheur, et peut-être même nui à notre couple.

« Maintenant, poursuivit-il, elle ne peut plus donner son avis à tout propos alors qu'on ne lui a rien demandé. Tu n'as plus besoin de l'écouter, même par politesse. Tu peux faire ce que tu veux de ta vie. Et puisque tu te soucies de l'avis des autres, mon fils lui-même se réjouit honnêtement pour nous. Il trouve que ça aurait dû arriver il y a longtemps.

Lawrence la regarda de plus près.

— Alors, qu'est-ce qui t'inquiète vraiment, chérie ?

Patricia quitta une fenêtre de l'espace repas et se dirigea vers la partie salon, à l'autre bout de la véranda.

— Des détails, c'est tout. J'ai peut-être 40 ans, mais c'est mon premier mariage, et je veux qu'il soit parfait. Je veux que le temps soit au beau fixe, que les gens approuvent notre union...

Elle marqua une pause et ajouta d'un ton anxieux :

— Et ça paraît bête, mais je m'inquiète pour le vin d'honneur. Je ne veux pas qu'on perde des invités entre l'église et le Larke Inn.

— On se marie le soir et il y aura des tas de bonnes choses à manger et à boire au vin d'honneur, s'esclaffa Lawrence. Ça m'étonnerait qu'on perde qui que ce soit.

Il posa son journal et la rejoignit à la fenêtre, un bras sur ses épaules.

— Pat, tu enlèves tout l'aspect sympa de la chose.

— Pour toi, notre mariage est une « chose » ?

Il grommela et l'attira contre lui.

— Je m'exprime mal. J'attends avec impatience notre « mariage », précisa-t-il en l'embrassant dans les cheveux. Je suis impatient que nous soyons mari et femme.

113

— J'interromps un moment intime, peut-être ?

Lawrence et Patricia se retournèrent vers Ian, le fils de Lawrence, qui se trouvait dans l'embrasure de la porte et les examinait de ses grands yeux bleu-gris aux longs cils, qui avaient fasciné tant d'adolescentes et lui avaient valu le surnom de « Beauzyeux », qu'il détestait.

— Une petite marque d'affection. Il faudra t'y habituer, répondit Lawrence avec bonne humeur. Tu es en retard pour notre brunch du dimanche.

— J'ai oublié de mettre le réveil.

— Oublié de mettre le réveil, répéta Lawrence. J'avais exactement la même excuse pendant ma folle jeunesse. Tu ne peux pas trouver mieux, quand tu arrives en retard et l'air pas très frais ?

— Il se peut que j'aie un peu trop bu hier soir. Bref, j'arrive de la station-service, et je suis tombé sur Robbie Landers.

— Roberta Landers ? De la police ? demanda Patricia. Tu la connais ?

— Oui. On s'est mis à parler, et j'ai un peu oublié l'heure. Désolé.

— Je suis sûr que ce n'est qu'une connaissance, commenta Lawrence, transformant une question en affirmation. Et il n'y a rien de mal pour un beau jeune homme à aller faire des folies de son corps un samedi soir. Mais n'en fais pas une habitude. Tu as des responsabilités, maintenant que tu as un poste important chez Blakethorne Charters.

— Promis, dit Ian, qui désigna la table couverte d'une nappe de lin verte. C'est un peu hors saison de déjeuner dans la véranda.

— Il y a le chauffage et la climatisation, comme dans toute la maison, observa Patricia. Le temps est frais dehors, mais il fait tellement beau. J'ai trouvé qu'il fallait profiter de toutes ces fenêtres. Comme je le disais à ton père, pourvu que le soleil tienne jusqu'au week-end prochain, pour notre mariage.

— Oh, oui, marmonna Ian, l'air absent.

Il traversa la pièce pour se poster à une des fenêtres donnant sur les dalles ensoleillées. Comme toujours, Patricia remarqua la ressemblance du beau jeune homme de 22 ans avec sa mère. Il faisait la taille de son père, un mètre quatre-vingt-cinq, mais tenait d'Abigail ses cheveux couleur miel, sa peau claire, son nez droit, ses fossettes, et ses yeux si intenses.

— Au moins, on n'aura pas besoin de faire tailler les haies cette année.

— Tant mieux, se réjouit Lawrence. Ça me rend fou d'entendre trois ou quatre taille-haies électriques en même temps.

— Coupe-les, alors.

— Je croyais que tu les adorais, s'étonna Lawrence, qui, face au haussement d'épaules de son fils, conclut : Ce n'était que ta mère, alors, qui aimait sa « cachette magique ».

Comme chaque fois qu'il parlait d'Abigail, la voix de Lawrence s'était teintée d'amertume. Il n'avait jamais pardonné à son épouse d'avoir emmené en voiture leur fils de 10 ans lors d'une violente tempête, conduisant sous l'emprise conjointe de l'alcool et des tranquillisants. L'accident qui en avait résulté l'avait tuée sur le coup. Ian, qui avait failli mourir aussi, était resté une semaine dans le coma, et avait passé les mois suivants en rééducation pour fracture des deux jambes, d'un bras, de la clavicule, et de graves blessures à la tête. Pendant tout ce temps, sa famille avait attendu dans l'angoisse que les neurologues puissent certifier que son traumatisme crânien n'avait pas occasionné de lésions cérébrales permanentes. Lawrence agita la main, comme pour chasser ce souvenir.

— Taille-haies ou pas, je compte de toute façon passer moins de temps au bureau à partir de la semaine prochaine, annonça-t-il avec un clin d'œil à Patricia.

— Tu as une bonne raison de ne pas t'y attarder, sourit Ian. Une nouvelle épouse.

Il regarda Patricia et ajouta :

— *Maman*.

— Voyons, Ian, tu m'appelles par mon prénom depuis tes 3 ans. Restons-en là.

— Ça me va, conclut Ian, qui huma l'air. Il y a toutes sortes d'odeurs appétissantes qui viennent de la cuisine, et je meurs de faim.

— Moi aussi, dit son père avec enthousiasme. Madame Frost, nous sommes prêts.

Ils s'assirent à la table et, moins d'une minute plus tard, une grande femme bien bâtie, aux cheveux gris et au visage rectangulaire un peu empâté, s'avança dans la pièce. Patricia se souvenait du moment où Abigail avait embauché la gouvernante et la lui avait présentée comme « Mme Frost ». Presque vingt ans plus tard, tout le monde l'appelait encore de cette façon. Patricia ne se rappelait pas son prénom, mais elle faisait tellement partie de la famille Blakethorne que la jeune femme avait toujours recherché – sans l'obtenir – son approbation. Elle essayait toujours.

— Ah, quel festin ! s'exclama-t-elle lorsque la gouvernante déposa avec dextérité des mets qu'elle portait sur un plateau d'argent.

— Quiche au bacon et au cheddar, salade de fruits et muffins aux noix et aux épices, annonça la dame, dont l'accent trahissait ses origines britanniques. Je vous apporte le crumble. Vous prendrez du café Kona, monsieur Lawrence ?

— Oui.

— Pour moi aussi, s'il vous plaît, demanda Ian.

— Bien entendu, je n'allais pas vous oublier, lui répondit Mme Frost avec un sourire affectueux.

— Je prendrai un thé, annonça Patricia en souriant.

Mme Frost posa sur elle des yeux bleu clair sans joie.

— Je vous l'apporte tout de suite, madame.

Dès qu'elle eut quitté la pièce, Patricia se pencha vers son fiancé et chuchota :

— Elle m'a appelée « madame ».

— Oui, et alors ?

— Avant, elle m'appelait « mademoiselle Patricia ». Elle ne m'a jamais aimée, mais je pense que maintenant qu'on se marie, elle me déteste vraiment.

— N'importe quoi, Pat, affirma Lawrence en élevant la voix. Tu fais de la parano. Mme Frost ne te déteste pas.

Patricia se crispa, sachant que la gouvernante l'avait entendu. Lawrence ne se souciait jamais de savoir si les gens l'aimaient ou pas, et de fait, il était très apprécié. Patricia, elle, avait une voix sonore qui pouvait souvent passer pour autoritaire, et on la trouvait facilement agressive plutôt que sûre d'elle-même. Ces caractéristiques étaient utiles à sa carrière d'avocate, mais ne l'avaient jamais rendue très populaire. Depuis son enfance, elle essayait de se maîtriser, mais elle ne parvenait pas toujours à prendre une voix douce et à s'exprimer gentiment. Elle se demandait si Mme Frost l'acceptait, ou si elle lui en voulait de ne pas être Abigail, toujours aimable et évaporée, à qui elle était dévouée par le passé.

Mme Frost revint avec le crumble, des tasses et soucoupes en porcelaine ainsi qu'un superbe service en argent comprenant théière, cafetière, pot à lait et sucrier. Patricia remarqua la boîte de sachets de thé premier prix, et préféra ne pas demander sa marque luxueuse d'Earl Grey pour éviter de faire remarquer le faux pas intentionnel de la gouvernante.

— Roberta a-t-elle parlé des événements au cottage des Eastman ? demanda Lawrence. Tu as entendu qu'ils ont trouvé le cadavre d'une femme dans la citerne ?

— Oui, on me l'a dit à la galerie d'art, hier soir, répondit Ian.

— Roberta était de garde ? Elle y est allée ?

— Je ne sais pas.

— Même si elle n'y était pas, elle aurait été au courant de l'identification. J'ai seulement entendu que c'était une femme.

Patricia garda le regard sur son assiette. Elle n'avait rien dit à Lawrence de sa visite à James hier, ni de sa certitude que le corps était celui de Renée. Cette information éveillerait une tempête de questions qu'elle n'avait pas envie d'affronter.

— Si la police a identifié le corps, Robbie ne m'a pas donné le nom, dit Ian, avec l'air de s'ennuyer.

— Allons, elle doit bien avoir révélé quelque chose. On n'entend pas ça tous les jours.

— La quiche est excellente, mais apparemment, je dois donner des renseignements en échange. Si vous voulez tout savoir, je n'ai pas posé de questions à Robbie. Je l'ai saluée, et lui ai dit que ça me faisait plaisir de la voir. Elle s'est aussitôt excusée pour son aspect, même si elle n'avait rien de choquant. Elle a dit être fatiguée à cause d'une affaire sur laquelle elle a passé une bonne partie de la nuit, mais dont elle ne pouvait pas discuter.

— Que d'informations, commenta Lawrence en prenant une cuillerée de fruits. C'est tout ce qu'elle a dit ?

— Non. Elle a aussi accepté quand je lui ai proposé de m'accompagner au mariage et au dîner de répétition de la veille.

— Tu as invité Roberta Landers ? s'écria Patricia.

Ian la regarda froidement.

— Oui, deux fois. Tu y vois quelque chose à redire ?

— Non, bien sûr. Je la connais à peine.

Elle ne regarda pas Lawrence, dont elle savait qu'il n'aimerait pas l'idée que son fils ait une relation avec une policière.

— Je croyais que tu inviterais une des filles que tu as pu fréquenter pendant cette année, se plaignit celui-ci.

— Un membre de notre petit troupeau de jeunes filles de bonne famille d'Aurora Falls ? railla son fils. Hier soir, j'en ai emmené une à la galerie Nordine, voir les tableaux de Nicolaï Arcos.

— Tu en passes, du temps, là-bas.

— Je suis ami avec les propriétaires, Ken et Dana. Et c'est une belle galerie d'art, surtout pour une petite ville. Tu devrais y emmener Patricia, vous seriez tous les deux surpris.

— J'y étais allé à l'ouverture, mais je ne suis pas amateur d'art. Enfin, une soirée culturelle ne nous ferait pas de mal, n'est-ce pas, Pat ?

— Tout à fait.

— Et Arcos était là ? s'enquit Lawrence.

— Oui, je lui ai présenté la fille avec qui j'étais. Il ne devait pas avoir pris les drogues qui l'aident soi-disant à libérer sa créativité, donc il maîtrisait complètement son petit numéro de Roumain excentrique. Il l'a regardée comme s'il lui sondait l'âme, et il l'a charmée à mort.

— Tu es bien sarcastique, pour un de ses admirateurs.

— Papa, tu n'as encore rien écouté. Je n'ai jamais prétendu admirer autre chose chez lui que son talent. En tant que personne, je le trouve à moitié fou.

— Il paraît que l'un de ses tableaux fait beaucoup de bruit, poursuivit Lawrence sans écouter. *La Fille de La Nouvelle-Orléans*, un truc comme ça.

— *La Dame de carnaval*. C'est très différent de ses autres œuvres. Je n'aime pas trop. Bref, Arcos est allé voir d'autres personnes, et la fille voulait aller à la soirée d'un ami, donc je l'ai accompagnée.

— Et tu as trop fait la fête, conclut Lawrence.

— J'ai pris de quoi supporter la soirée.

— C'est ça, tu t'es saoulé. J'ai senti les bonbons à la menthe dès que tu as franchi la porte.

— J'ai trop bu, mais je ne me suis pas saoulé.

— Évite de mal te comporter en société, cela pourrait nous causer du tort : tu as des responsabilités au sein de mon entreprise. Notre entreprise, devrais-je dire, maintenant que tu as terminé l'université.

— On dirait que tu as une objection à ce que je fréquente Roberta Landers.

— Marissa travaille avec son père, Hank Landers, à la *Gazette*, intervint rapidement Patricia. D'après elle, Roberta est une fille bien, et Éric est très content de son travail.

D'habitude, Lawrence et Ian s'entendaient sans problème, et la tension entre eux aujourd'hui la rendait nerveuse. Elle, qui avait d'ordinaire tant de sang-froid, ne voulait pas de tumulte pendant la semaine précédant son mariage. Elle chercha quelque chose d'agréable à ajouter.

— Roberta est très jolie, Ian.

Il lui lança un regard reconnaissant.

— *Robbie* est très jolie, très sympa et très intelligente. Je l'aime bien.

— Bon, si tu persistes à vouloir l'amener au mariage, j'espère qu'elle portera une tenue appropriée, marmonna Lawrence avant de prendre une grosse bouchée de muffin.

— Même si elle galère avec le salaire versé par la police, il se peut qu'elle ait une ou deux robes correctes, répliqua Ian avec morgue. Sinon, elle mettra son uniforme ; mais ne t'inquiète pas, Papa : elle est super sexy en uniforme.

— Qu'est-ce que tu as, aujourd'hui ? Tu arrives en retard, tu es cavalier, tu t'ingénies à énerver ton monde, et...

Tout à coup, Lawrence se figea et son visage vira au rose vif. Il eut à peine le temps de porter la main à sa bouche avant de s'étrangler violemment. Patricia arrondit les yeux, puis se précipita à son côté.

— Qu'est-ce qu'il y a ? s'inquiéta-t-elle d'une voix aiguë en lui donnant des tapes dans le dos. Tu vas bien ?

Ian se leva de sa chaise, pâle mais confiant. Son père avait cessé ses quintes essoufflées, mais avait le visage écarlate, ses yeux noirs terrifiés et embués.

— Papa, tu peux parler ? demanda Ian avec calme.

Lawrence fit signe que non.

— Tu peux te lever ?

Encore non. Ian regarda Patricia.

— Arrête de jouer du tambour sur son dos et tiens-toi tranquille. S'il te plaît. Tu aggraves les choses.

Patricia, toujours effrayée, mais assagie, recula. Ian se posta derrière son père.

— Papa, n'aie pas peur. Je vais faire la manœuvre de Heimlich.

Ian plaça un poing fermé sous les côtes de Lawrence, le recouvrit de son autre main, et appliqua une pression, à trois reprises, jusqu'à ce qu'une noix couverte de pâte s'échappe de sa bouche pour atterrir dans son assiette. Il émit un rot chevrotant avant de s'affaisser dans sa chaise.

— Ça va mieux ? demanda Patricia d'une voix suppliante. Lawrence, réponds-moi !

Il fit un geste agacé de la main et parvint à articuler :

— Je vais bien.

— Tu es sûr ? Ian, appelle une ambulance.

— Non ! C'est bon, je viens de le dire, je vais bien !

— Tu ne vas pas bien du tout. Il faut aller à l'hôpital, insista Patricia.

— Assieds-toi confortablement et essaie de te détendre, papa.

Lawrence s'exécuta et entreprit de respirer prudemment. Ian restait à côté de lui comme un chien fidèle et inquiet. Il lança un coup d'œil à Patricia, de l'air jeune et vulnérable qu'il avait si souvent en présence de son père.

— Il faut qu'il se repose quelques minutes avant qu'on prenne une décision. Assieds-toi aussi, Patricia, et arrête de le harceler de questions et de menaces d'aller à l'hôpital, l'implora-t-il. C'est suffisamment effrayant de s'étouffer sans avoir droit à un infirmier amateur qui te pompe l'air, littéralement. Il va s'en tirer.

Ian se pencha pour regarder son père dans les yeux.

— Tu n'es que sous le choc et hors d'haleine, c'est ça ?

Patricia vit la gratitude dans le regard que Lawrence renvoya à son fils, mais également le ressentiment. Il devait être gêné dans sa fierté masculine.

Mme Frost apparut, un pichet d'eau glacée à la main, et sans un mot, remplit tous les verres avant de disparaître à la cuisine. Patricia et Ian regagnèrent leurs sièges et grignotèrent leurs mets sans conviction. Lawrence, quasi immobile, prenait de petites gorgées d'eau.

— Patricia, est-ce que James viendra travailler cette semaine ? demanda Ian, l'air de rien, le regard sur la cerise au marasquin qu'elle pourchassait dans son assiette.

— Hier soir, il m'a dit qu'il viendrait. (Elle se reprit.) Je lui ai parlé vite fait, au téléphone.

— Ce matin quand j'ai pris de l'essence, il y avait deux hommes qui parlaient d'un feu au cottage hier soir. Tu en sais quelque chose ?

Elle afficha un air surpris.

— Non ! Un incendie ? Il a dû avoir lieu après mon coup de fil, sinon il me l'aurait dit. Il y a des dégâts ? Comment ça a commencé ?

— Je n'ai pas eu beaucoup d'informations, mais je crois que le cottage est plus ou moins en miettes. Peut-être que quelqu'un voulait détruire des traces compromettantes.

Lawrence se réveilla tout à coup.

— Des traces de meurtre ? demanda-t-il d'une voix râpeuse, bien que son visage ait repris une couleur normale.

— Oui, papa. La femme dans la citerne a été assassinée.

— Eh bien, si c'était Renée Eastman, elle l'a bien mérité, souffla Lawrence avec hargne.

— Qu'est-ce qui te fait dire que c'est Renée ? demanda Patricia.

Lawrence rougit.

— Oh, je ne sais pas. Une idée en l'air, dit-il en évitant le regard des autres. Je crois que je vais quand même reprendre un de ces muffins aux noix.

CHAPITRE 5

Catherine s'éveilla en douceur, regarda la paisible chambre aux couleurs ivoire et vert-de-gris, puis les rayons de soleil qui perçaient à travers les dernières feuilles rouges du grand érable. Elle bâilla, s'étira, et soupira d'aise. Soudain, le souvenir de la journée d'hier s'imposa à elle, lui donnant l'impression de sauter d'un avion en plein vol.

Elle se redressa avec peine et regarda le réveil. Dix heures et quart. Catherine, toujours matinale, ne s'était pas levée aussi tard depuis plus d'un an.

Elle bondit de son lit. Moins de cinq minutes après, elle descendait l'escalier au pas de course. Arrivée à la dernière marche, elle fut assaillie par une odeur de gâteau brûlé, et entendit le ventilateur du four qui tournait à fond. Marissa avait encore dû s'essayer à la pâtisserie. Un instant, Catherine espéra que le résultat était vraiment carbonisé, de façon à éviter d'avoir à faire semblant de le trouver mangeable.

Elle entra dans la cuisine, où elle trouva Marissa qui sortait du four une plaque de petits roulés à la cannelle, surveillée de près par la chienne. Elle regarda avec bonheur ses gâteaux fumants, puis Catherine.

— J'ai réduit la première fournée en charbon. J'ai changé de four, et ça doit être que celui du bas chauffe trop. J'étais sûre de ne pas les avoir laissés trop longtemps. Enfin, presque. En tout cas, ceux-là sont impeccables !

Le sourire de Marissa s'effaça, et son ton soigneusement joyeux devint encore plus prudent.

— Comment tu te sens, ce matin ?

— Oh, beaucoup mieux ! Super !

Catherine se rendit compte que personne, et encore moins Marissa, n'aurait été convaincu par ces gazouillis aigus.

— J'ai bien dormi, ajouta-t-elle de façon plus naturelle, même si elle n'avait trouvé le sommeil qu'au petit matin.

— Éric a appelé vers minuit. Il voulait nous confirmer que James allait bien et qu'il l'avait envoyé chez lui. J'ai voulu te le dire, mais quand je suis entrée dans ta chambre, tu dormais à poings fermés. Même de bonnes nouvelles pouvaient attendre.

Catherine hocha la tête, même si elle avait feint le sommeil. Elle n'était en état de parler à personne, y compris sa sœur.

— J'ai laissé mon portable ici. James n'a pas appelé, ce matin ?

— Pas encore. Il doit faire la grasse matinée, lui aussi.

— J'espère. Il avait encore plus besoin de dormir que moi. Éric en savait-il plus sur l'explosion ?

— Pas cette nuit, mais il a rappelé il y a une heure. Il doit voir le capitaine des pompiers maintenant. Il viendra quand ils auront terminé, pour nous dire ce qu'ils ont trouvé.

Marissa la couva d'un regard patient.

— Je sais que tu t'inquiètes pour James. Si on n'a pas de nouvelles d'ici 11 heures, tu pourras lui téléphoner, mais pour l'instant, je veux que tu t'asseyes, et que tu prennes un café accompagné de roulés à la cannelle.

— Je suis trop sur les nerfs pour manger.

— C'est déjà l'excuse que tu m'as servie hier soir. Écoute-moi, Catherine Faith Gray.

Marissa avait exactement les mêmes intonations que leur mère quand il lui arrivait de donner un ordre.

— Tu vas arrêter de faire les cent pas et t'asseoir tout de suite. Si tu ne veux pas de petit roulé, tu peux au moins boire un café.

Vingt minutes plus tard, Catherine sourit en terminant son quatrième roulé.

— Cette expérience doit avoir aiguisé mon appétit. Je n'arrive pas à m'arrêter.

— Tant mieux. Tu es trop maigre.

— Merci, ça fait toujours plaisir.

— Parce que tu n'as pas perdu près de cinq kilos, récemment ?

Catherine se leva pour aller à la cafetière.

— J'ai sans doute perdu quelques kilos, mais c'est tout le stress de ces derniers mois. Déjà, je suis revenue ici, dans la maison de mon enfance, et j'ai eu l'impression de revivre mes 15 ans. Ne le prends pas mal, mais cela n'a pas été facile de s'adapter.

— Pas de problème, je comprends, répondit Marissa, prenant une miette de son gâteau pour la déposer dans la gueule ouverte d'une Lindsay impatiente.

— Ensuite, pense que j'ai dû trouver un cabinet de psy prêt à prendre une débutante. J'ai été refusée quatre fois ! Heureusement qu'il y a eu M. Hite.

Catherine savait bien qu'elle radotait, que Marissa savait déjà tout ça, mais elle n'arrivait plus à se contenir. Elle retourna à la table, la tasse pleine.

— Je suis bien contente que M. Hite et sa femme soient en Floride pour la naissance de leur premier petit-enfant. Ils savent que je fréquente James, et s'ils étaient là, ils essaieraient de m'extorquer des informations sur le cadavre.

— Tu veux dire qu'ils te demanderaient si c'est Renée, enchaîna doucement Marissa. Je sais que tu as vécu beaucoup de changements importants récemment, mais c'est à cause d'elle que tu as maigri. Depuis que c'est sérieux entre toi et James, tu t'inquiétais que Renée puisse revenir.

Catherine regarda sa sœur d'un œil lugubre.

— Et elle est revenue. Mais pas par la faute de James, précisa-t-elle, soudain sur la défensive.

— Je n'ai pas dit ça, dit Marissa en soutenant son regard. Éric m'a dit que James était là au moment de l'explosion. Qu'est-ce qu'il y faisait ?

Elle avait dit ça d'un ton tranquille, mais Catherine eut soudain l'impression d'être au tribunal, au banc des témoins, avec Marissa pour procureur.

— Il avait du mal à croire tout ce qui s'était passé, et il a ressenti le besoin de retourner à Perry Lane. Je sais que ça fait bizarre, et il l'avoue lui-même, mais il n'a pas eu l'impression que c'était vrai sur le moment. Quoi d'autre ? Tu penses que c'est lui qui a fait exploser le cottage ?

— Doucement, Catherine ! Je n'ai porté aucune accusation. Simple curiosité.

C'est moi qui étais en train de porter des accusations, pensa, Catherine. *Toute la nuit, j'étais réveillée dans mon lit, en colère contre James, pleine de soupçons envers l'homme le plus fiable et digne de confiance que j'aie jamais rencontré. Qu'est-ce qui m'a pris ? Comment ai-je pu douter de lui un seul instant ?*

— Je suis désolée, dit-elle à haute voix, essayant de ne pas se laisser submerger par la culpabilité. J'étais encore énervée, après l'explosion hier soir...

— Ça se comprend.

La sonnette retentit. Elles sursautèrent toutes les deux et Lindsay se mit à aboyer comme une folle. Marissa tenta de plaisanter.

— Eh bien, l'ambiance est sereine, aujourd'hui ! Je reviens.

Elle quitta la cuisine, et aussitôt, Catherine resserra les doigts autour de sa tasse de café. *Plus de mauvaises nouvelles*, pria-t-elle intérieurement. *Je ne pourrais pas le supporter.*

Bientôt, Marissa cria :

— James est là !

Catherine entra dans le séjour, tendue et résolue, ne sachant pas dans quelle humeur elle trouverait celui qu'elle aimait. Après un coup d'œil, il lui sembla qu'elle n'avait jamais été aussi heureuse de le voir, grand et calme, les joues rougies par la fraîcheur matinale, un sourire révélant ses belles dents, ses yeux sombres étincelant derrière une masse de cheveux noirs rabattus sur son front par la brise.

— James ! s'écria-t-elle en courant vers lui, toute colère disparue. Pourquoi tu n'as pas téléphoné ?

— J'avais peur de te réveiller.

— Tu aurais pu appeler sur le portable de Marissa.

— Et si tu avais été en train de dormir, elle t'aurait réveillée pour me parler.

— Pas grave, dit-elle en l'étreignant avec force. Je me suis tellement inquiétée.

— C'est pour ça qu'elle est dans la cuisine depuis un moment, et qu'elle mange des roulés à la cannelle comme si elle ne devait plus jamais revoir de nourriture, expliqua Marissa d'un ton taquin. C'est impressionnant.

— Je mange tout ce qui se trouve à ma portée quand je suis anxieuse, expliqua Catherine.

— Je n'ai jamais remarqué, fit James, surpris.

Tu ne m'as jamais vue dans une situation pareille, faillit répliquer Catherine. Elle se retint, ne voulant pas l'inciter à reparler des événements, d'autant qu'à le regarder de plus près, on remarquait des cernes sous ses yeux rouges et une tension dans sa mâchoire. Elle lui offrit un visage radieux.

— Tu ne peux pas savoir comme je suis soulagée de te voir. Je t'aime, murmura-t-elle en posant ses lèvres sur les siennes.

James l'embrassa tendrement, mais ne s'attarda pas, regardant Marissa par-dessus son épaule. Cette réticence à montrer son affection en public irritait souvent Catherine.

Elle recula et regarda James dans les yeux.

— Tu as faim ?

Comme pour répondre présent, l'estomac de James émit un long gargouillis sonore, et il éclata de rire.

— Je n'ai rien mangé depuis hier midi.

— Même pas un petit en-cas ? se récria Catherine. C'est mal ! Tu es sûrement en hypoglycémie. Tu aurais au moins dû avaler quelques toasts ce matin.

— Catherine a laissé un ou deux roulés, et je vais faire cuire une autre fournée, annonça Marissa. Apparemment, j'ai enfin réussi à maîtriser une recette, si tu arrives à y croire.

— Je suis capable de manger dix roulés à la cannelle et je suis en manque de caféine, répondit James avec un grand sourire. Il me faut du café noir. Beaucoup.

*
* *

Éric arriva une heure plus tard. Catherine se raidit aussitôt. Qu'aurait-il à dire de l'incendie ? Après une inspiration, elle demanda avec autant de calme que possible :

— Tu es allé au cottage, ce matin ?

— Oui, je viens d'en finir avec le capitaine des pompiers.

Marissa prit le blouson d'Éric et lui donna une grande tasse de café. Il s'assit sur une chaise longue surdimensionnée, les yeux graves sous ses cheveux blonds en bataille, qu'il portait trop longs au goût de ses supérieurs. L'ombre d'une barbe se dessinait sur son menton et une ride entre ses sourcils, plus creusée que d'habitude, laissait paraître sa fatigue.

— En pleine nuit, j'imagine que ça ressemblait à une bombe, James, déclara-t-il en se réchauffant les mains sur sa tasse. En fait, on est certain que ce sont des cocktails Molotov.

— Des cocktails Molotov ? répéta James, incrédule.

— Oui. L'incendie a fait beaucoup de dégâts, mais on a pu retrouver suffisamment de restes pour en avoir la quasi-certitude.

— Mais où est-ce que ça se trouve, par ici ? demanda Catherine, choquée.

— On associe souvent les cocktails Molotov aux émeutes ou aux attaques terroristes, mais il suffit d'une personne pour en fabriquer un et le déclencher, expliqua Éric. C'est pour cela que les experts les classent parmi les armes incendiaires artisanales : ils ne sont pas produits en usine d'armement.

— Ah, j'avais toujours pensé que c'était

un mélange complexe de produits chimiques, s'étonna Catherine.

— C'est ce qu'on pourrait croire, mais en fait, il suffit de quelques ingrédients tout simples. Avec quelques directives, ma grand-mère pourrait sans doute en préparer un dans sa cuisine, dit Éric avec un sourire qui s'effaça aussitôt. Mais, Catherine, il n'empêche que ça peut être mortel.

— Comme ceux d'hier soir.

— Oui, j'en ai bien peur.

— Qu'est-ce qui vous a fait penser à des cocktails Molotov ? l'interrogea James.

— On a retrouvé beaucoup de verre sodocalcique, des opercules métalliques plats, et des couvercles à visser qu'on utilise pour les conserves maison. Le capitaine dit que les Molotov sont souvent contenus dans ce genre de bocaux. C'est facile à lancer à distance, y compris pour une femme.

— Vous en avez trouvé combien, à peu près ?

— On ne peut pas être sûrs, James, mais on a retrouvé quatre couvercles. Il pourrait y en avoir plus dans les décombres. Le capitaine a été dresseur de chiens détecteurs de drogue pour l'armée, et maintenant, il a le sien. Le chien nous a menés à plusieurs morceaux de bois qui doivent garder des traces des produits utilisés. Il les a emportés pour les analyser.

Catherine resta sans bouger, horrifiée.

— Tu as déjà vu un cas comme ça, Éric ? Je veux dire, tu crois que quelqu'un pourrait avoir jeté ça pour faire une blague ?

— Je n'ai jamais vu personne prendre autant de peine à faire une blague. Je pense que celui qui a jeté ces cocktails était animé par la haine et la rage.

*
* *

— Je sais que tu n'aimes pas trop rester dormir ici quand il y a Marissa, souffla Catherine.

— Ce soir, il pourrait y avoir cinquante personnes dans la maison, je resterais quand même. C'est ce que j'aurais dû faire hier, au lieu d'aller à ce fichu cottage.

Ils étaient allongés sur le lit, jambes nues entrelacées. Le bras musclé de James la tenait contre lui, appuyant son visage contre la peau chaude de son torse.

— Tu ne m'avais pas dit que Patricia était venue avec toi, hier soir.

— On n'a pas spécialement eu une longue conversation. Elle est venue d'elle-même, en disant qu'elle savait où me trouver.

— Et moi qui pensais que ce serait le dernier endroit où tu voudrais être. Elle doit te connaître mieux que moi.

— Tu as l'air de sous-entendre quelque chose, dit James sur le ton de la plaisanterie.

Comme elle ne répondait pas, il lui mit la main sous le menton et lui releva le visage pour la regarder dans les yeux.

— Ce n'est quand même pas ce que tu fais ? s'inquiéta-t-il.

— Des sous-entendus sur votre relation ? Non, rien de cet acabit. Seulement ce que j'ai dit : elle te connaît mieux.

— Peut-être, à un certain niveau. Ça fait plusieurs années qu'on travaille ensemble, alors elle est sans doute plus habituée que toi à ma façon de réagir. Ah, et il y a le fait qu'elle est follement amoureuse de moi.

Catherine lui administra une tape sur la joue.

— Avec ton énorme ego, tu penses que toutes les femmes de la ville sont folles de ton corps, mais je connais deux exceptions : Marissa et Patricia.

— Tu penses vraiment que j'ai un ego énorme ?

— Si c'était le cas, je ne serais pas amoureuse de toi. Les ego énormes sont un gigantesque tue-l'amour pour moi.

— Et gigantesque, c'est plus grand que « énorme » ?

— Sans conteste, répondit Catherine en se blottissant contre James. C'est juste que je t'aime tellement, ça m'ennuie qu'une autre femme te connaisse mieux.

— Elle me connaît peut-être mieux à un degré superficiel, mais elle ne connaît pas mon cœur.

Il l'embrassa au sommet du crâne.

— Tu es la seule femme à avoir accès à mon cœur, à mon âme.

Émue, Catherine sentit une bouffée de passion l'envahir. Elle caressa son visage.

— Oh, James, quand je pense à ce qui se serait passé la nuit dernière, si tu avais été plus près du cottage, si...

— Mais je n'y étais pas et rien ne m'est arrivé. Il faut que tu arrêtes de penser avec des « si » et des « si jamais ».

— Comment c'est possible, alors que tu es passé si près d'être blessé ou...

— Ou tué ? dit James en l'attirant plus près de lui. Tu as peut-être raison. Je devrais être plus prudent. C'était complètement idiot d'aller seul au cottage une semaine après le meurtre de Renée. Je ne sais pas à quoi je pensais. Je ne pensais pas, en fait. Pas rationnellement. Mais je te promets de faire attention, désormais. (Il marqua une pause.) Et c'est pareil pour toi, Catherine. Tu as entendu Éric : ces engins incendiaires n'étaient pas une blague. Ce n'est peut-être pas une coïncidence qu'on les ait jetés au moment où j'étais là. Aussi bien, quelqu'un veut ma peau aussi. Et mon amour évident pour toi, notre relation... ça peut faire de toi une cible également.

— Mais je connaissais à peine Renée, marmonna Catherine, fixée sur « l'amour évident ».

— On ne sait pas ce qui se passe, ma chérie. On ignore pourquoi Renée a été tuée,

146

pourquoi il se peut que quelqu'un m'ait voulu du mal hier soir.

Il posa sur elle un regard pénétrant, et, carrant la mâchoire, il parla d'une voix plus grave.

— Tu n'as pas idée de ce que tu représentes pour moi, Catherine. Je ne peux pas supporter l'idée qu'on t'arrache à moi. Promets-moi d'être prudente.

— Promis, dit doucement Catherine.

James finit par se détendre. Il sourit et l'amena sur lui, la serrant tellement fort qu'elle pouvait à peine respirer, et l'embrassa avec tendresse, puis avec une passion de plus en plus insistante...

Deux heures plus tard, James dormait paisiblement. Catherine avait un peu sommeillé après leur étreinte, puis s'était réveillée sans pouvoir se rendormir. Couchée sur le côté, elle regardait la lueur de la lune caresser le corps nu et sculptural de James. Elle se répétait à elle-même : « *Mon amour évident pour toi* », « *Je ne peux pas supporter l'idée qu'on t'arrache à moi* », et ces mots lui causaient presque autant de

147

plaisir que lorsqu'il les avait prononcés tout à l'heure.

Elle lui passa doucement la main sur le torse. Ce qu'elle tenait à lui ! Elle voulait réparer tout le mal que lui avait fait Renée. Pourvu que cette dernière ne l'ait pas fait souffrir au point de le dégoûter du mariage ! Bien des gens trouvaient James froid et compassé. Elle était sans doute la seule personne à savoir à quel point il était sensible derrière une façade imperturbable, la seule à savoir à quel point il pouvait être blessé, et comme il était difficile pour lui de se remettre d'une trahison. James n'était pas résilient, ne pardonnait ni n'oubliait facilement. En fait...

D'un coup, James lui saisit la main d'une poigne de fer, l'écrasant presque.

— Je te déteste, Renée, articula-t-il en un grognement sourd, méconnaissable. Va te faire...

— James ! cria Catherine, qui avait peur qu'un os craque d'une seconde à l'autre. Arrête ! *James !*

Il gémit, frissonna, puis ouvrit les yeux et lui libéra immédiatement la main.

— Qu'est-ce qui s'est passé ? J'ai rêvé, je crois.

Enfin, il vit Catherine, pâle, se frotter la main.

— Mon Dieu, Catherine, je t'ai fait mal ?

Il lui prit la main, la palpa doucement, la porta à sa bouche et la baisa plusieurs fois.

— Pardon. Je faisais un cauchemar.

— Je sais.

— Je ne te ferais pas de mal...

— Je sais, répéta-t-elle durement, puis elle baissa la voix. Je vais bien, James.

Mais ça n'allait pas. À l'entendre maudire Renée avec une telle fureur, on l'aurait dit capable de la tuer.

CHAPITRE 6

Le lendemain, à huit heures et demie, Catherine se gara dans le parking du discrètement nommé Centre Aurora Falls. Le petit bâtiment de brique se trouvait dans une rue tranquille et bordée d'arbres. Un peu à l'écart, il ressemblait plus à une maison qu'à un immeuble de bureaux, avec ses volets blancs, son auvent tout en longueur et sa pelouse impeccable. Le quartier était franchement rural au moment de sa construction, mais comme la population de la ville s'agrandissait, le Centre ne jouirait bientôt plus d'autant d'intimité. Catherine déplorait les changements à venir, mais il fallait savoir accepter l'inévitable.

Le temps radieux du week-end avait été de courte durée, pensa-t-elle en hâtant le pas sous un ciel bas et gris et le froid d'une pluie battante. Un coup d'œil à la météo ce matin lui avait appris que la pluie ne ferait que s'intensifier, tandis que la température chuterait dans la journée. Elle poussa un soupir. Même dans des circonstances idéales, elle détestait la grisaille, et les jours précédents étaient loin d'avoir été parfaits.

Catherine monta prestement les deux marches menant sur le perron, inséra la clé dans la serrure et le verrou, puis ouvrit sur la pièce au sol revêtu de moquette vert forêt, éclairée par des boiseries chêne clair et des meubles assortis. Au bureau de la réception était assise l'efficace secrétaire Beth Harper. Comme toujours, elle avait dû arriver à huit heures et quart, tout en laissant les portes fermées avant l'arrivée des psychologues. Elle avait, selon son habitude, préparé du café.

— Bonjour, madame Gray, la salua-t-elle gaiement.

Catherine versa une tasse à chacune et vérifia le carnet de rendez-vous. Trois patients dans toute la matinée, pensa-t-elle, un peu prise de court. Elle aurait préféré commencer de façon plus encourageante, mais après tout, elle n'avait rejoint le cabinet que cet été. Il faudrait un peu de temps pour que le bouche à oreille lui crée une réputation et la patientèle associée.

Quand M. Hite avait embauché Catherine, il l'avait prévenue que le premier mois risquait d'être inconfortable, car sa femme tenait à redécorer le bureau. Malgré l'amertume que ce projet dessinait sur son visage poupin, il reconnaissait qu'elle n'avait pas tort, le dernier rafraîchissement datant de trente ans. Catherine avait eu la surprise qu'il lui laisse le choix pour son propre bureau. La pièce reflétait ainsi sa personnalité, ce qui lui permettait de se sentir chez elle. Elle s'avança vers la porte, qui portait une plaque de bronze à son nom.

Elle entra dans la pièce à l'ambiance reposante, avec sa moquette taupe, son fauteuil et son canapé design garnis de tweed vanille et beige. Une table basse en érable se trouvait devant le canapé, ainsi qu'une table d'appoint à côté du fauteuil. Son grand bureau faisait face à cette partie salon, devant le mur éclairé de deux grandes fenêtres écartées de deux mètres. Entre elles était accrochée une grande reproduction de *La Seine à Asnières* de Renoir, avec son eau bleu vif mouchetée de lumière et deux promeneurs sur une barque orange.

Un grand vase de porcelaine plaqué or, peint de fleurs roses, bleues et blanches, et de feuilles de vigne, ornait le meuble à tiroirs derrière son bureau. C'était Ian Blakethorne qui était passé lui offrir la semaine dernière pour son bureau rénové. Elle avait protesté devant ce cadeau beaucoup trop luxueux, mais il avait prétendu qu'elle ne pouvait le refuser sans lui faire insulte. De toute façon, elle aimait beaucoup le vase, tout comme elle avait beaucoup d'affection pour Ian, qui avait traversé des épreuves avec tant de dignité dans sa jeunesse.

Leur amitié avait débuté quand Ian avait passé plusieurs semaines en rééducation à l'hôpital, après l'accident qui avait tué sa mère et bien failli mettre fin à ses propres jours aussi. C'était l'été des 17 ans de Catherine, et elle était bénévole à l'unité de rééducation où exerçait son père chirurgien. Elle s'était prise d'un intérêt particulier pour ce garçon de 10 ans qui endurait avec courage la souffrance menant à la guérison ; elle avait passé des heures à lui faire la lecture, lui apprendre les échecs et regarder avec lui la télévision. Ils étaient restés amis depuis, malgré la différence d'âge et les études de Catherine en Californie.

Catherine posa le regard sur son bureau bien ordonné. On y trouvait seulement un sous-main, un ensemble de stylos plaqués or, et le grand verre contenant la douzaine de roses corail à longue tige que James faisait livrer tous les lundis. Elle saisit les dossiers de ses patients du jour.

À précisément 9 h 01, la première patiente déboula à la réception en claquant la porte derrière elle, demandant :

— Elle est là, Mme Gray ? Je dois la voir au plus vite !

— Bien entendu, madame Tate, répondit Beth d'une voix agréable. Mme Gray arrive toujours en avance.

Catherine alla ouvrir la porte de son bureau et vit sa patiente au milieu de la salle d'attente, son imperméable beige froissé boutonné de travers, en train d'agiter son parapluie à moitié ouvert. Quand des gouttes d'eau atteignirent le bureau de Beth, celle-ci proposa de prendre l'objet. Mme Tate l'agrippa un instant, et Catherine crut bien qu'elles allaient se le disputer. Elle fit diversion en déclarant, le sourire aux lèvres :

— Ça fait plaisir de vous voir, madame Tate. Vous devez avoir un peu froid, voudriez-vous un café ?

— Je n'ai pas l'air réveillée ? s'offusqua la femme en relâchant enfin sa prise.

— Ça doit vouloir dire non, conclut Catherine en parvenant à garder le sourire. Entrez, je vous en prie. Je suis prête à vous écouter.

Mme Tate s'empressa d'entrer et s'abattit sur le canapé, plaçant à côté d'elle son éternel cabas en vinyle noir. Catherine n'en avait jamais vu d'aussi gros, mais elle arrivait à le remplir au point qu'il menace de déborder.

À 34 ans, Mme Tate était mariée depuis six ans, n'avait pas d'enfants et nourrissait la conviction que son mari en était à sa troisième liaison. Ses cheveux peroxydés, son ombre à paupières mauve et sa couche de brillant à lèvres rose vif juraient à la lumière du plafonnier, et elle lança un regard mauvais à Catherine.

— Je sais que j'ai une sale mine. Pas la peine de me le dire. Avec vos affreuses lumières aveuglantes, on voit la moindre ride sur mon visage. Et en plus, elles me font mal aux yeux.

— Dans ce cas, je vais ajuster l'éclairage pour votre confort, pas à cause de vos rides, répondit Catherine avec diplomatie.

Elle alla éteindre les deux plafonniers et laissa la grande lampe, moins agressive, à côté du fauteuil. Elle s'assit, ouvrit son cahier et regarda sa patiente avec sérieux.

— Vous n'avez pas l'air bien, ce matin. Qu'est-ce qui ne va pas ?

— J'étais debout la moitié de la nuit, voilà ce qui va pas ! Mon mari n'est pas rentré !

— De toute la nuit ?

— Pas avant minuit, à peu près. Minuit ! Et aujourd'hui, il a prétendu qu'il devait aller au travail à 8 heures au lieu de 9 !

— Vous a-t-il dit où il était jusqu'à minuit ?

— Il aidait son meilleur ami à réparer une chaudière. Il a dit que les plombiers ne venaient pas le dimanche soir, et qu'il leur fallait de l'eau chaude pour les douches du matin. J'ai appelé le copain. Il a confirmé l'histoire de mon mari, mais bon, c'est ce qu'il ferait de toute façon. J'ai demandé à parler à sa femme, mais il a dit qu'elle dormait. À mon avis, elle ne voulait pas venir mentir au téléphone. Et puis mon mari est parti à sept heures et demie ce matin. Il fallait qu'il arrive au travail en avance, à ce qu'il m'a dit. Je pense qu'il allait prendre un café avec *elle*.

— *Elle* étant sa secrétaire.

— Bien sûr. Qui d'autre ?

— Je vois. Vous êtes certaine qu'il n'est pas allé au travail. Vous l'avez suivi ?

Mme Tate détourna ses yeux rougis.

— J'ai essayé, mais il a dû me voir, parce qu'il est allé à son bureau. Elle devait se cacher dans une arrière-salle pour l'attendre.

— Vous avez vu sa voiture ?

— Non, mais elle aurait pu se garer n'importe où. Je ne vois pas très bien, sous cette fichue pluie.

— Vous y verriez mieux si vous portiez vos lunettes.

— Je les déteste ! Elles me rendent hideuse ! Et je vous ai dit que je ne peux pas porter de lentilles. Vous ne notez pas tout ça ?

Catherine retint un soupir. Parfois, parler à cette femme équivalait à converser avec un jeune en pleine crise d'adolescence.

— Madame Tate, avez-vous une réelle preuve que votre mari vous trompe ?

— Il y a des preuves partout. Faut juste être observatrice, comme moi. Ça m'épuise, mais je suis tout le temps sur le pont ! Rien ne m'échappe ! Bon, je crois qu'en fait, il me faut bien un café, avoua-t-elle en s'affaissant un peu, comme vaincue. Je commence à manquer d'énergie.

Pas étonnant, pensa Catherine en lui versant du café dans une tasse de porcelaine. Elle désigna ensuite une assiette sur la table basse.

— Un petit chocolat ? Ce sont des Perugina Baci. Baci signifie baisers en italien. Ils sont fourrés à la noisette...

— Italien ! fit Mme Tate en couvant d'un regard méfiant les chocolats emballés de

158

papier argent à étoiles bleu foncé. Je ne mange rien d'étranger.

— Ah.

Catherine la regarda siroter son café en se demandant si elle pensait que les grains de café avaient été cultivés aux États-Unis et non en Colombie. Sa patiente ne devait pas avoir réfléchi à la question, car elle demanda une deuxième tasse sans en faire un cas de conscience.

Après quelques minutes, Catherine déclara avec prudence :

— Madame Tate, vous souffrez visible-ment d'une grande anxiété. Je suis psycho-logue et non médecin, et je ne peux donc pas vous prescrire de médicaments. Je pense quand même que des anxiolytiques légers vous aideraient à vous détendre. Je peux vous recommander un généraliste, ou même un psychiatre, qui vous ferait une ordonnance.

Mme Tate la regarda, horrifiée.

— C'est ce que m'a dit mon mari ! De prendre des tranquillisants. Des forts, il a dit. Il veut juste me shooter pour que je ne sache pas ce qui se trame. Ben, ça ne va pas marcher. Je ne prends rien, sauf parfois un verre ou deux avant de me coucher. Je ne vais pas me transformer en zombie. Et jamais je ne divorcerai. Je compte bien le rendre aussi malheureux qu'il me rend malheureuse !

— Je vois.

— Et je ne veux pas de médicaments. Il pourrait les remplacer par d'autres cachets, me doper, *m'empoisonner*, et le maquiller en suicide !

Paranoïa ? Ça en avait du moins l'apparence. Mme Tate n'était pas incapable de faire un peu de théâtre pour s'attirer la sympathie, Catherine en était certaine. Malgré tout, mieux valait prévenir que guérir, et atténuer la peur qui pourrait la dissuader du recours à toute aide professionnelle.

— Il n'est pas question pour moi de vous forcer à prendre des médicaments si vous ne le souhaitez pas, dit Catherine avec calme. C'est votre choix.

— J'ai su après notre première séance que vous êtes exactement ce qu'il me faut !

s'exclama Mme Tate triomphalement. Vous ne me traitez pas comme une folle, et vous ne me forcez pas. Vous me respectez. (Elle inspira profondément.) Ne vous inquiétez surtout pas, madame Gray. Je viendrai toujours chez vous ! Je suis fidèle, et je m'accrocherai à vous comme une tique à un chien !

Mme Tate la regarda, et c'était presque une menace qui planait dans ses yeux fatigués quand elle reprit :

— Je reviendrai la semaine prochaine, et celle d'après, et encore après, et peut-être pour toujours !

Cinq minutes plus tard, Mme Tate traversait d'un pas vif la salle d'attente, dépliant son parapluie et envoyant encore une profusion de gouttes autour d'elle. Après une brève lutte, patiente, cabas surdimensionné et parapluie franchirent la porte sans encombre. Catherine, qui l'avait suivie, referma la porte d'entrée et adressa un sourire contrit à Beth.

— Je suppose que vous en avez entendu des extraits.

— Comme toujours. Je ne sais pas comment vous faites pour garder votre patience avec elle.

— Parce que justement, elle fait partie de mes quelques « patients ».

— Allez, M. Hite dit toujours que ça prend du temps de se faire connaître. N'abandonnez pas maintenant.

La patiente suivante de Catherine avait des problèmes familiaux parce qu'elle ne pouvait se résoudre à placer en maison de retraite la grand-mère qui l'avait élevée, qu'elle avait prise chez elle et qui en était à un stade avancé de la maladie d'Alzheimer. Catherine devait arriver à déculpabiliser sa patiente avant que les besoins constants et le comportement souvent dangereux de la vieille dame ne poussent le mari à partir en emmenant leurs trois adolescents, inquiet qu'il était pour leur sécurité. Malheureusement, Catherine sentait qu'elle n'avait pas progressé de la séance.

La troisième patiente, âgée de 16 ans, souffrait de boulimie, et refusait de parler à part pour émettre un vague : « Je ne suis pas malade. » Elle ne croisait jamais le regard de

Catherine, préférant parcourir la pièce de ses yeux affamés. Catherine était soulagée d'avoir pensé à soustraire les chocolats à sa vue.

Arrivée à midi, Catherine avait l'impression de ne pas avoir abouti à grand-chose, pour le travail d'une demi-journée. Cependant, avec son manque de concentration ce matin, il valait mieux que ses dossiers n'aient pas demandé plus. Elle ressassait les événements du week-end, le cauchemar de James, la haine dans sa voix quand il avait prononcé le nom d'une femme récemment assassinée... Elle toucha sa main, qui gardait de légers bleus et lui faisait encore mal depuis que James l'avait empoignée. De quoi avait-il rêvé exactement, concernant Renée ? Il avait dit ne pas se rappeler, mais elle n'était pas sûre de le croire.

En un effort vain pour combattre la tristesse du jour, Catherine avait opté pour son nouveau manteau rouge. Elle s'était emporté un sandwich et une crème dessert, mais se dit soudain qu'elle avait besoin de sortir un petit peu. Elle prit le gai vêtement dans le placard, y ajouta son sac à main et un para-pluie rouge, puis se dépêcha de partir.

— Je sors déjeuner, annonça-t-elle à Beth. Je vais sans doute essayer le nouveau café de Foster Street.

— Je ne vous ai jamais vue en tenue aussi colorée ! Ça vous va très bien. Bonne idée, d'aller au café. Il paraît que c'est bon, et une pause ne vous fera pas de mal.

— Vous aussi. C'est une journée vraiment calme, et lugubre. Nous avons un moment de liberté en attendant le retour de M. Hite. Vous venez avec moi ?

Beth sourit, attrapant le déjeuner qu'elle apportait toujours au bureau.

— Le travail d'une secrétaire n'est jamais fini. Je dois être là pour prendre les rendez-vous, ce qui me rappelle que votre patient de 13 heures a annulé. Il s'est cassé une dent, et il va voir un dentiste en urgence dans une ou deux heures. Il avait l'air de souffrir.

— Pauvre de lui. Tant mieux, s'il a réussi à trouver un rendez-vous.

Catherine sortit de sa poche un foulard de mousseline rouge à fleurs et se le noua autour de la tête.

— Je ne veux pas me mouiller la tête, je déteste avoir les cheveux humides, expliqua-t-elle, honteuse d'entendre son propre mensonge.

Les cheveux humides ne la dérangeaient pas du tout avant samedi, mais elle ne cessait de penser aux cheveux mouillés de Renée, obstinément entortillés autour de ses doigts.

— C'est Marissa qui m'a convaincue de porter tout ce rouge, mais je dois avouer que l'ensemble me donne un air très festif.

Sur ces mots, elle prit sa voiture, et, connaissant son sens de l'orientation, utilisa le GPS pour se rendre au Café Divine. C'était un endroit à l'ambiance feutrée d'antan, avec du plancher, des murs de brique peints en beige crème, des banquettes vert foncé, des plantes vivaces trônant au-dessus du bar à miroir, et un grand juke-box à l'ancienne qui passait des chansons des années cinquante et soixante. L'étroite salle était presque vide. Elle choisit vite une banquette au milieu, et une serveuse souriante apparut sur-le-champ pour lui apporter un grand verre d'eau glacée et un menu.

Dès que Catherine regarda les plats, son appétit nerveux se remit en route. Elle commanda une salade de crudités, un « hamburger double épaisseur », une part de tarte à la crème de noix de coco et un thé glacé. Elle avait aussi envie de frites, mais estima que son repas contenait suffisamment de graisses.

Elle avait terminé sa salade et attaquait son hamburger quand une douzaine de personnes arrivèrent en dix minutes. Presque tous les tabourets du bar étaient occupés, et elle entendait deux femmes installées sur les banquettes derrière elle. Elle s'attarda un peu sur son repas, appréciant le bourdonnement des conversations associé à la musique du juke-box. Pour la première fois de la journée, elle put libérer son esprit des souvenirs du week-end et se concentrer sur le plaisir simple de la nourriture, comme si c'était une journée ordinaire.

Alors qu'elle terminait son hamburger, la chanson « Runaround Sue » prit fin, et personne n'avait choisi d'autre morceau, car le juke-box se tut. Catherine entendit distinctement la discussion des deux femmes de derrière.

— Tu as entendu qu'on a trouvé un cadavre au cottage des Eastman dimanche après-midi ?

— Bien sûr ! répondit l'autre, d'une voix forte et autoritaire. On a dit à mon mari que c'était une femme. La police ne peut pas donner son nom avant une identification par un parent, mais tout le monde sait que c'est la femme de James Eastman, Renée.

Catherine se raidit. Est-ce qu'elle exagérait, ou y avait-il eu des fuites sur l'identité de la victime ? Combien de personnes à Aurora Falls savaient que Renée était morte ?

— Qui est James Eastman ?

— C'est un avocat, sa famille est propriétaire du cottage. Tu dois bien te souvenir du battage quand Renée avait disparu.

— Euh, pas vraiment...

— Elle venait de La Nouvelle-Orléans, et elle ne se plaisait pas ici, expliqua la femme à la voix forte, tout excitée. Rien d'étonnant. Elle n'était pas du genre des Eastman. Ils sont très classe, mais elle, elle était vulgaire : toujours à se mettre en avant, beaucoup trop portée sur la bouteille, attirée par tous les hommes qui passaient... Ils ont été mariés un an avant de se mettre à se disputer en public. Plus tard, ils ont eu une très grosse dispute à une soirée, et le jour suivant, Renée avait disparu.

La femme fit une pause pour plus d'effet, puis déclara lentement :

— La police a soupçonné quelque chose de louche. Il y a eu une enquête, mais on n'a jamais retrouvé Renée.

Catherine prit une bouchée de tarte et eut du mal à l'avaler. À ce moment, la serveuse vint à sa table, et elle essaya de sourire avec naturel.

— Le thé glacé, ça ne va pas très bien avec la tarte, dit-elle dans une envie inutile de se justifier. Je voudrais un café.

— Très bien, madame. Moi aussi, j'aime le café avec mon dessert. La tarte est bonne ?

— Délicieuse. Vraiment.

La serveuse repartit, et Catherine espéra que personne n'irait mettre de la musique dans les quelques minutes à venir. Elle savait qu'elle aurait dû partir, mais cela lui semblait physiquement impossible. Il lui fallait savoir ce qui se disait d'autre sur James et Renée.

— Je crois que je me souviens, maintenant, dit la femme à la voix plus douce.

— Ce serait vraiment que tu as vécu cloîtrée, sinon !

— Il y avait une histoire de dispute à une crémaillère ?

— C'est de cette soirée que je parlais, celle où tout est parti en vrille ! répondit l'autre en haussant encore le ton. Renée était immorale comme pas deux, mais au début, elle a été assez raisonnable pour essayer de se cacher. Et puis elle est devenue plus désinvolte, et à la fin, carrément osée. À la crémaillère, elle était allée dans une chambre pour prendre son manteau. Quelqu'un est entré et l'a trouvée en train d'embrasser l'hôte ! Il paraît que James était tellement furieux qu'il l'a traînée hors de la maison. Enfin, pas traînée. C'est plutôt un gentleman. Mais tout le monde savait qu'elle allait se prendre une avoinée. Eh bien, elle est quand même partie en riant. En riant, nom de nom !

La serveuse s'arrêta à leur niveau, et elles demandèrent toutes deux une rallonge de café.

— Et c'est juste après cette fête qu'elle a disparu, reprit celle à la voix forte. Tout de suite, genre le lendemain.

Le café de Catherine arriva, et elle avala une grande gorgée brûlante. Après s'être brûlé la langue, elle reprit néanmoins une gorgée revigorante.

Entre-temps, celle qui avait l'air de tout savoir sur Renée avait repris son souffle, et elle demanda à plein volume :

— Tu es allée voir l'exposition de Nicolaï Arcos à la galerie Nordine ?

— Qui est-ce ?

— Tu ne te tiens vraiment pas au courant des événements du coin ? C'est un artiste, ou en tout cas, c'est le seul ici qui retienne l'attention des experts en art. Il paraît que Renée avait eu une liaison avec lui. Il fait une grande exposition à la galerie. Tu n'as pas lu ça dans la *Gazette* ?

— Je ne lis que les actualités, pas les pages société.

— Très chère ! Ne prends pas tes grands airs avec moi ! Bref, le tableau le plus en vue est un portrait, *La Dame de carnaval*. Ken Nordine, le propriétaire de la galerie, ne

m'avait pas invitée avec mon mari au vernissage, alors mon mari s'est fâché et n'a pas
voulu aller la voir après. La femme du maire,
une bonne amie à moi, m'a dit que la dame
de carnaval porte un masque. Nicolaï Arcos
ne veut pas reconnaître que c'est peint
d'après modèle, mais elle est certaine que
c'est Renée Eastman. D'après elle, personne
ne s'y tromperait, et Arcos voulait que tout
le monde sache que c'était elle. Il était fou
d'elle.

— Vraiment ?

— Vraiment.

— Alors, cet Arcos l'a peinte pendant leur
liaison ? Ou après la disparition ?

— Je ne sais pas quand c'était, mais il l'a
peinte.

— Il est marié ?

— Non, il ne l'a jamais été.

— Mais Renée, si, et il se fichait que tout
le monde soit au courant de leur relation. Il
faut être gonflé !

— Ça, il l'est ! Mais c'est un artiste, et on
sait tous qu'ils sont excentriques et arro-
gants, décréta l'autre. Je ne le connais que
de vue. Il est grand et maigre, tout anguleux,

avec des yeux pénétrants. Il a des cheveux noirs bouclés, et il porte des longs manteaux en cuir, et des bijoux bizarroïdes, toujours les mêmes. Une boucle d'oreille avec un vrai diamant dessus, j'en jurerais, une énorme bague en quartz œil-de-tigre. Il doit avoir 30 ans, pas beaucoup plus. Une fois que tu l'as vu, tu ne peux pas l'oublier. Apparemment, l'exposition pourrait le faire connaître dans le monde de l'art, mais c'est *La Dame de carnaval* qui fait jaser.

Elle hésita, puis proposa :

— On devrait y aller ! Demain, peut-être ? Aujourd'hui, j'ai trop à faire, mais je veux vraiment y aller ! Mon mari serait furax, mais je ne lui dirai pas si tu n'en parles pas au tien.

— Ça marche, répondit l'autre. Maintenant, je ne peux absolument pas rater ce tableau !

Et moi non plus, pensa Catherine avec une bouffée de culpabilité, en terminant sa tasse de café. *Moi non plus*.

*
* *

172

Catherine consulta sa montre. 12 h 45. Son patient suivant n'arrivait pas avant 14 heures. Elle termina sa tarte et son café, laissa un pourboire généreux et s'avança vers la caisse sans attendre la serveuse. En patientant pour payer, elle introduisit une pièce dans le juke-box. Elle quitta le café accompagnée par Petula Clark qui chantait « Downtown ».

C'était comme si Petula savait où je vais, pensa Catherine en quittant le Café Divine. Elle se hâta vers sa voiture sous la pluie, puis trouva la galerie Nordine quatre rues plus loin, dans ce qui était autrefois le centre-ville. Cinq ans auparavant, un nouvel habitant d'Aurora Falls, le séduisant trentenaire Ken Nordine, avait acheté un local délabré à deux étages, et l'avait rasé pour construire une superbe galerie d'art s'étendant sur quatre niveaux.

Marissa avait couvert ce sujet pour la *Gazette*, et n'avait pas résisté à la tentation de faire plus de recherches que nécessaire sur ce nouvel acteur de la vie locale. Catherine savait ainsi que son père, Guy Nordine, artiste talentueux à la renommée éphémère, était né et avait grandi à Aurora Falls. À l'approche de la quarantaine, il avait déménagé dans le Midwest, pour se faire quitter peu après par sa femme, qui l'avait laissé avec leur jeune fils Ken. Guy avait sombré dans la dépression et la boisson, et ne s'en était jamais vraiment sorti. Sa carrière s'était enlisée, et il était mort jeune, peinant à gagner sa vie en tant que peintre en bâtiment. Ken, lui, s'était promis de ne pas laisser tomber dans l'oubli les excellentes œuvres de jeunesse de son père adoré.

Marissa avait appris que l'héritage de Ken ne pouvait lui payer la galerie, et que ses nombreuses incursions dans le monde des affaires n'avaient pas connu de succès. Il avait épousé Dana Hanson, dont le père possédait une chaîne de magasins de bricolage dans l'Utah, le Nebraska et l'Iowa. Dana avait connu une enfance privilégiée, et même à l'âge adulte, son riche père l'adulait et ne lui refusait rien.

En bonne journaliste, Marissa avait tout de suite fait part des résultats de son enquête à sa sœur, qu'elle estimait coupée des passionnants événements d'Aurora Falls par ses études spécialisées à Berkeley. Catherine avait assimilé les informations avec l'avidité d'une vraie accro aux potins, et avait eu l'intention de visiter la galerie une fois de retour. Par la suite, elle avait appris que Ken Nordine faisait partie des ex-amants de Renée, et malgré sa curiosité, elle avait décidé de ne pas mettre un pied là-bas. Jusqu'à aujourd'hui.

Catherine s'approcha avec admiration de la galerie revêtue de stuc pastel. Les lignes courbes très contemporaines s'élançaient vers le ciel, en une spirale qui faisait penser à une colombe s'élevant avec grâce au milieu des minables tours de brique sombre. Elle eut la chance de trouver une place à proximité et courut vers la porte d'entrée, au moment même où un homme l'ouvrait, tout sourire.

— Quelle chance ! Une belle femme comme premier visiteur de la journée ! Bonjour, je suis Ken Nordine.

Catherine, qui se retrouvait pour la première fois face à lui, resta sans voix un instant. Il était d'une beauté frappante. Ses boucles brun doré encadraient un visage harmonieux, respirant l'intelligence et l'humour, éclairé par des yeux à la fois sérieux et taquins.

— Bonjour, réussit-elle enfin à articuler. Catherine Gray. En fait, je n'étais encore jamais venue.

— Bien dommage, mais vous voilà enfin. Entrez donc. Vous arrivez avant les hordes de l'après-midi, précisa-t-il avec un sourire d'autodérision.

— Tant mieux.

Catherine commença à secouer son parapluie, mais il le lui prit doucement des mains et termina la tâche avant de le refermer.

— Désolée de tout mouiller, commenta Catherine.

— Pas d'inquiétude. Le sol est en granit, dit-il en désignant un carrelage mat parsemé de mosaïques marron et bleu. C'est la pierre la plus dure après le diamant, alors un peu d'eau ne nous effraie pas. Et n'ayez pas peur de glisser, c'est antidérapant.

— Ken, tu es encore en train de te vanter.

Catherine vit une femme qui descendait le large escalier en colimaçon desservant les quatre niveaux depuis la verrière. Là-haut, elle paraissait svelte, glamour, et on lui donnait 30 ans. Quand elle s'approcha, cependant, Catherine découvrit qu'elle était squelettique et avait le visage aux traits étirés à l'extrême d'une inconditionnelle de chirurgie esthétique. Ses cheveux acajou étaient coupés en un carré long, avec une frange, et pas un fil blanc. Ses yeux sombres fatigués et les fines rides entourant ses lèvres minces permettaient de lui donner la quarantaine.

— Bonjour, je suis Dana Nordine.

Son sourire révéla des placages dentaires d'une régularité parfaite, et elle tendit une main diaphane.

— Bienvenue dans notre galerie, ajouta-t-elle. Vous cherchez à vous abriter de la pluie ?

— Pas du tout, rectifia Catherine. J'ai une longue pause aujourd'hui, alors je profite de mon temps libre. J'étais tout près, et je voulais venir depuis un moment, mais je n'avais pas encore franchi le pas.

Ken lui adressa un sourire naturel et satisfait, puis se composa une expression de surprise moins crédible.

— Vous êtes Catherine Gray ? La sœur de Marissa ?

Elle confirma.

— Marissa a rédigé un très bon article, exhaustif, sur la galerie, s'exclama Dana. Nous étions tellement ravis que nous avons dû acheter une cinquantaine d'exemplaires de la *Gazette* !

— Je vous ai vue dans le journal quand vous vous êtes installée, mais la photo ne vous rendait pas hommage, dit Ken avec un sourire admiratif. (Il s'interrompit, et elle ne le lâcha pas du regard.) Je pensais recevoir votre visite plus tôt, étant donné que votre sœur a beaucoup aimé l'endroit.

— C'est vrai, mais au moment de l'ouverture, je terminais encore mes études en Californie. Quand ma mère est morte, elle nous a légué la maison, à Marissa et moi, et j'y ai emménagé, mais je n'ai pas encore réussi à me poser.

Catherine savait qu'elle parlait trop, mais elle se sentait un peu coupable d'être venue. Elle aurait pu se donner des gifles quand elle s'entendit poursuivre.

— J'ai aussi monté un cabinet de psychologie avec Jacob Hite. Mais vous êtes au courant, si vous avez vu l'article.

Dana essaya de froncer les sourcils, mais elle avait visiblement paralysé les muscles du haut de son visage à coup de Botox. Elle demanda, sans expression :

— Alors vous voyez des patients, maintenant ?

— Oui, depuis le mois d'août.

— Que c'est entreprenant de se lancer aussi vite. Tu ne trouves pas, Ken ?

Le mari de Dana se contenta de contempler Catherine. Dana lui lança un long regard fatigué avant de se mettre en action.

— Allons, on vous laisse plantée là, avec votre manteau et votre écharpe, comme si on n'avait jamais eu de visiteur. On va vous débarrasser de ces vêtements mouillés et vous offrir quelque chose à boire avant de vous faire faire le tour.

Catherine, sans être aussi exubérante que Marissa, n'avait jamais été timide en société. Cette fois, malgré l'accueil chaleureux des Nordine, elle restait sur ses gardes. Elle se rendait bien compte de son manque d'aisance inhabituel, et se demanda si le couple se montrait particulièrement amical à cause de son attitude.

Puis elle croisa le regard rusé de Ken Nordine, qui ne la considérait pas comme une inconnue. Même si James parlait rarement de son ex-femme, quelques personnes fort bien intentionnées n'avaient pu résister à la tentation de faire part à Catherine de la liaison entre Renée, amatrice d'art, et Ken, beau, charmant et marié. James avait choisi de ne pas répondre aux rumeurs, du moins en public, mais cela ne signifiait pas qu'elles étaient fausses.

Avec un picotement quasi électrique, Catherine comprit qu'elle avait été reconnue à l'instant où elle arrivait. Ken savait qu'elle était avec James, et qu'elle s'était abstenue de venir pour cette raison. Pire, elle eut l'intuition qu'il se montrait débordant de charme par amusement malsain face à son malaise et à ses dérobades.

Il se pouvait qu'elle surinterprète les signes, mais elle était étrangement certaine de son impression. Elle essaya d'envoyer à

Ken un sourire signifiant : « Je me fiche complètement de ce que vous pensez de moi », mais ne voyant pas changer l'expression de son interlocuteur, conclut que ça n'avait pas marché. Quant à Dana, Catherine n'avait aucune idée de ce quelle pouvait penser de sa visite. Son visage figé était une énigme. Elle souhaita pouvoir partir sur-le-champ, mais n'eut pas d'idée de sortie diplomatique. La seule solution, malheureusement, était d'en terminer avec autant de sang-froid que possible.

— Votre sœur est une vraie alliée pour nous, déclara Ken alors qu'ils parcouraient le rez-de-chaussée. Elle a aussi écrit un très bon papier sur notre dernier exposant, Nicolaï Arcos. Vous avez dû entendre parler de lui ?

— Oui, il paraît qu'il a beaucoup de talent.

— Il est remarquable, répondit Ken. À même pas 30 ans, il était déjà assez connu. Dommage que vous ayez manqué son vernissage.

— Non, j'avais la grippe, prétexta à nouveau Catherine.

Cette fois, cela lui était égal que son mensonge s'entende. Après tout, Ken savait forcément que c'était à cause de sa relation avec Renée.

— Quel dommage ! La soirée a été encore plus réussie que prévu, pas vrai, Dana ?

Sa femme ne les avait pas quittés d'une semelle, ajoutant de fréquents commentaires en détachant bien les syllabes, comme pour les empêcher d'oublier son existence. Ken lui prêtait rarement attention, mais Catherine s'efforçait de se retourner vers les yeux étroits et inquisiteurs de Dana, de lui répondre et de paraître intéressée par ses dires. Elle décelait son tempérament angoissé, et en ressentait de la compassion.

— Nous pensons que le succès du vernissage est en partie dû à l'article de Marissa, ajouta Ken.

— Elle aime s'occuper des actualités, mais je pense qu'elle est encore meilleure sur les faits de société. Ils aiment toujours ce qu'elle fait à la *Gazette*.

— Normal ! Elle écrit très bien, fit Ken avec un nouveau sourire éblouissant. Commençons par vous montrer les œuvres de Nicolaï.

Il avança d'un pas énergique, et Dana força l'allure pour suivre, ce qui n'était pas une mince affaire, avec son jean noir haute couture ultraslim et ses escarpins turquoise aux talons hauts de dix centimètres. Elle avait cintré sa tunique de soie turquoise à l'aide d'une large ceinture argentée, et avait l'allure stylée d'un mannequin. Elle avait aussi l'air essoufflée.

Catherine ralentit un peu, et Dana avec elle. Ken ne parut pas les remarquer, et s'arrêta un bon mètre devant un tableau.

— Voici *Attente éternelle*, l'une de ses premières œuvres. Qu'en pensez-vous ?

Catherine examina le portrait à l'huile d'un garçon assis sur un rocher, sous un ciel anthracite, contemplant une mer démontée gris foncé, sous un filet de brume flottant. L'enfant avait environ 10 ans, son morne visage au teint pâle vu de profil, ses cheveux noirs mi-longs repoussés par le vent, révélant des pommettes hautes et de grands yeux noirs.

Catherine était loin d'être connaisseuse, mais elle avait déjà vu des portraits de ce genre, tristes et brumeux, peints en nuances de gris, montrant un enfant solitaire. Elle reconnut que Nicolaï Arcos avait su rendre une vraie mélancolie, avec les épaules arrondies de l'enfant, et son regard sans espoir sur la brume argentée au-dessus de la mer déchaînée.

— Il s'est représenté ? demanda-t-elle.

— Oui. Il est né en Roumanie, dans un petit village sur la côte de la mer Noire. Il n'a jamais connu son père, et sa mère a quitté le foyer avant son premier anniversaire. Il a vécu avec ses grands-parents. Heureusement, ils le considéraient comme un don du ciel, et il les adorait. Cela aurait pu mal se passer, étant donné que leur fille a accouché quatre mois après le mariage, et qu'ils étaient très croyants.

Son grand-père pêchait sur la mer Noire, poursuivit Ken. Quand Nicolaï avait 12 ans, le bateau n'est jamais revenu. Il dessinait déjà. Les villageois avaient une bonne opinion de lui et de ses grands-parents, et c'est sans doute à ce moment que certains ont eu la gentillesse de lui acheter du matériel de peinture, et qu'il a vraiment commencé. Sa grand-mère est morte quand il avait 15 ans, et là, il a émigré illégalement aux États-Unis.

Catherine hocha la tête. À entendre Ken, elle avait l'impression qu'il avait répété cette histoire mot pour mot maintes fois. Elle ne pouvait lui en vouloir d'avoir peaufiné le récit des origines de Nicolaï pour rendre le tableau encore plus émouvant.

— Le style paraît affirmé. Quel âge avait-il, quand il a peint ce tableau ?

— Oh, à peu près 18 ans, intervint Dana. Après être arrivé aux États-Unis et avoir étudié la peinture.

— Où ça ?

— À l'université de l'Arizona, répondit Ken aussitôt, mais il ne l'a pas fréquentée longtemps, et n'a eu qu'un diplôme sanctionnant deux ans d'études. Il n'a pas aimé Albuquerque. Il a enseigné un temps à une petite fac du coin, pour gagner de quoi se nourrir. Ensuite, quelqu'un me l'a présenté.

Ken ne put retenir un sourire arrogant. Il désigna un autre tableau.

— Voici l'un de mes préférés, *Cathédrale*. J'aime beaucoup le jeu de lumière sur les pierres du haut. Nicolaï l'a peint un ou deux ans après *Attente éternelle*, et vous devez voir que son style a gagné en maturité.

Catherine se rangea à son avis, même si elle ne voyait pas grande différence. Ken lui montra quatre autres tableaux ressemblant au deuxième, et elle poussa des *oh* et des *ah* au bon moment, mais elle avait la certitude que Dana sentait son manque de sincérité. Elle avait suffisamment de notions d'arts plastiques pour voir le talent impressionnant d'Arcos, mais il n'y avait qu'un tableau qu'elle désirait voir. Elle devenait de plus en plus distraite et agitée, et ses doigts furent pris de mouvements convulsifs, ce qui avait toujours été chez elle un signe de nervosité.

Enfin, ils se décalèrent sur la droite ; Catherine sentit Dana se raidir et retenir son souffle avant que Ken annonce avec emphase :

— Et voici celui dont tout le monde parle, *La Dame de carnaval* ! Je n'aurais jamais cru qu'il ferait sensation à ce point, qu'en penses-tu, Dana ?

Le tableau était deux fois plus grand que les autres, et se détachait sur des pans de murs en brique, nus sur au moins trois mètres de chaque côté, ce qui en faisait la pièce de choix de l'exposition.

Catherine pensait s'être préparée en lançant un sourire désinvolte à Ken avant de regarder le tableau. À sa stupéfaction, l'image l'envahit, la désarma, et elle ne put étouffer une inspiration impressionnée. Le portrait était tellement riche en couleurs vives, énergie et mouvement que les autres œuvres d'Arcos s'effacèrent, condamnées à l'oubli par l'image d'une femme.

La Dame de carnaval brillait de teintes dorées généreuses et raffinées. La dame était un peu tournée sur la gauche, et on voyait la partie supérieure de sa grande jupe à arceaux. Un corset serrait sa taille, rehaussant sa poitrine ferme d'une blancheur d'albâtre, qui débordait d'un plongeant décolleté carré. Sa robe de soie damassée, à la broderie alambiquée en fil métallique brillant plus foncé, était agrémentée d'un petit rang de dentelle ivoire. Elle portait un large collier ras-de-cou incrusté de perles et de diamants ainsi que de longs pendants d'oreilles en perle, ajustés sur des diamants nichés dans l'or.

Des manches étroites s'élargissaient à partir d'un large ruban au niveau du coude, et deux volants cascadaient sur ses avant-bras, le deuxième descendant plus à l'arrière pour allonger le bras. Elle portait une perruque de cheveux noirs brillants relevés d'une quinzaine de centimètres à l'avant, avec de longues boucles couvrant ses épaules et lui arrivant presque à la taille. Un fin rang de perles laiteuses s'entortillait avec élégance dans cette coiffure sophistiquée. De la main gauche, elle levait un délicat éventail de soie blanc cassé, dont la monture devait être de nacre plaquée or. Dessus, on voyait deux personnages bordés de sequins, entièrement nus, en plein acte sexuel, au milieu d'un jardin exubérant. L'éventail semblait destiné à la sphère privée d'un amateur d'érotisme plutôt qu'à un musée.

Catherine sentit l'ensemble envoûtant de *La Dame de carnaval* se graver dans sa mémoire, jusqu'aux coups de pinceau délicats, à la texture de la peinture à l'huile imprimant une profondeur, et à la lumière hésitante de l'arrière-plan.

Par-dessus tout, elle était captivée par la vie gracieuse et éthérée qu'Arcos avait insufflée à son sujet. Catherine n'avait vu Renée de près que lors du mariage, mais elle n'oublierait jamais son visage d'un ovale parfait, sa peau de porcelaine, son nez aux courbes harmonieuses, et ses lèvres superbes. C'étaient les yeux de Renée qui étaient les plus marquants, des yeux sombres cerclés d'or autour de la pupille, dont la forme en amande séduisait. Derrière leur chant de sirène magnétique proclamant l'assurance, le goût du risque et l'invitation sexuelle, ces yeux trahissaient sa vulnérabilité et ses blessures. Au mariage, Renée en avait toisé Catherine.

Maintenant, Renée dirigeait à nouveau le pouvoir de ses yeux, reconnaissables entre mille, sur le regard vert doux de Catherine. Cette fois, ils la regardaient derrière un élégant loup blanc et or, bordé de dentelle et décoré de paillettes. Saisissante, une étoile à cinq branches était peinte autour de l'œil droit.

L'œil que quelqu'un avait percé d'une balle, envoyant Renée dans l'au-delà.

CHAPITRE 7

James Eastman ouvrit la porte de son logement, alluma un plafonnier à la lumière crue, cligna des yeux et regarda l'imposante horloge qu'il avait rapportée de son ancienne maison. 18 h 32 seulement. Il avait l'impression de rentrer à minuit après avoir trimé toute la journée à creuser des fossés.

À la cuisine, James se servit un double bourbon. Il en prit une bonne rasade et emporta le verre dans le séjour à l'ameublement minimal, où il s'affala sur le canapé. Il avait éteint l'entrée, et le seul éclairage provenait du lampadaire halogène de la rue, qui filtrait par la fenêtre aux tentures ouvertes. Quel mal de tête ! Dans la pénombre, il se passa le verre frais sur le front, essayant d'effacer une image qui semblait imprimée dans son cerveau. Combien de verres pour effacer un souvenir ? Plus qu'il ne pourrait en prendre, s'il comptait retourner au bureau demain. Il aurait peut-être dû prendre un congé d'une semaine, comme le lui avait conseillé Patricia.

James prit une deuxième gorgée de bourbon et poussa un grognement. Non. Une semaine à ne rien faire, sans affaire en cours pour s'occuper l'esprit, voilà qui serait trop déprimant et lui donnerait beaucoup trop de choses à ressasser. Il aurait quand même dû s'absenter aujourd'hui, au lieu de travailler avec encore plus d'acharnement que d'habitude. Il se sentait épuisé et affaibli.

Plus tôt dans la journée, le shérif adjoint principal, Éric Montgomery, l'avait appelé : les empreintes digitales de la morte n'étaient pas dans la base de données de la police, qui n'avait rien trouvé au cottage pour permettre une identification officielle. Pas de sac contenant un permis de conduire ou une carte de sécurité sociale, pas de voiture avec plaque d'immatriculation, numéro du véhicule, assurance ou papiers de location. Les policiers n'arrivaient pas à joindre les Moreau à La Nouvelle-Orléans, qui auraient pu venir procéder à l'identification par un proche parent. Un médecin légiste avait procédé à l'autopsie, et le corps se trouvait désormais à la morgue, officiellement non identifié, et sans personne pour le réclamer.

Éric avait demandé à James s'il voulait bien venir à la morgue pour regarder à nouveau le corps.

— Je suis désolé de te demander ça, mais j'ai l'impression que les Moreau ne sont pas vraiment injoignables. Ils nous évitent. Si tu arrivais à les avoir, toi, peut-être qu'ils viendraient.

— J'ai essayé, avait répondu James avec amertume. Ils doivent m'éviter aussi.

— Ah, c'est ennuyeux.

— Ennuyeux ?

— Je pourrais utiliser un terme plus osé, mais je suis au travail. Bref, tu n'es son ex-mari que depuis une semaine. Une identification officielle de ta part pourrait compter. Et si tu signais quelques papiers, ça pourrait hâter le départ du corps une fois qu'on aura pu en informer sa famille. Mais tu n'es pas du tout obligé de t'imposer cette épreuve. Je ne sais pas si à ta place, je le ferais. C'est ton choix.

James avait promis à Éric d'y réfléchir, persuadé qu'il le rappellerait dans les deux heures pour refuser. Pourtant, quatre heures plus tard, il n'arrivait à se concentrer sur rien d'autre. C'était troublant. Il aurait pu se dédouaner de toute responsabilité, mais Renée avait été sa femme, et il ne cessait de penser que son corps gisait dans la froideur impersonnelle d'une morgue, sans personne pour le réclamer. Si le fait de la revoir et de signer des papiers pouvait aider à faire sortir son corps de cet endroit, il le ferait. Elle méritait au moins de reposer à La Nouvelle-Orléans, dans sa famille.

Finalement, il avait averti Patricia qu'il partirait une demi-heure plus tôt pour se rendre à la morgue. Elle n'avait pas demandé s'il voulait de sa compagnie, ni même suggéré qu'il préférerait y aller avec quelqu'un d'autre. Elle lui avait simplement annoncé qu'elle venait. Cela devait évidemment lui répugner, mais James savait qu'elle n'hésitait pas si un ami avait besoin d'elle.

Il avait commencé par protester, lui disant qu'il s'acquitterait au plus vite de sa tâche sans se laisser démonter ; après tout, il avait déjà vu le corps samedi. Elle avait cependant insisté. Plus tard, quand le crachin incessant de l'après-midi se calma pour laisser place à un crépuscule inhabituellement brumeux, il fut secrètement soulagé de ne pas être seul à s'arrêter sur le terrain terne et détrempé, situé à cinq cents mètres du nouvel hôpital. L'entreprise chargée de la construction s'était engagée à terminer pour le printemps la nouvelle morgue sur l'emplacement agréable et bien éclairé de l'hôpital, mais pour l'heure, les conditions n'étaient pas optimales. En d'autres termes, les morts pouvaient attendre.

À l'intérieur, la morgue faisait ressentir ses soixante ans d'âge : carrelage vert foncé et blanc jauni, murs craquelés peints en vert typique des vieux bâtiments officiels américains, et néons bleus bourdonnant doucement. Il y régnait un froid humide et pénétrant que le mécanisme d'une chaudière n'arrivait pas à dissiper, comme si la chaleur n'était pas à sa place ici. Des odeurs chimiques vinrent picoter le nez de James, et la seule pensée qui lui vint fut le souvenir du parfum exotique et entêtant que Renée portait dans les grandes occasions. Elle avait toujours su attirer ses proies, y compris par l'odeur.

Mais c'était fini. Un jeune laborantin à l'œil endormi avait fait coulisser un tiroir et ouvert une housse mortuaire. Là gisaient le visage et les épaules d'une Renée Moreau froide, nue, bouffie, dégageant une odeur médicinale. Ses superbes cheveux noirs étaient rasés et son visage sans expression, ses lèvres blanches, ses yeux fermés impressionnaient. James avait entendu Patricia retenir son souffle, mais avait réussi à rester calme et immobile. Au même moment, tous les deux avaient affirmé au laborantin qu'il s'agissait de Renée Eastman. Le jeune homme froid avait remis en place le tiroir froid contenant le corps froid, fait pivoter une poignée froide, et s'était détourné pour remplir des papiers.

Ils avaient à peine échangé quelques mots sur le chemin du cabinet, où Patricia avait laissé sa voiture. Avant de la reprendre, elle avait proposé à James de venir chez elle, ou même d'aller prendre un verre dans un endroit peu fréquenté. Il avait décliné les deux invitations, l'avait remerciée et lui avait promis de lui téléphoner s'il passait une mauvaise nuit. Ils savaient bien qu'il ne l'appellerait pas, si horribles que soient les douze heures à venir. Ils avaient toutefois gardé une façade d'honnêteté, et s'étaient souhaité bonne nuit d'un ton amical.

James se redressa sur le canapé, reprit une gorgée de bourbon et s'obligea à se concentrer sur les démarches à faire pour Renée plutôt que sur l'horreur de ce qui lui était arrivé. C'était le moment d'être son avocat et non l'homme qui l'avait épousée en pensant que ce serait pour toujours. Ils étaient maintenant liés par des obligations, qu'il honorerait. Apparemment, les Moreau n'étaient toujours pas au courant que leur fille était morte. Il devait à son ex-femme de les en informer.

Il avait essayé d'appeler Gaston Moreau samedi soir, mais un domestique lui avait dit que M. et Mme Moreau étaient « de sortie », d'un ton si vague que James avait évité de donner des détails. Il s'était contenté d'insister pour être rappelé dès que possible.

Les Moreau n'avaient pas donné suite avant qu'il reparte au cottage, et n'avaient pas laissé de message par la suite. Il avait téléphoné à plusieurs reprises dans la journée de dimanche, pour entendre la même réponse. Encore aujourd'hui, il n'aimait guère l'idée d'annoncer la mort de Renée à distance à un domestique, mais cela faisait plus de soixante-douze heures que le corps avait été découvert, et toujours rien.

James termina son verre et se prépara à appeler encore une fois les Moreau à La Nouvelle-Orléans. Par chance, leur grande demeure ancienne n'avait pas connu de dommages irréparables après les ravages de l'ouragan Katrina. Lui et Renée ne l'avaient de toute façon pas revue. Après un mariage précipité, James avait eu la surprise de découvrir la mauvaise relation des Moreau avec leur fille unique. Même les coups de fil entre eux étaient rares. Cependant, elle n'avait pas d'autre famille. Quand la police arriverait à joindre les Moreau, elle leur ferait part du meurtre de leur fille. Il aurait pu s'en laver les mains et ne pas les contacter. Mais il avait été le mari de Renée.

Autant qu'il sache, elle ne s'était pas remariée dans les quelques jours suivant leur divorce. Aucun proche ne s'était manifesté. Il fallait les débusquer.

James envisagea de reprendre un verre avant d'appeler, mais cela ne serait que repousser l'échéance. Un verre de plus ne rendrait pas l'appel plus facile, pensa-t-il avec lassitude, avant de composer le numéro qu'il connaissait par cœur depuis la veille. La même voix neutre de femme d'âge moyen répondit, comme les jours précédents :

— Résidence Moreau.

— C'est *encore* James Eastman, à Aurora Falls. Je voudrais parler à M. ou Mme Moreau.

— Je regrette, monsieur, mais ils ne sont pas là depuis jeudi dernier. Ils sont en voyage avec des amis.

— Où ça ?

— Où ? Quelque part... en Californie.

— Hier vous m'avez dit qu'ils étaient au Mexique.

— Je suis désolée, monsieur, vous avez dû parler à quelqu'un d'autre.

— Vous allez arrêter, c'est ridicule. Je vous ai dit quatre fois que je suis leur ex-gendre. Je

198

dois leur dire que leur fille, Renée, a été assassinée. Si vous ne croyez pas que je suis James Eastman, je peux vous donner le numéro de la police d'Aurora Falls, même si je sais qu'ils ont aussi essayé de vous joindre.

Après une pause, la domestique dit d'un ton las :

— Je n'ai pas besoin de preuves, de votre identité en tout cas. Je ne peux pas continuer, même si ça doit me faire perdre mon travail. Ce n'est pas normal.

Elle s'interrompit, puis déclara avec feu :

— Mme Moreau est là depuis tout ce temps. Elle ne voulait pas vous parler, mais je la forcerai. Vous pouvez compter là-dessus !

Elle avait l'air d'apprécier l'occasion de forcer Audrey Moreau à faire quelque chose, pensa James. L'une des seules choses sur lesquelles il avait été en accord avec Renée était leur dédain envers cette belle femme hautaine qui avait eu une enfant à 23 ans, et l'avait confiée à des nourrices pour vivre une vie chaotique tournant autour des amis, du shopping et des voyages. Sa seule activité plus ou moins sérieuse était le théâtre, et elle était très mauvaise actrice.

Renée avait passé ses jeunes années en compagnie de domestiques et de quelques amis de statut social acceptable, et les années suivantes en école privée. Son père, homme dépourvu d'humour et presque assez vieux pour être son grand-père, l'emmenait parfois avec lui en voyage d'affaires. Il aimait acquérir de vieux objets d'art, et apprenait à sa fille à faire de même quand il en avait le temps.

À 16 ans, elle était soudain retournée au domicile familial. Élevée par un Gaston Moreau intellectuel et réservé, une mère mentalement absente et un bataillon de nourrices d'âge mur, c'était une jeune fille d'une timidité pathologique. Quand James l'avait rencontrée, lors de sa troisième année de droit à l'université de Tulane, elle était devenue une superbe femme exubérante qui, au grand dam de sa famille, flirtait avec le scandale.

Malgré cette personnalité, ou peut-être à cause d'elle, James s'était vite amouraché d'elle, et les Moreau avaient organisé une dispendieuse cérémonie de mariage en à peine deux mois. Dans les années suivantes, ils ne les avaient invités que trois fois, et chaque séjour avait été écourté du fait « d'imprévus » réclamant Gaston à l'étranger pour affaires. Une seule fois, ils avaient invité quelques connaissances.

Presque cinq minutes s'écoulèrent avant que la voix ennuyée d'Audrey Moreau ne se fasse entendre, sans un salut, toujours avec son accent du Sud affecté.

— Pourquoi vous appelez tout le temps, James ? On vous l'a dit plusieurs fois, Renée n'est pas ici.

Une irritation familière envahit James au simple son de sa voix.

— Je n'ai pas du tout demandé à parler à Renée, et on m'a dit plusieurs fois que c'est vous qui n'étiez pas là.

— Je n'avais pas envie de vous répondre, rétorqua Audrey sans l'ombre d'un remords ni la moindre gêne. Pourtant, vous n'arrêtez pas d'appeler, et je commence à être extrêmement agacée. Que voulez-vous ?

James aurait voulu arriver à envoyer une repartie cruelle, mais il contint sa colère, et baissa la voix.

— Il est arrivé quelque chose à Renée.

— Je m'en suis doutée quand la police de chez vous a appelé.

— Vous ne leur avez pas parlé ?

— Bien sûr que non. Ils ont laissé un message demandant que je les rappelle, mais je ne considère plus Renée comme ma fille.

— Que vous le vouliez ou non, Audrey, c'est votre fille. Ou plutôt, c'était. Renée est morte.

James entendit un hoquet de surprise, puis Audrey répondit avec fougue :

— Mais non ! La police nous l'aurait dit.

— Les policiers souhaitaient vous en informer directement, mais vous ne vouliez pas leur parler. Gaston non plus, je suppose.

— Oh, non. Je n'ai même pas dit à Gaston que la police avait appelé. Je ne veux pas qu'il soit embêté par ses histoires. Elle se sera encore mise dans le pétrin, et on ne veut plus entendre parler d'elle.

— Audrey, le corps de Renée a été trouvé samedi après-midi à Aurora Falls, expliqua

James avec calme. Selon la police, il est impossible que ce soit un accident. Cela fait sans doute un peu plus d'une semaine qu'elle a été assassinée.

Un silence suivit. James imaginait très bien Audrey en train de mobiliser toute sa capacité à nier l'évidence.

— Impossible. Qu'est-ce qu'elle serait allée faire à Aurora Falls ? Elle détestait cet endroit. Elle a voulu le fuir, et vous fuir. (Sa voix se fit plus aiguë et s'accéléra.) Vous êtes persuadé qu'elle vit plus ou moins chez nous depuis qu'elle vous a quitté, mais elle était prévenue qu'elle n'avait rien à espérer. Elle a essayé de revenir trois fois, mais je lui ai littéralement fermé la porte au nez.

« Sincèrement, je pense qu'elle est à court d'argent, poursuivit Audrey. Je suis sûre qu'elle n'a pas été tuée, et ce n'est pas drôle. C'est elle qui a inventé cette histoire, ou vous, ou tous les deux ensemble. Je suis cho-quée que vous tombiez assez bas pour essayer de l'aider ou de la retrouver, James. Je sais que vous l'avez aimée, allez savoir pourquoi, mais je jure sur ma Bible qu'elle n'est pas ici.

— Je serais étonné que vous ayez une Bible, Audrey, même si vous prétendez être très croyante.

— Je me fiche de ce que vous pensez de ma foi, soupira Audrey.

— Et vous avez raison. Je n'en ai rien à faire, ni de vous, ni de votre foi. Passez-moi Gaston.

— Il n'est pas là.

— Vous le jurez sur votre fameuse Bible ?

— Je le jure, répondit Audrey avec un soupir. Et je ne sais pas quand il va revenir.

— Ah bon ? Il s'est décidé à vous quitter ?

Il avait visé juste. Audrey s'écria d'un ton indigné :

— Bien sûr que non ! Jamais Gaston ne me quitterait.

— Alors pourquoi ma question vous fâche ?

— Parce que l'idée même est...

— Ridicule ? insista-t-il dans l'espoir qu'elle lui révèle quelque chose. Ou vous quitter serait-il simplement trop dur à supporter socialement parlant ?

— Oh, vous êtes... Bon, Gaston est parti il y a plus d'une semaine pour Paris et Londres.

— Où puis-je le joindre ?

— Vous ne pouvez pas. Je ne vous laisserai pas le perturber. Il a beaucoup d'affaires en cours.

— Que c'est prévenant de votre part, Audrey. Je n'avais jamais vu que vous étiez une épouse aussi dévouée.

James la visualisa en train de chercher désespérément une réplique cinglante, et elle finit par dire :

— Je ne veux pas qu'il soit dérangé.

— C'est vous qui n'avez pas envie qu'il soit dérangé alors qu'il rapporte de l'argent. Mais je vous le répète : votre fille est morte. Il faut bien qu'il le sache. Ou alors, j'en parle à certains de ses amis...

— C'est une menace ?

— À votre avis ? demanda James, excédé. Audrey, il faut aller réclamer le corps et organiser l'enterrement. La place de Renée est dans le mausolée familial, à La Nouvelle-Orléans.

— Elle ne fait pas partie de notre famille, et elle n'ira pas dans le mausolée.

— Mais c'est une Moreau !

— Non, c'est une Eastman. Écoutez, James, je ne sais pas quel cadavre vous avez pu trouver. Si vraiment c'est Renée, c'est à vous de vous en charger. Vous êtes sa famille la plus proche, après tout.

— Vous oubliez la lettre que j'ai envoyée quand j'ai entamé la procédure de divorce ? Et celle annonçant sa finalisation ? Dès que j'ai reçu le jugement de divorce, j'en ai expédié une copie.

— Je n'ai rien vu de tout ça.

— J'ai tout envoyé en recommandé, et Gaston a signé les accusés de réception.

— Eh bien, il ne m'en a pas parlé.

— Il ne vous aurait pas caché ça, s'impatienta James. Vous savez bien que cette stratégie d'évitement ne fonctionnera pas. Je suis capable de retrouver Gaston par moi-même, s'il le faut. Renée relève de votre responsabilité, quels que soient vos sentiments à son égard.

Il se surprit à devoir éclaircir sa gorge, qui se serrait.

— Vous n'avez pas voulu l'aimer et la protéger quand elle était en vie, mais je vais m'assurer que vous vous occupiez d'elle après sa mort. Vous lui devez au moins ça. Alors, bonne nuit, Audrey. Dormez bien, sachant que Renée ne viendra plus jamais vous déranger.

James raccrocha à grand bruit, révulsé. Il connaissait Audrey depuis presque aussi longtemps que Renée, et savait qu'elle était égoïste, accapareuse, superficielle, calculatrice et peut-être incapable d'amour. Elle s'était mariée par appât du gain. Elle n'aimait pas les enfants, et plaisantait souvent en disant qu'elle avait bien voulu en avoir un seul pour faire plaisir à Gaston.

Audrey était une personne très perturbée, qui méritait autant de compassion que sa fille. Mais il ne pouvait ressentir pour elle autre chose que du mépris.

*
* *

— Je suis capable d'aller chez James toute seule ! asséna Catherine au téléphone en se dirigeant vers sa voiture, le parapluie face au vent qui menaçait de couvrir sa voix. Je n'ai pas besoin de garde du corps, et encore moins de ma petite sœur.

— Il fait presque nuit, il recommence à pleuvoir, et il y a un meurtrier dans la nature. Tu ne peux pas attendre que James t'appelle ? Il va le faire d'une minute à l'autre.

— Il est 19 heures passées, Marissa. Il aurait dû me téléphoner il y a une demi-heure. Ça ne peut pas prendre si longtemps, d'identifier un corps à la morgue.

— Tu as dit que sa ligne fixe était occupée, lui rappela Marissa d'un ton irrité. Il est en train de parler à quelqu'un d'autre.

— Alors, pourquoi il ne répond pas à son portable ?

— Il est éteint ?

— Bien essayé, répondit Catherine, qui fit tomber ses clés et se pencha pour les chercher dans l'herbe mouillée. C'est moi qu'il aurait dû appeler en rentrant de la morgue. Je voulais l'y accompagner, mais il a refusé en prétendant que ça serait trop dur pour moi. Pourtant, Patricia est allée avec lui. Il doit penser que je suis en sucre...

— Mais non ! Ce n'est pas aussi dur pour Patricia parce que ce n'est pas elle qui a trouvé le corps, et ce n'est pas le corps de l'ex-femme de son compagnon. Tu fais tout un plat de rien du tout.

— Je t'assure, si James emmène Patricia plutôt que moi pour le soutenir, c'est qu'il y a quelque chose qui ne va pas dans notre relation. De toute façon, je n'arrive pas non plus à joindre Patricia, ce qui m'inquiète encore plus. Quelque chose de grave s'est produit.

— Catherine, s'il te plaît, tu pourrais retourner dans la maison, te prendre un verre de vin et te calmer ? Tout va bien.

— Tu n'en sais rien, répondit Catherine en ramassant les clés. Arrête de me traiter comme une gamine !

— Quand tu arrêteras de te comporter en gamine ! Excuse-moi, ajouta aussitôt Marissa. Ça me rend folle que tu sois toujours rationnelle, sauf en ce qui concerne James. C'est vrai que ce n'est pas n'importe qui à tes yeux. Bon, je vais essayer une dernière fois. Je pars du travail maintenant plutôt que dans une demi-heure, et je serai là dans vingt minutes. Si tu n'as pas de nouvelles d'ici là, on ira chez lui ensemble.

— Tu devais terminer ton article avant de partir. Chacune fait ce qu'elle a à faire de son côté.

Catherine s'approcha de sa voiture garée dans l'allée, et elle tituba dans le vent, essayant de maintenir sa prise sur le manche glissant du parapluie.

— Je t'appelle quand j'en sais plus, ajouta-t-elle. Salut.

Bien sûr, sa sœur n'était mue que par l'amour et l'inquiétude, mais elle ne comprenait pas la situation. James avait refusé tout net qu'elle l'accompagne à la morgue. Il avait tenté de faire passer la pilule : c'était une épreuve inutile pour elle, il ne voulait pas qu'elle soit bouleversée, il aurait Patricia avec lui, elle n'avait pas à s'inquiéter, et ainsi de suite.

Catherine comprenait que James veuille la protéger, mais elle éprouvait aussi le besoin de l'aider à affronter ce cauchemar. Farouchement indépendant, il voulait à tout prix éviter de se montrer vulnérable. Elle allait devoir le forcer à s'ouvrir, comme faisait Patricia. Elle devait lui montrer qu'elle n'était pas une petite fille à mettre sous cloche. Ils s'aimaient et devaient se reposer l'un sur l'autre en cas de problème. C'est ce qu'elle avait prévu de lui dire au moment où il appellerait en rentrant de la morgue.

À part qu'il n'avait pas appelé.

Cela faisait deux heures qu'elle attendait de ses nouvelles, aussi avait-elle décidé de passer à l'action. Aurait-il pu, sous le coup de l'émotion, retourner au cabinet sans prendre la peine de lui téléphoner ? Non, James n'était pas si égocentrique. Il était peut-être allé prendre un verre avec Patricia. Mais là encore, il ne l'aurait pas laissée dans l'attente de son appel. Si pour une raison ou une autre, il ne pouvait pas l'appeler, Patricia s'en serait chargée. Ou du moins, c'est ce qu'elle pensait...

Un coup de vent rabattit son parapluie de côté, lui obstruant la vue sur la rue. Il pleuvait toujours, et la nuit tombait. Catherine avait bien envie de retourner se mettre au chaud, mais elle savait qu'elle ne trouverait pas le réconfort avant d'avoir vu James. La plupart des gens estimeraient sans doute son inquiétude ridicule : c'était un homme de plus de 30 ans, intelligent, vigoureux et compétent. Malgré tout, aujourd'hui, il devait revoir le corps de son ex-femme, assassinée...

— Catherine Gray ? C'est bien vous, mademoiselle ?

Catherine redressa son parapluie et distingua une immense silhouette fondant sur elle, puis sa vision fut altérée par une mèche de cheveux sur ses yeux. Elle essaya de l'attraper sans succès, et sursauta lorsque des doigts effleurèrent son front pour la dégager, tandis qu'une deuxième main se refermait sur son épaule. Elle laissa tomber son téléphone.

— N'ayez pas peur.

Elle cilla pour chasser les gouttes de pluie de ses yeux, et eut la vision brouillée d'un grand gaillard se tenant trop près d'elle.

— J'allais sonner chez vous quand le vent s'est levé. Vous vous débattiez contre votre parapluie, et vous ne m'avez pas vu. On s'est presque cognés !

Il sourit et esquissa un début de révérence.

— Je suis Nicolaï Arcos. Veuillez m'excuser de vous avoir effrayée.

Il lui tendit la main. Catherine cligna encore des yeux, et le vit enfin distinctement : au moins un mètre quatre-vingt-dix, cheveux noirs épais lui tombant presque aux épaules, yeux noirs enfoncés dans leur orbite, un long nez étroit, pommettes très hautes, et lèvres sensuelles surplombant un menton carré. Il était d'une beauté originale, presque irréelle, comme un personnage de film. Même son nom ne l'ancrait pas dans la réalité, tout en ayant une consonance familière. Son haleine sentait fortement l'alcool, et il n'avait pas reculé.

Catherine fit un pas décidé en arrière. Il n'avait rien fait à part l'approcher de trop près, mais elle le sentait menaçant. Elle s'efforça de ne pas montrer sa peur. Elle n'était pas armée, mais nombre de gens vivaient dans cette rue ; ils regardaient par leur fenêtre, et l'entendraient si elle criait.

— Que voulez-vous ? demanda-t-elle d'un ton plus ou moins posé.

— Seulement parler.

— Je n'ai pas le temps. Je partais.

Elle fit un pas à droite, dans l'intention de passer à côté de lui pour atteindre sa voiture, mais il se déplaça en même temps, lui bloquant le passage. Il resta sans bouger, affichant un grand sourire.

— Je n'ai pas le temps, monsieur Arcos. Je suis pressée.

Il continua de sourire,

— Ôtez-vous de mon chemin, monsieur Arcos.

Il leva les mains en signe d'abandon.

— Vous êtes offensée parce que je vous ai touchée. Encore une fois, je suis désolé. Je n'aurais pas dû, mais vous auriez eu encore plus peur si vous m'étiez rentrée dedans. Je ne vous veux pas de mal. Je cherche seulement à vous parler.

Il désigna une voiture noire garée contre le trottoir.

— Vous voyez ? C'est mon auto. Je venais de me ranger quand vous êtes sortie de chez vous. Vous êtes intelligente, vous pensez bien que si je voulais vous faire du mal, je n'irais pas me garer juste devant chez vous.

Catherine regarda le téléphone, resté sur l'herbe mouillée d'automne. Elle n'était plus en ligne avec Marissa quand elle l'avait laissé tomber, et le choc avait dû endommager la batterie. Même si Marissa rappelait, elle ne voulait pas détourner les yeux de cet homme assez longtemps pour ramasser le téléphone.

Il portait un long imperméable noir, et une énorme bague œil-de-tigre miroitait au majeur de sa main gauche. À travers la pluie, elle vit des yeux extrêmement cernés, et des rides très marquées autour de sa bouche et sur son front. D'une pâleur effrayante, il avait l'air épuisé et malade. De plus, il était visiblement ivre.

— Monsieur Arcos, je vous l'ai déjà dit, je suis attendue.

Ils se regardèrent, les yeux dans les yeux. Il avait l'air sincère, mais amusé. Catherine détecta une lueur de malice qui n'avait rien à voir avec l'alcool. De plus, son accent est-européen semblait forcé. Il essayait de se montrer charmant et désarmant, même un peu risible, mais son numéro n'était pas convaincant. Il n'était ni innocent ni clownesque, et il avait les pupilles dilatées. Il avait dû prendre une drogue, ou peut-être plusieurs. Cet homme agissait sous l'influence de l'alcool mélangé à qui savait quels produits. Pas question de le sous-estimer.

— Il paraît que vous êtes passée à la galerie Nordine, aujourd'hui, pour voir mes tableaux. Ken m'a décrit votre étrange réaction à ma *Dame*, dit Nicolaï d'un air inquisiteur. Si on entrait chez vous pour en parler ? Nous ne pouvons pas rester là, avec ce temps.

Il désigna le ciel orageux. Catherine réprima l'envie de courir vers sa porte d'entrée, sachant qu'il était plus grand et plus fort qu'elle. Elle commençait à paniquer, quand elle vit le visage d'un voisin, qui les regardait avec attention depuis sa fenêtre. Sportif, Steve Crown gardait, tout comme son épouse, un œil attentif sur la rue où grandissaient leurs trois jeunes enfants. Sa femme était sans doute juste derrière lui, en train d'appeler la police. Leur présence redonna courage à Catherine.

— Qu'il pleuve ou qu'il vente, vous n'entrerez pas chez moi. Allez-vous-en.

Arcos haussa les épaules.

— Vous préféreriez aller dans un endroit tranquille pour parler ? Un bar ? Ou peut-être chez moi, ce n'est pas loin d'ici. Vous pourriez regarder d'autres tableaux pendant qu'on boit un verre, qu'on se réchauffe, qu'on parle... art.

— Ne m'approchez pas, dit Catherine froidement. La police arrive.

— La police ?

Il regarda autour de lui et éclata de rire.

— Je ne vois pas de police. Je crois que vous êtes saoule. Ou alors en plein délire. C'est ce terme que vous utilisez, vous, les docteurs ? Délire de persécution ?

Catherine resta fermement campée là, malgré son envie de courir.

— Ne jouez pas à ce jeu idiot avec moi. Si vous arrêtez maintenant, il ne vous arrivera rien. Sinon...

— Qu'est-ce que vous ferez, mademoiselle Gray ? Vous me frapperez ? Ou vous avez pire en tête ? Êtes-vous capable de violence ? (Il s'approcha.) Vous seriez capable de tuer quelqu'un s'il vous empêchait d'atteindre votre objectif ? Oh oui, je crois que vous l'avez déjà fait.

À ce moment, Catherine fut submergée de terreur. Le sourire fixe de Nicolaï avait disparu, faisant place à une expression agressive sur son visage anguleux. Il releva même les lèvres pour découvrir les dents, tel une bête prête à attaquer. Il lui paraissait gigantesque, sous l'emprise de l'alcool et de la drogue, il fallait s'en méfier...

Soudain, d'énormes mains se refermèrent sur les épaules de Catherine. Elle sentit son haleine aigre-douce alcoolisée sur son visage quand il murmura d'un ton douloureux :

— Qu'avez-vous pensé quand vous avez regardé le portrait de ma *Dame* ? C'était ma dame, vous savez. Peu importe ce qu'elle donnait à penser aux autres, ce qu'elle faisait. Elle était à moi. Il ne pouvait en aller autrement. Elle ne comprenait pas toujours, mais moi, je comprenais, ajouta-t-il en hochant la tête lentement, l'air absent. Oui, je comprenais.

Catherine donna des coups de pied de toutes ses forces, mais il était juste trop loin pour qu'elle puisse l'atteindre. Il la regarda avec hargne.

— Ce n'était pas lui qu'elle voulait, pauvre idiote. Elle n'en a jamais vraiment voulu, c'était une erreur. Et maintenant...

Il émit un son étranglé, puis approcha Catherine d'un coup sec et lui dit avec animosité :

— Mais elle sera toujours à moi. La mort ne peut pas nous séparer. Nous sommes l'un pour l'autre, l'un à l'autre. Une seule personne, toujours. Malgré les apparences. Vous ne comprenez pas ? Et lui, il ne comprenait pas ? C'est pour ça que vous l'avez tuée, et que vous êtes allée à la galerie regarder votre victime ?

À ce moment, Steve Crown apparut derrière Arcos, et, plié en deux, fonça sur lui. Son épaule rentra dans l'entrejambe du peintre, qui lâcha Catherine et atterrit allongé sur le sol glissant. Catherine eut à peine le temps de bouger qu'Arcos levait la jambe pour la projeter sur son attaquant. Crown, déséquilibré, tomba à genoux en grognant. À une vitesse incroyable, Arcos se releva et lui donna un coup de pied dans les côtes. Le voisin tomba sur le dos, et avant d'avoir eu le temps de se protéger, reçut de nouveaux coups, plus forts.

Il gémit et se recroquevilla en position fœtale. N'écoutant que son instinct, Catherine courut vers sa maison, mais après quelques pas, elle glissa. Arcos la rattrapa au vol, la remit debout sans ménagement, et serra les mains autour de sa gorge.

— Non, tu ne m'échapperas pas, lui souffla-t-il à l'oreille. Et tu ne lui échapperas pas. Renée te suivra jusqu'à ta dernière demeure.

Il resserra les mains, la tenant à bout de bras. Là encore, elle agita les pieds et battit des bras, sans succès. La gorge comprimée, elle ne pouvait crier. Derrière elle, elle entendit Steve Crown émettre un râle...

Alors, une sirène de police déchira l'air humide de la nuit. Quelqu'un avait appelé. Mme Crown, pensa Catherine sans force.

Soudain, la pression sur son cou se relâcha et elle tomba à terre, molle comme une poupée de chiffon. À travers la pluie, elle vit Arcos se ruer sur sa voiture. En un instant, il était monté et roulait dans la rue.

Catherine porta son regard sur la voiture de patrouille, au moment où un petit garçon traversait en courant juste devant. Il s'arrêta net, et Catherine, paralysée, vit la voiture faire un violent écart, dans un crissement de pneus audible malgré la sirène.

Par miracle, la voiture s'arrêta à une trentaine de centimètres du petit. Une femme accourut en criant pour le prendre dans ses bras, et ils restèrent devant la voiture, pendant que celle de Nicolaï Arcos disparaissait au tournant.

CHAPITRE 8

Quand la voiture de police se gara devant chez elle, Catherine se remit debout non sans difficulté. Robbie Landers s'empressa de l'aider à garder l'équilibre, tandis que l'autre policier s'affairait auprès de Steve. Essoufflée, mais calme, Robbie demanda :

— C'était qui ?

— Nicolaï Arcos. Le peintre. Je ne l'avais jamais vu avant. Il avait bu, pris de la drogue, et... Steve, je suis désolée ! cria Catherine en se tournant vers son voisin. Vous auriez dû prendre Arcos en chasse ! dit-elle à Robbie.

Celle-ci garda une main ferme sur le bras de Catherine.

— La personne qui a appelé la police a donné le numéro de plaque. Mon coéquipier, Jeff, a alerté toutes les voitures qui patrouillent dans le coin, et il a aussi appelé une ambulance.

— Je vais bien, mais je m'inquiète pour Steve. Il regardait par la fenêtre quand Arcos s'en est pris à moi sur la pelouse de devant.

— Il ne s'est quand même pas présenté à votre porte pour vous agresser ?

— J'allais vers ma voiture en parlant au téléphone. Mon parapluie a caché son arrivée, et il a eu l'air de surgir de nulle part.

La femme de Steve avait traversé la rue pour le rejoindre, et il essayait de se redresser, en dépit des efforts du policier pour le maintenir en place.

— Steve, rallonge-toi tout de suite, ordonna Mme Crown.

Il céda aussitôt, et elle se tourna vers Catherine.

— Qui était cet homme ?

— Je ne l'avais jamais vu avant, éluda Catherine, qui se sentait bêtement coupable. Les policiers vont l'arrêter.

— Ils ont intérêt, assura Mme Crown d'un air peu commode.

— Sinon, elle s'en chargera, et dans ce cas, il va le payer cher, fit Robbie à l'oreille de Catherine, lui arrachant un sourire.

Elle avait raison. La voisine, avec son ossature solide et ses muscles secs, devait être capable de terrasser un grizzly. Doucement, Robbie mena Catherine vers sa maison.

— Allez, ne restez pas là, sous la pluie.

Vingt minutes plus tard, les infirmiers avaient détecté des contusions sur le cou de Catherine, mais n'avaient pas vu de signe de traumatisme. Ils lui conseillèrent tout de même de passer à l'hôpital pour des radios, ce qu'elle promit de faire. En fait, elle n'avait pas l'intention de ressortir si la douleur ne s'aggravait pas.

Il n'en allait pas de même pour Steve, qui avait une côte cassée, et au moins une deuxième fêlée. Les infirmiers l'allongèrent dans l'ambulance, sous un flot d'ordres aboyés par Mme Crown, et l'emmenèrent à l'hôpital.

Robbie et Jeff demandèrent à Catherine un compte rendu détaillé de l'incident, ainsi que ce qu'elle savait de Nicolaï Arcos. Ils allaient partir au moment où James arriva, incapable d'articuler un mot quand ils lui expliquèrent ce qui s'était passé. Après leur départ, il prit Catherine dans ses bras.

— Quand je pense à ce que ce fou aurait pu te faire...

Il la serra plus fort contre lui.

— Tu n'allais pas le laisser entrer, quand même ? Un type dérangé comme ça !

— C'est moi que tu crois folle ? Bien sûr que non.

— Alors, comment...

— Je prenais la voiture pour venir te voir, l'interrompit sèchement Catherine. Tu n'as pas appelé en rentrant de la morgue.

James relâcha son étreinte.

— Oh, je suis désolé. J'ai rappelé les Moreau.

— Avant moi.

— Quand je suis rentré, j'étais en colère. Ils ne savaient toujours pas que Renée est morte, c'est tout ce que je pouvais penser. J'ai agi sur une impulsion.

— Bon. Tu les as eus, cette fois-ci ?

— J'ai parlé à la mère, mais je n'ai vraiment pas envie de raconter cette conversation maintenant. Elle ne voulait pas que je parle à son mari.

— Elle lui transmettra le message.

— Elle dit que non, parce qu'elle ne me croit pas.

— Et qu'est-ce que tu en penses ?

— À mon avis, elle ment.

— Et elle ne veut quand même pas que Gaston le sache.

James secoua la tête.

— Elle ne veut pas que l'homme qui a abusé de sa fille pendant des années sache qu'elle est morte.

James pâlit, estomaqué.

— Abusé ?

— Voyons, James, tu pensais que je n'avais pas deviné ? Je suis psychologue, je te rappelle. Tous ses travers faisaient penser à ce diagnostic : sexualité exacerbée, alcoolisme, pas d'amis, incapacité à la confiance, sautes d'humeur... je pourrais continuer longtemps. Elle n'a été renvoyée à La Nouvelle-Orléans qu'à 16 ans, après des années de voyage en tête-à-tête. À cet âge-là, elle ne devait plus l'intéresser. Ne me fusille pas du regard, comme ça. Tu m'avais dit qu'elle avait un passé difficile. C'était un euphémisme. J'ai raison, n'est-ce pas ? Tu ne me laisserais pas penser que son père a fait quelque chose d'aussi horrible si ce n'était pas vrai.

— Oui, c'est vrai ! cria James, qui baissa ensuite le ton. Elle ne l'a avoué qu'après plus d'un an de mariage, et je n'ai jamais revu Gaston depuis. J'aurais dû faire quelque chose.

— À Gaston ? Le mal était fait. Quant à Renée, tu es restée avec elle trop longtemps parce que tu pensais pouvoir l'aider à force d'amour et de gentillesse. Il n'y a pas de quoi avoir honte, James. Et je me doute que tu voulais protéger sa vie privée, même après tout ce qu'elle t'a fait subir. (Catherine marqua une pause.) Parfois je la déteste, d'autres fois, je suis triste pour elle, et je t'aime d'autant plus que tu as essayé de l'aider.

— Elle promettait toujours de changer.

— Je te crois sans peine, et je ne pourrais pas te dire si elle le pensait vraiment. Si c'est le cas, elle aurait eu besoin d'un psychiatre. Enfin, assez parlé de Renée. Pourquoi tu ne m'as pas appelée ?

— Je t'ai déjà dit, j'ai appelé les Moreau.

— Tu aurais pu me passer un coup de fil avant. Cinq minutes pour me dire que c'était fini, que tu te sentais bien, et j'aurais arrêté de m'inquiéter. Au lieu de ça, j'ai imaginé des tas de choses atroces. Je m'en faisais tellement que je partais te voir.

— Catherine, repartit James avec un peu d'impatience. J'ai essayé d'appeler après avoir eu la mère de Renée, et je n'ai eu de réponse ni sur ton portable, ni sur ton fixe. C'est pour ça que je suis venu. Si j'étais arrivé plus tôt...

— C'est moi que tu aurais dû appeler aussitôt rentré, s'entêta Catherine. Je ne serais pas partie sous la pluie, et je n'aurais pas été une cible de choix pour Arcos. J'insiste : pourquoi tu n'as pas appelé ?

James s'installa près de la cheminée et s'y accouda. Il la regarda longuement avant de déclarer :

— Cet après-midi, un client m'a informé de ta façon d'occuper ta pause déjeuner, et deux autres personnes m'ont appelé exprès. Si tu veux aller visiter secrètement la galerie Nordine pour voir *La Dame de carnaval*, il vaut mieux éviter de porter du rouge.

— Oh ! s'offusqua Catherine en rougissant. Alors tu ne m'as pas téléphoné parce que tu étais fâché.

— Je n'étais pas fâché.

— Si. Et pour ta gouverne, ça n'avait rien de secret.

— Tu allais me le dire ?

— Bien sûr.

James la regarda fixement jusqu'à ce qu'elle détourne le regard.

— Bon, je ne sais pas. J'espère que je te l'aurais dit, même si ça ne t'aurait pas plu.

— Effectivement, et tu sais pourquoi.

— Parce qu'Arcos était l'amant de Renée.

— Parce que tu étais censée être prudente, pas aller te pavaner à la galerie Nordine, en manteau rouge, au vu et au su de tout le monde !

— Je ne me suis pas pavanée, et une ou deux personnes à Aurora Falls, on ne peut pas dire que ça soit tout le monde.

Catherine s'exhorta au calme et reconnut :

— C'est vrai, je n'ai pas été prudente. Je m'en rends compte maintenant, mais je ne suis pas habituée à être prudente, ici. Mais il y a autre chose qui te contrarie dans le fait que je sois allée là-bas ?

James détourna la tête un instant, comme un enfant boudeur, puis il se mit à parler vite et fort.

— Arcos a eu le culot de la peindre pour que tout le monde puisse en profiter, tout en niant de façon invraisemblable que c'était Renée. Ensuite, ce mielleux de Ken Nordine, un autre de ses amants, qui l'expose dans sa galerie ! Et en fait la pièce maîtresse de son exposition ! Je ne voulais pas y aller, et je ne voulais pas que tu y ailles non plus.

Catherine ne dit rien pour se défendre, et attendit que James reprenne son calme.

— Je n'ai aucun droit de te dicter tes actes. Je ne suis pas ton chef. Je ne t'ai jamais demandé de ne pas y aller à cause de l'humiliation que me causent Arcos et Nordine : tu aurais été en droit de me répondre que tu agis comme bon te semble. Mais je sais que tu ne ferais jamais ça. Tu passes ton temps à marcher sur des œufs avec moi. Ça me donne l'impression d'être un de tes patients instables que tu ne veux pas brusquer et, oui, ça m'énerve. Cet après-midi, j'étais gêné et en colère que tu sois allée à la galerie sans m'en parler, mais aussi parce que j'étais certain que tu ne me l'aurais pas dit de toi-même. (Il soupira.) Pourquoi tu me traites comme ça ?

— Parce que je ne veux pas te faire de mal. Renée ne te montrait aucun respect, pour le dire gentiment. J'ai essayé de faire le contraire.

Elle était au bord des larmes, ce qui l'étonna. Elle enchaîna :

— Je ne vaux peut-être pas mieux, si je déclenche des ragots et que des gens t'appellent au travail pour te rapporter mes faits et gestes. Je suis désolée.

James la regarda d'un air grave. Puis un sourire en coin se dessina sur son visage et, enfin, il éclata d'un grand rire. Surprise, Lindsay, qui regardait sans bruit dans un coin, se lança dans une salve d'aboiements, avant de s'emparer de son tigre en peluche pour se protéger.

— Qu'est-ce qu'il y a de si drôle ? cria Catherine pour couvrir le bruit indignée par son attitude.

— Toi.

James se dirigea droit sur elle, assise sur le canapé, lui prit les mains et l'attira à lui avec force.

— Ma chérie d'amour, tu ne crois pas qu'il existe un juste milieu entre me traiter comme faisait Renée et me considérer comme trop fragile ou trop colérique pour entendre la vérité ? J'ai les reins solides, et je peux me montrer têtu et autoritaire parfois, mais je ne suis pas un ogre !

— Ce n'est pas ce que je pense.

Entre son envie de pleurer et l'étreinte de James, Catherine avait du mal à parler.

— Mais je vois peut-être quelque chose dont tu n'es pas conscient, ajouta-t-elle. James, le comportement de Renée ne t'a pas seulement mis en colère ; il t'a traumatisé.

James recula d'un pas, gardant les mains sur les épaules de Catherine.

— Je ne suis pas traumatisé. Je ne l'ai jamais été.

— Si, James, et tu commences juste à t'en remettre. Crois-moi, ça fait des années que j'apprends à reconnaître les symptômes. Je vais peut-être un peu loin pour essayer de te protéger, mais tu as été atteint plus gravement que tu ne penses.

— C'est vrai, Renée m'a fait beaucoup de mal, finit-il par admettre. C'est exagéré de parler de traumatisme, mais si c'est le mot que tu veux utiliser, pourquoi pas. Mais n'oublie pas que ça fait plusieurs années qu'elle m'a quitté.

— Oui. Elle s'est évaporée du jour au lendemain, et beaucoup de monde, y compris la police, t'a suspecté de l'avoir tuée. Maintenant, elle revient, les pieds devant. Et tu es à nouveau le premier suspect. Alors ne fais pas insulte à mon intelligence : n'essaie pas de me convaincre que tu vas bien, avec tout ce qui s'est passé ces dernières années, notamment dans les trois derniers jours. Je ne peux pas aimer un homme qui me croit soit faible, soit bête !

James la regarda, incrédule, puis anxieux.

La porte d'entrée s'ouvrit, et Marissa arriva, émettant tour à tour excuses et questions : elle arrivait droit de son journal, où on avait eu vent de l'intervention de la police. James eut un temps d'arrêt, puis se composa un visage serein. Avant que Marissa ait eu le temps de secouer son manteau mouillé et de l'accrocher, Éric était là aussi. Marissa passa les dix minutes suivantes à examiner le cou de Catherine, la gronder de ne pas vouloir aller à l'hôpital, faire asseoir tout le monde, offrir à boire et s'occuper de la chienne.

Quand enfin elle rejoignit les autres, Éric s'adressa à Catherine, d'une voix douce mais empreinte d'autorité :

— Je suis désolé de te le faire répéter, mais je voudrais entendre ta version de l'incident.

James, assis à côté d'elle, prit sa main encore tremblante et la garda durant tout son compte rendu de l'arrivée d'Arcos et de son agression.

— J'ai senti qu'il avait bu, et je suis sûre qu'il était drogué aussi, avec ses pupilles dilatées. Au début, il était poli, puis il est devenu plus agressif, et il m'a serré le cou. Pas fort, sans doute pour me faire peur plutôt que pour m'étrangler. Il racontait des choses sans suite, quand Steve Crown est arrivé. Je n'ai pas trop vu comment Steve s'y est pris, mais Arcos m'a lâchée.

Tous les occupants de la pièce étaient immobiles, suspendus aux lèvres de Catherine.

— Que racontait Arcos ? demanda Éric avec douceur.

La question qu'elle redoutait. Elle avait espéré qu'on ne la poserait pas, mais Éric ne passait jamais à côté des détails.

Pour une fois, elle aurait souhaité que James ne soit pas avec elle. Il s'était dit vexé qu'elle marche sur des œufs avec lui, mais elle ne pouvait supporter de le faire souffrir encore plus en reparlant de Renée.

Éric plongea son regard dans le sien. Il voulait une réponse et, apparemment, en présence de James. Inutile d'atermoyer. Mieux valait en finir tout de suite, quel que soit le résultat. Catherine prit une gorgée de coca pour s'humecter la gorge.

— Aujourd'hui, j'ai eu une annulation de rendez-vous, ce qui m'a donné une pause de deux heures, commença-t-elle lentement. J'en ai profité pour visiter la galerie Nordine.

Marissa ouvrit de grands yeux, se demandant sans doute pourquoi Catherine ne lui avait pas demandé de l'accompagner. Heureusement, elle ne dit mot.

— Quand Arcos est arrivé, il a d'abord été poli, et a dit vouloir me parler de cette visite. Ensuite, il est devenu... menaçant. Je lui ai dit de me laisser tranquille, et il m'a demandé ce que je ferais s'il n'obéissait pas. Si j'étais capable d'être violente, de tuer quelqu'un qui se mettrait sur mon chemin.

— De tuer ! s'exclama Marissa. Toi ? Je n'ai jamais rien entendu d'aussi ridicule. Comment ose-t-il...

— Continue, Catherine, l'interrompit Éric, s'attirant un regard lourd de reproches.

— Il m'a demandé ce que je pensais du portrait de sa dame, *La Dame de carnaval*. Ensuite, il a commencé à dire qu'elle était à lui, quoi qu'elle ait laissé penser...

— Laissé penser à qui ?

— Je ne sais pas, Éric. Il a juste répété qu'elle était à lui, qu'il ne pouvait en être autrement, que même si elle ne comprenait pas toujours ça, lui, le comprenait. Ensuite, il a dit que j'étais bête de penser qu'elle pouvait vouloir de *lui* – d'un autre homme. Qu'elle n'en avait jamais vraiment voulu. (James resserra encore la main autour de la sienne.) Il a dit que j'avais tué Renée et que

236

j'étais allée regarder le portrait de ma victime. Et après... Il a dit des trucs sans queue ni tête...

Éric la regarda d'une façon qui lui donna l'impression d'être un insecte épinglé au mur, qui se tortille sans parvenir à se libérer.

— Quoi, Catherine ?

— Que je ne pouvais pas leur échapper...

Éric gardait les yeux rivés sur elle, et Catherine sut qu'il ne la laisserait pas s'en tirer à si bon compte. Autant rendre les armes, se dit-elle. À contrecœur, elle ajouta :

— Il a dit que Renée me poursuivrait jusqu'à ma dernière demeure.

*
* *

Nicolaï Arcos tourna à droite pour entrer dans le parking, coupa les phares et se gara parallèlement à la morgue, dans le coin le plus sombre. Dans les heures qui avaient suivi son départ de chez Catherine Gray, il avait parcouru les petites rues, n'utilisant que ses feux de position, voire parfois la seule lueur de la lune. Il n'était pas rentré chez lui, dans son petit loft offrant suffisamment de place à ses fournitures, ses toiles, cadres, et tableaux terminés.

Grisé par le succès de son exposition à la galerie Nordine, il s'était retiré dans son loft pour fêter la chose à coup de vodka, drogue de prédilection et musique. Ne possédant ni radio ni télé, il ne se tenait pas au courant des actualités. Cet après-midi seulement, Ken Nordine était venu lui annoncer qu'une femme avait été retrouvée morte dans le domaine des Eastman. De l'opinion générale, c'était Renée. Il lui avait aussi parlé longuement de la petite amie de James Eastman, qui était venue à la galerie et avait réagi avec beaucoup de nervosité à *La Dame de carnaval*.

Dès le départ de Ken, Nicolaï avait pris trois verres de vodka. Son esprit s'éclairait, et en quelques secondes, il imagina exactement ce qui s'était passé. Renée, l'attendait, lui, son *dragutul*, ainsi qu'elle le surnommait dans les moments intimes. Renée, qui avait pris la peine d'apprendre ce mot, « mon amour » en roumain, sans qu'il le lui demande. Nicolaï secoua la tête pour se remettre les idées en place, étourdi par la vodka absorbée à jeun. Il fallait qu'il se concentre.

Ken avait suggéré que Renée avait pu revenir à Aurora Falls pour voir l'exposition. Alors, Nicolaï avait compris que c'était pour lui. Après tout, Ken avait reconnu, à contre-cœur, mais sans méchanceté, qu'elle ne l'aimait pas autant que Nicolaï. Et c'était lui, l'artiste, le génie, celui à l'âme tendre. Il avait été son vrai amour. C'était d'ailleurs étonnant qu'un homme aussi égocentrique que Ken Nordine admette une telle vérité.

Ken avait aussi émis l'idée que Renée avait pu être tuée autre part, puis mise dans la citerne, dans le seul but de reporter les soupçons sur James. C'était faux, Nicolaï voyait très bien la scène. Renée avait dû lui envoyer un message sur un des gadgets technologiques qu'elle lui avait donnés, l'informant de son retour et du fait qu'elle l'attendait au cottage. Pour une raison inconnue – sans doute parce qu'il n'était pas doué avec ces machins, auxquels il ne faisait pas confiance –, il n'avait pas reçu son message.

Quelqu'un l'avait intercepté, et pendant que Renée, impatiente, attendait Nicolaï en toute innocence, cette personne l'avait assassinée, dans *leur* cottage. Il était vieux et défraîchi, mais c'était le leur, parce que les Eastman n'en voulaient plus ; parce qu'il était isolé, et leur avait servi pendant l'hiver et le début du printemps où leur liaison avait connu son zénith.

Avant qu'elle ne commence à se détacher de lui.

Nicolaï était certain que c'était la peur qui l'avait poussée à le fuir, quelques années plus tôt. Renée avait paniqué d'être submergée par son amour pour lui. Elle ne l'avait pas compris, parce qu'elle en savait très peu sur elle-même. Mais il savait, lui. Il avait une sensibilité d'artiste, qui lui permettait de discerner bien plus que le commun des mortels. Un avocat, comme James Eastman ? Jamais il ne pourrait saisir la complexité de Renée. Un homme d'affaires, comme Ken Nordine, avec qui elle avait eu une brève liaison ? Elle n'avait fait ça que pour faire mal à Nicolaï, pour le repousser.

Ce cinéma n'avait pas marché. Il avait tout deviné et avait continué de l'aimer, peut-être plus que jamais, de la savoir capable de recourir à de telles extrémités pour échapper à leur amour. Oh oui, même pendant ces années, souvent embrumées par les drogues, il avait toujours été certain de cette vérité.

Ces deux dernières années, Nicolaï préférait en général prendre de l'ecstasy, aux propriétés hallucinogènes. Aujourd'hui, il était revenu à ses vieilles amours, et sniffait de la cocaïne. Elle s'insinua dans son corps en picotant, et il éclata de rire, secouant ses cheveux, qu'il gardait longs parce que cela collait à son image. Renée adorait y passer les mains. Ses mains sublimes, douces, jamais encombrées d'une bague de fiançailles ou d'une alliance. Pendant les heures qu'ils passaient ensemble, elle ne portait que l'anneau de platine qu'il lui avait offert. Elle devait le porter au moment du meurtre.

Depuis quelques heures qu'il se cachait de la police, il était obnubilé par cet anneau. Où était-il ? Nicolaï frissonna à imaginer Renée, nue, à l'état de cadavre, dans un froid tiroir métallique. Piégée. Seule.

Il sniffa son dernier rail de cocaïne. Il aurait dû en emporter plus, mais il faudrait se contenter de cette petite dose pour trouver la force de faire son devoir.

Libérer Renée.

Nicolaï se sentit tout à coup empli de puissance. Il pouvait le faire. La libérer de James, de sa famille, de tous ces gens qui la détestaient. Il emmènerait ce qui restait d'elle dans un endroit sûr, sacré, et la cacherait jusqu'à ce que leurs âmes se rencontrent sur un autre plan.

Nicolaï regarda dans le parking et sortit de sa voiture. La pluie avait cessé, mais l'atmosphère était lourde. Il transpirait déjà après sa prise, et il posa son manteau sur le siège. Il respira ensuite lentement, essayant de ralentir les battements de son cœur et de rafraîchir son corps fiévreux.

Il perçut l'humidité de l'air et retint son souffle, écœuré. L'air ne pouvait tout de même pas venir de la morgue, se dit-il. Il se calma, ferma les yeux et sourit. Ce n'était pas l'odeur de cadavres en décomposition ; simplement son imagination, qui prenait le contrôle de son cerveau. Parfois, une imagination aussi puissante que la sienne n'était pas une bénédiction. Le mélange de vodka et de cocaïne n'aidait pas.

L'hôpital ne payait sûrement pas de vigile. Il n'avait sans doute même pas de système de sécurité. Le seul obstacle qu'il rencontrerait serait un pauvre demeuré. Qui d'autre voudrait être employé dans une morgue ? Il n'aurait aucun problème pour dominer un être aussi pitoyable. Et alors, il la retrouverait...

Il secoua la tête pour s'éclaircir les idées. La rapidité de ce mouvement lui donna une légère nausée, mais il ne chancela pas et inspira profondément.

Accroupi à côté de sa voiture, il rouvrit la portière, qu'il avait seulement rabattue, de façon à ne pas laisser de lumière allumée. Il prit son passe-partout préféré, puis remit doucement la portière en place pour ne pas faire de bruit inutile. Même ici, la police pouvait le chercher.

Nicolaï avança en silence jusqu'à la porte de derrière. Un instant encore, il hésita.

Qu'en auraient pensé ses grands-parents ? Ils étaient de lointains souvenirs, mais restaient présents à son esprit. Est-ce que son grand-père aurait laissé quelqu'un lui enlever le corps de sa bien-aimée, s'il n'avait pas déjà été perdu en mer ?

Non. Son grand-père n'aurait pas supporté cette mascarade. C'était un homme fort et passionné, un homme de principes, qui aurait tout fait pour protéger l'amour de sa vie, Iona, grand-mère si aimable et dévouée. L'esprit tourbillonnant de Nicolaï en arriva à une décision. Ramener Renée en lieu sûr était la chose juste à faire.

Nicolaï se pencha pour regarder de plus près la poignée de porte. Avec un sifflement de dérision, il constata que ce n'était qu'un bouton poussoir, sans autre verrou. On n'avait pas voulu perdre d'argent dans ce bâtiment, pensa-t-il, riant presque, jusqu'au moment où il pensa au budget attribué à l'intérieur.

L'intérieur, où reposaient les corps.

Nicolaï n'eut plus envie de spéculer, ni de perdre du temps à mépriser. Il voulait seulement sauver Renée, et ne plus jamais voir cet horrible endroit.

Il ouvrit son matériel de cambriolage, et éclaira ses instruments d'une mini-lampe de poche. Il en sélectionna un et l'inséra dans le cylindre au centre de la poignée. Soudain, il s'interrompit. La peur s'engouffra en lui comme un vent glacial. Sous le choc, il s'immobilisa, n'arrivant plus à bouger que les yeux. Il ne vit personne.

Malgré tout, il savait qu'il n'était pas seul.

Quelqu'un était arrivé dans le parking. Pas en voiture, parce qu'il l'aurait entendue. Cette personne avait marché prudemment, à pas de velours...

— Bonjour, l'interpella une voix douce derrière lui.

Agile même sous l'effet des drogues, Nicolaï s'était à moitié relevé quand il sentit les muscles de son dos se contracter brusquement et envoyer des ondes de douleur dans son corps. Bientôt, une deuxième vague de douleur insoutenable l'envoya face contre terre.

Un pied le retourna sur le dos. Nicolaï, pleinement conscient, regarda en l'air. Sa vision n'était pas aussi bonne que d'habitude, mais il vit des yeux sans expression et un revolver pointé droit sur son visage. Il murmura un pitoyable « Non » avant que la balle ne parte.

Et le monde s'arrêta pour Nicolaï Arcos.

CHAPITRE 9

Éric Montgomery gara la voiture de police sur le parking de la morgue et, par le pare-brise, contempla sa deuxième scène de crime en moins d'une semaine. Il prit une gorgée de café dans sa tasse en polystyrène taille maxi et poussa un soupir.

— C'est reparti, annonça-t-il à Jeff Beal.

— Quand j'étais ado, je rêvais de voir une vraie scène de meurtre, mais en fait, je devais trop regarder la télé, répondit l'adjoint d'un ton morose.

— Au moins, je ne t'ai jamais vu partir vomir dans des buissons à la vue d'un cadavre. C'est positif.

— Sans doute, fit Jeff, qui plissa les yeux. C'est pas Marissa, là-bas ?

— Merde ! s'exclama Éric, qui ouvrit la portière à toute volée et se rua vers sa compagne. Qu'est-ce que tu fais là ? Il est sept heures et demie du matin !

— Bonjour aussi, et il est huit heures moins vingt-cinq, répondit-elle avec calme. Je suis là parce que j'ai reçu un appel sur mon portable il y a une demi-heure, pour me dire que Nicolaï Arcos avait été tué ici.

— Le peintre ?

— La voix a juste dit « Nicolaï Arcos ».

— Pourquoi tu ne m'as rien dit ? s'indigna Éric. Qui t'a appelée ? Il n'a rien ajouté ? Ou c'était une femme ? Il y a d'autres reporters ici ? Catherine est au courant ?

Marissa prit sa respiration pour répondre d'une traite :

— Je t'ai téléphoné, mais je n'ai pas eu de réponse sur ton fixe, et ton portable était occupé. Je ne sais pas qui m'a appelée. C'est quelqu'un qui utilisait un modificateur de voix, qui a juste dit : « Cette nuit, Nicolaï Arcos a été tué alors qu'il essayait de pénétrer dans la morgue. Il est toujours là-bas. » Je ne sais pas si c'était un homme ou une femme. Comme je n'arrivais pas à te joindre, j'ai appelé la police ; quand on m'a dit que tu savais, j'ai compris que tu avais été contacté aussi, d'où la ligne occupée. J'ai laissé un mot à Catherine, mais j'ai seulement dit que je partais plus tôt au travail. D'autres questions ?

— Non, mais je préférerais que tu ne sois pas là.

— Merci Éric, moi aussi je t'aime.

— Tu sais pourquoi. Tu es journaliste.

— Une journaliste qui collabore avec la police, ce qui veut dire que, normalement, je ne serais pas là. Cette fois, mon rédac' chef n'a pas son mot à dire. Même lui n'est pas au courant du meurtre, à part si c'est lui qui a passé mon appel anonyme.

Marissa observa Éric, puis ajouta :

— Tu es fatigué et tu as mal à la tête.

— Et comment as-tu fait cette déduction ?

— Tu trimballes un énorme café noir de chez Starbucks, et quand tu en bois autant, c'est que tu as vraiment besoin d'un remontant. Vu tes yeux un peu rouges, soit tu as fait des excès hier soir, soit tu n'as pas assez dormi – entre nous, je préférerais la deuxième explication. Et le pli entre tes sourcils est plus marqué que d'habitude. J'en conclus que tu as une migraine.

Éric réprima un sourire.

— Marissa Gray, tu es étonnante.

— Observatrice, c'est tout. Suffisamment pour remarquer que les gens nous regardent. Au boulot, l'adjoint en chef !

— Je sais... Bon, sauf ordre contraire, tout ce que tu vois et entends est à passer sous silence. D'accord ?

— Tu penses vraiment devoir le préciser ? Tu sais que je peux garder pour moi des informations sensibles.

C'est aussi ce que pensait ton interlocuteur anonyme, pensa Éric ; mais de toute façon, pourquoi alerter un journaliste ? Il laissa là Marissa et s'avança vers le premier policier à être arrivé sur place, un officier aux cheveux bruns appelé Tom.

— Qu'est-ce que tu as sous ce drap ?

— Un homme, grand, allongé sur le dos. L'employé de morgue était franchement ébranlé, et il l'a qualifié de « mort de chez mort ».

— Il a été trouvé avec le drap sur lui ? s'enquit Éric en enfilant des gants en latex.

— Non. L'employé dit qu'il se remet juste d'une mauvaise grippe, et qu'il est sorti « prendre l'air » en attendant sa relève, une heure après. Il a trouvé la victime, et c'est lui qui l'a couverte, ce qu'il n'aurait pas dû faire.

— Il devrait quand même savoir qu'il faut tout laisser en l'état, confirma Éric avec humeur, avant de soulever le haut du drap. Mais je cois savoir pourquoi il l'a fait.

— C'est vilain ?

— Pas joli.

Éric révéla le visage crayeux d'un homme, avec un trou béant à l'emplacement de l'œil droit.

* *
*

— C'est vraiment gentil de me prendre aussi vite en consultation.

— Aucun problème, j'ai eu une annulation.

Il était 10 heures. Catherine désigna le canapé de son bureau, satisfaite qu'un soleil matinal éclaire la pièce sous son meilleur jour.

— Vous désirez un café, madame Nordine ?

— Appelez-moi Dana. Non merci, je n'ai presque pas dormi de la nuit, alors ce matin, j'ai bu ma dose de la journée, pour me mettre en route. À six heures et demie, c'est l'heure de Ken. Il aime bien que je lui apporte du café et une viennoiserie au lit. Vous pensez sans doute que je suis une épouse soumise, à l'ancienne, ajouta-t-elle avec un sourire contraint.

— Je pense que ça ne pose pas de problème si vous aimez tous les deux ce rituel.

Dana Nordine, arborant jupe droite grise ajustée et chemisier de soie, très haut perchée sur des chaussures en cuir noir, traversa la pièce avec une grâce étudiée. Elle s'installa sur le canapé, croisant soigneusement ses jambes enduites d'autobronzant. Encore une de ces femmes qui préfèrent geler en hiver pour être à la mode, pensa Catherine, qui refusait de se séparer de ses collants par temps froid.

— Vous devez trouver bizarre que j'aie pris rendez-vous juste après vous avoir rencontrée.

— Je suis flattée, répondit Catherine, qui sourit, puis hésita. Ma visite d'hier m'a beaucoup plu.

— Vraiment ? demanda Dana, une lueur sceptique dans les yeux. Vous aviez l'air très pressée de partir.

— C'est vrai que j'étais pressée...

Catherine se sentit rougir, ce qui l'irrita.

Dana l'interrompit, levant sa main toute fine.

— Pas besoin d'excuses polies. Ken m'a énervée, à vous bassiner avec Arcos. Je sais que vous êtes très proche de James Eastman, et que *La Dame de carnaval* est peinte d'après sa femme, l'une des amantes de Nicolaï. D'après certains, elle serait la seule. Le grand amour de sa vie. Je dois reconnaître que le portrait est très vivant. Cela a dû vous faire quelque chose, de le voir.

Après une pause, Dana reprit :

— Et c'est la dernière remarque que je ferai sur votre vie privée, parce que ce n'est pas une visite de courtoisie. Madame Gray, je voudrais que vous soyez ma thérapeute.

— J'ai compris ça quand vous avez rempli le formulaire destiné aux patients, dit Catherine avec douceur.

— Je dois être certaine que nos séances resteront confidentielles.

— Cela va sans dire ! s'offusqua Catherine.

Dana croyait-elle qu'à cause de sa jeunesse, elle manquait de professionnalisme ?

— Je sens que je vous ai offensée, madame Gray. Ça n'avait rien à voir avec vous. Ce n'est qu'un symptôme de mon problème : mon incapacité à faire confiance, expliqua alors son interlocutrice avec un sourire amer. Vous n'êtes pas la première psychologue que je vois au cours de ces dernières années. Ils m'ont tous donné à peu près le même diagnostic, mais je ressens toujours le besoin de quelqu'un à qui parler régulièrement, sur qui je puisse compter pour une parfaite discrétion.

— Je comprends. Vous avez raison de poursuivre une thérapie si cela vous permet de garder le cap. Quant à moi... la discrétion, c'est mon métier, dit Catherine avec un petit sourire.

— Vous devriez écrire ça sur votre carte de visite, s'écria Dana en riant.

Catherine s'empara de son stylo et de son cahier.

— De quoi voulez-vous parler, aujourd'hui, Dana ?

Elle fit des gestes nerveux des doigts et jeta un coup d'œil à la table basse. Elle a envie d'une cigarette, pensa Catherine. Ne voyant pas de cendrier, Dana se lança.

— Voilà, j'ai une fille.

— Quel âge a-t-elle ?

— 5 ans. Je l'ai appelée Mary, comme ma mère.

Catherine hocha la tête.

— Ken voudrait un autre enfant, poursuivit Dana.

— Et pas vous ?

Dana regarda par la fenêtre une minute.

— Vous l'avez sans doute remarqué, Ken est plus jeune que moi. Nous avons été mariés quatre ans avant d'arriver à concevoir Mary par fécondation *in vitro*, et c'était notre quatrième essai. J'ai eu une grossesse difficile. J'ai dû rester allongée six mois, mais

Mary a quand même été prématurée de sept semaines.

Avec un soupir, Dana détourna les yeux.

— J'ai 43 ans, et franchement, je ne saute pas de joie à l'idée de revivre tout ça. En fait, ça me fait peur.

— Et Ken sait ce que vous en pensez ?

— Oui.

— Et il s'en soucie ?

— Eh bien...

Catherine attendit.

— Non, finit par reconnaître Dana, qui resserra un instant ses lèvres impeccables, puis déclara :

— Ça ne me fait pas envie, mais je serais d'accord... si Ken aimait les enfants.

— Il n'aime pas Mary ?

— Sans doute, d'une certaine façon... C'est une partie de lui, après tout. Mais il lui prête tellement peu attention que parfois, je me demande ce qu'il ressent vraiment pour elle.

— Et il désire quand même un autre enfant.

— Il veut un garçon, expliqua Dana d'un ton sec. Sans doute pour imiter son père, qu'il adorait. Il veut tenter encore une fécondation *in vitro*. Quatre gynécologues m'ont dit qu'une autre grossesse serait risquée. Et si le bébé n'était pas un garçon... je ne sais pas ce que ferait Ken.

Dana secoua le pied avec nervosité et étrécit les yeux. Elle pianota sur son sac à main Chanel.

— Dana, voudriez-vous fumer une cigarette ?

— Oh, oui !

Les doigts cessèrent de pianoter pour plonger dans le sac. Catherine prit un cendrier dans un tiroir, et Dana alluma prestement une longue cigarette entre ses lèvres maquillées un peu tremblantes. Tout de suite, elle rejeta un filet de fumée dans un souffle bruyant.

— Je fume depuis mes 13 ans, et je n'arrive pas du tout à arrêter. Merci.

— Je ne vois pas l'intérêt de vous rendre malheureuse juste pour respecter une règle. De toute façon, c'est celle de M. Hite, et il est en vacances. Il ne le saura pas, dit Catherine avec un clin d'œil.

Dana rit.

— Vous êtes sympa. Ça me détend, un peu.

— Un peu, seulement ?

— Je ne me détends jamais vraiment, même quand je suis ivre. Et ça fait des années que je n'ai pas été ivre, ni même « pompette », comme disait mon père.

— Au moins, l'alcool n'est pas un problème pour vous.

Dana reprit fébrilement une bouffée de cigarette.

— Je ne supporte pas de ne pas me maîtriser. Mon mari a eu une liaison avec Renée Eastman, annonça-t-elle avec un coup d'œil à Catherine, qui la regarda sans rien dire. Je voulais vous surprendre en disant ça, mais je vois que vous étiez déjà au courant. Ken et Arcos ont couché avec elle tous les deux. Ils étaient comme deux chiots qui se disputent un vieux chausson, même si ce n'est pas évident de s'imaginer Renée en vieux chausson. Enfin, ça restait ridicule. Risible, même, pour tout le monde à part moi, et James, je suppose.

Catherine essayait toujours d'éviter la question cliché : « Quels ont été vos sentiments à ce moment ? » Elle pensa à Mme Tate, persuadée que son mari courait les femmes, et demanda :

— Vous en êtes sûre ?

— Oh, oui, répondit Dana avec simplicité. Au début, il a essayé d'être discret. Ensuite, il a tout fait à part me l'avouer en face. Et là, Renée a disparu.

Dana agitait à nouveau le pied. Catherine avait très envie de savoir si la liaison s'était interrompue avant le départ de Renée, mais elle ne pouvait le demander.

— Comment Ken a-t-il réagi quand elle est partie ?

— Partie ? Vous êtes sûre qu'elle est simplement partie ?

— Je croyais que vous ne posiez plus de questions personnelles ?

— Je ne pensais pas que c'était personnel. Mais évidemment, ça l'est, puisque tant de monde pense que c'est James qui l'a assassinée.

Catherine lutta pour rester de marbre, et garda le silence.

— C'est un beau vase de temple, que vous avez là.

Catherine était un peu perturbée par les changements de sujet de Dana.

— Merci.

— Je peux le voir de plus près ?

— Bien sûr.

Dana s'approcha du vase sans le toucher, avec le respect de l'expert qui ne veut pas laisser de graisse ou d'acidité sur une œuvre d'art. Elle se pencha, ses cheveux brillants à la coupe impeccable reflétant le soleil, et elle inspecta de près l'objet.

— C'est de la vraie laque dorée, pas de l'imitation à pas cher qu'on voit si souvent. Les motifs de fleurs et de vigne vierge sont très jolis, bien exécutés.

Elle se releva et dit à Catherine :

— Vous avez très bon goût.

— C'est un cadeau.

— De James ?

— Pas de questions concernant la vie privée, vous vous souvenez ?

— C'est vrai, reconnut Dana en retournant sur le canapé. En tout cas, je suis sûre qu'il ne vient pas de mon mari. Il ne vous avait pas rencontrée avant hier. Il ne savait pas que vous étiez aussi belle.

Catherine laissa passer un moment de silence.

— Vous voulez encore parler de la possibilité d'avoir un deuxième enfant ?

— Pas vraiment. Pourtant, c'est ce que je venais faire.

Dana prit une autre cigarette, essaya de hausser les sourcils vers son front paralysé par le Botox, et attendit que Catherine lui ait fait signe pour l'allumer.

— Je crois que ma mère est née en désirant des enfants. Elle était institutrice en maternelle, elle faisait aussi l'école du dimanche et s'occupait des petites scoutes. Elle est tombée enceinte quatre fois et a perdu trois des enfants. Deux fausses couches et un mort-né. Je suis celle qui a vécu, et c'est bête, parce que je ne l'ai pas laissée être proche de moi. Je n'ai jamais été capable de me lier avec d'autres femmes. J'ai toujours été la fifille de mon papa. Mais je ne suis pas sans cœur. J'aime ma fille. Quand je vois le manque d'intérêt de Ken pour elle, ça me fait mal. Je ne veux pas mettre une autre petite fille au monde pour qu'il se passe la même chose.

— Je comprends tout à fait votre inquiétude.

Au bout d'un moment, Dana se mit à rire bruyamment.

— Tant que nous sommes dans l'enceinte sacrée de votre cabinet, autant être complètement franche avec vous. J'ai peur d'avoir une deuxième fille, et de me faire quitter pour une femme plus jeune, qui aurait tout le temps de donner un garçon à Ken.

— Il vous en a déjà menacée ?

— Non, mais je le connais. Il en serait capable, et sans un regard en arrière, sans un remords.

Ses traits semblèrent s'animer.

— Et autre chose : je ne le permettrai pas. Je ne le laisserai jamais me quitter, parce que je suis obsédée par Ken Nordine depuis que je l'ai rencontré.

Dana se pencha pour regarder Catherine dans les yeux.

— Je le suis plus que jamais, et je ferais n'importe quoi pour le garder.

CHAPITRE 10

— Je t'ai prévenue que je passais la nuit chez James ? demanda Catherine.

— Trois fois, répondit Marissa. Vous sortez dîner ?

— Non. Ce soir, on cuisine chez lui.

— Il peut se réjouir que ça soit toi qui viennes le voir plutôt que moi, alors, plaisanta Marissa.

Vingt minutes plus tard, James passa prendre Catherine. D'habitude, elle se rendait chez lui dans sa voiture, mais cette fois, il avait insisté, et elle en était soulagée. Quant à Marissa, entre l'incident avec Arcos et le meurtre de celui-ci, elle aurait préféré que sa sœur ne reste pas seule une minute.

— Entre donc, James, l'accueillit chaleureusement Marissa à la porte. Catherine arrive, elle rassemble ses affaires. Tu prendras un verre ?

— Non, merci.

Il s'assit, encore en manteau, affreusement pâle.

— Je ne comprends pas pourquoi Catherine ne laisse pas quelques vêtements chez moi.

Pour ne rien faire qui puisse être interprété comme un emménagement chez toi, pensa Marissa, qui improvisa tout haut :

— Tu la connais, elle est très organisée. Chaque chose doit être dans le bon tiroir, dans son meuble. Chez elle.

Marissa espérait que James saisisse l'allusion, mais il garda l'air impassible.

— Je suis prête ! s'exclama Catherine, qui arriva dans la cuisine avec un petit sac d'affaires et un cabas alimentaire.

— Allez, dit Marissa. Ce soir, vous êtes interdits de conversations morbides. Personne ne prononce le mot « assassiner » sous ce toit. Amusez-vous, tous les deux. C'est un ordre !

— J'ai commandé des pizzas, annonça Marissa une heure plus tard, à l'arrivée d'Éric. Ça ira, pour ce soir ?

— Pas du tout. J'aurais voulu que tu me prépares un coq au vin et une mousse au chocolat.

— Tu es fou à lier.

Éric l'attira vers lui, l'embrassa doucement, la serrant fort.

— Mais alors, en quel honneur ? demanda Marissa, le souffle coupé.

— Tu m'as manqué, aujourd'hui. Comme tous les jours, mais encore plus que d'habitude. J'ai eu du mal à attendre d'être sûr que James soit reparti avec Catherine.

Marissa se dégagea un petit peu et le regarda attentivement.

— Tu n'avais pas envie de reparler d'Arcos.

— Non. J'ai déjà posé quelques questions à James, et il faudra que je peaufine demain, mais pas ce soir.

— Il n'a pas d'alibi pour la nuit du meurtre d'Arcos, c'est ça ?

— Il était seul chez lui. Pas de visiteurs, pas d'appels repérables sur sa ligne fixe. Pour son portable, je n'ai pas demandé, mais il va falloir, pour être minutieux dans notre enquête. Avec ce qu'Arcos avait fait à Catherine quelques heures avant... (Éric secoua la tête.) Ce n'est pas bon pour lui, Marissa, surtout après que Renée a...

Elle lui posa un doigt sur la bouche.

— N'en dis pas plus. Nous non plus, on ne prononce pas le mot « assassiner », ce soir. Deux personnes sont mortes. C'est suffisant.

— Deux personnes sont mortes d'une balle dans l'œil, Marissa. Dans l'œil droit. Nous n'avions pas révélé cette information sur Renée.

— Tu insinues que c'est moi qui suis à l'origine de la fuite ? demanda durement Marissa.

— Quoi ? Mais non !

— Je ne suis pas la seule à avoir vu le corps, samedi. Il y a tes collègues...

— Robbie ? Jeff ? Tu les accuses ?

— Pas du tout !

— Et nous ne savons toujours pas qui t'a appelée ce matin pour que tu ailles voir le corps de Nicolaï Arcos.

— Vous n'avez même pas eu douze heures pour le découvrir, Éric.

— Mais pourquoi quelqu'un t'a appelée, toi ? Tu n'avais rien à voir avec Arcos.

— Je suis journaliste. Il a peut-être pensé que je diffuserais la nouvelle.

— On n'est pas dans une grande ville, répondit Éric d'un ton peu convaincu. Notre relation est connue. D'autres journalistes à la *Gazette* pourraient peut-être s'offrir un scoop, mais toi, tu ne serais pas allée contre l'avis de la police. (Il soupira.) Je veux dire par là que ce n'est pas une coïncidence si Renée et Arcos ont été tués de la même façon. Ça doit être la même personne qui les a tués, et qui t'a appelée ce matin. Merde, si ça se trouve, il voulait que tu arrives plus tôt pour être sa troisième victime.

— Mais ce n'est pas James. Ce n'est pas un assassin.

— Qu'est-ce que tu en sais ? Bon sang, Marissa, tu es d'une naïveté ! On dirait une gamine ! Il a épousé Renée, et elle a pu multiplier les amants, l'humilier, il n'a entamé la procédure de divorce qu'après sa disparition, au bout d'un an à soi-disant la chercher.

— Soi-disant ?

— Bon, j'ai parlé au détective privé, qui m'a juré avoir fait tout ce qu'il pouvait pendant un an pour retrouver Renée. Je n'ai pas eu le temps de vérifier son casier, cela dit. Son cabinet a bonne réputation, mais...

— Quoi ?

— Mais James aurait pu le payer pour *ne pas* la trouver. Après tout, est-ce que c'est normal de supporter les frasques de Renée pendant des années ? Moi, je ne trouve pas. Ensuite, elle part sans avertir personne. Au bout du compte, elle est trouvée par accident, assassinée, dans un endroit où James n'aurait pas du tout cru que Catherine irait.

— Catherine l'a trouvée il y a quelques jours. Et Renée était morte depuis une semaine, pas des années. Elle n'est pas retournée à Aurora Falls avant d'y être assassinée.

— Ce n'est qu'une supposition.

— Tu penses qu'elle est revenue par ici incognito ? Tu as des preuves ?

— Un homme prétend l'avoir vue en ville le mercredi, soit deux jours avant la date présumée de sa mort. Je ne lui fais pas spécialement confiance, mais aujourd'hui, une femme a dit avoir vu Renée de près, mercredi après-midi. Le même jour.

— Ils ont tous les deux pu se tromper.

— Je crois la femme. Je la connais depuis des années, elle a la tête sur les épaules, et elle n'est pas du genre à vouloir se faire remarquer. En plus... elle dit l'avoir vue à la galerie Nordine. Renée aurait essayé de se déguiser avec un grand manteau noir, en couvrant ses cheveux d'un bonnet au crochet, comme la fille du film *Twilight*.

— Ça, c'est du détail qui t'intéresse.

— Mais justement, le témoignage était très détaillé. C'est ce qui le rend si convaincant. La femme dit que la visite de Renée à la galerie a été courte et discrète. Elle n'est allée voir que *La Dame de carnaval*.

— Ah, souffla Marissa.

— En effet, « ah ». Moi aussi, ça m'a interpellé.

— Éric, il y a une nouvelle employée qui ressemble beaucoup à Renée, à la galerie. C'est peut-être cette jeune femme qui a été vue.

— Et elle aurait revêtu un grand manteau et planqué ses cheveux sous un bonnet pour aller regarder un tableau qu'elle voit tous les jours ?

— Ah, répéta Marissa. Je vois.

— Encore une fois, ce n'est pas à répéter, mais selon toute probabilité, Renée est arrivée à Aurora Falls au moins deux ou trois jours avant d'être tuée. Elle a fait l'erreur de se montrer en public. Des gens l'ont vue. Peut-être que James aussi. Et si c'est le cas, en connaissant toute la fureur contenue qu'il devait ressentir à son égard...

— Ne dis rien.

— Alors toi, arrête de me dire que James Eastman est incapable de meurtre, parce qu'il pourrait être complètement dérangé sans qu'on n'en sache rien.

Marissa s'agrippa aux avant-bras musclés d'Éric.

— Non, c'est impossible. Ma sœur est très amoureuse de James.

— Et c'est ce qui m'effraie le plus, Marissa. De qui ta sœur est-elle amoureuse, exactement ? De l'homme que la plupart des gens croient qu'il est ? Ou de celui qu'il est réellement ?

*
* *

James pressa la main de Catherine et lui déposa un baiser sur le visage.

— C'était très bon, ma chérie.

— Oh, merci. Du steak, des pommes de terre au four, et de la salade, ce n'est pas très compliqué. Et la tarte aux cerises vient de la pâtisserie.

— Je me demande si on a droit à ce genre de menus, en prison.

— Tu ne vas pas aller en prison, le sermonna Catherine en débarrassant la table. Ne dis pas n'importe quoi.

— Ce n'est pas n'importe quoi. D'abord Renée, ensuite Arcos, et je suis là, avec un mobile pour les deux meurtres.

Catherine versa de l'eau chaude sur les assiettes et attendit un moment avant de répondre :

— Tu avais peut-être une raison pour souhaiter la mort de Renée, mais pas l'occasion. Tu étais à la conférence de Pittsburgh au moment où elle a été tuée. D'après le médecin légiste, c'était sans doute vendredi soir ou samedi matin. Tu n'étais pas là, à ce moment.

— D'accord, mais j'avais la grippe, et je suis resté dans ma chambre d'hôtel la plupart du temps. Je n'étais pas visible tout le temps.

— Tu n'aurais de toute façon pas été visible tout le temps, rétorqua Catherine. À moins d'avoir partagé ta chambre avec un insomniaque.

James sourit à nouveau.

— Tu n'as pas tort. Je ferai remarquer ça à Éric la prochaine fois.

Hésitante, Catherine demanda :

— Il n'est pas comme les flics à la télé, quand même ? Il ne te traîne pas dans la salle des interrogatoires pour crier, proférer des menaces et taper du poing sur la table ?

— Oh, non ! Il est très calme et très professionnel. Il veut en venir au fait.

James regarda droit devant lui, ses yeux sombres reflétant de tristes pensées.

— Il pourrait changer, par contre. La police peut devenir un peu moins aimable, si les gens sont assassinés à tous les coins de rue.

— On ne devait pas prononcer le mot « assassiner ».

— C'est vrai. Alors, à quoi veux-tu passer la soirée ?

— Certainement pas à aller voir les charmants badauds qui attendent devant la maison.

— Non, et on ne peut pas sortir d'ici sans qu'ils nous tombent dessus avec des questions, ou même qu'ils nous suivent.

— Alors il va falloir qu'on s'occupe ici.

— Tu veux regarder la télé ?

— Non, plutôt écouter de la musique.

James partit dans la salle de séjour, pendant que Catherine attrapait une bière dans le réfrigérateur. Elle le suivit et le regarda inspecter sa collection de CD.

— J'ai *La Belle au bois dormant* de Tchaïkovsky, *Musique sur l'eau* de Haendel,

Lakmé de Delibes... Je sais que c'est un de tes préférés...

Catherine avait sorti un CD de son cabas.

— Voilà ce que je veux.

— Barry White ! s'exclama James en regardant le boîtier.

— Oui.

— C'est à Marissa, non ?

— Oui, mais ce soir, j'ai envie de l'écouter.

— Catherine, tu veux écouter « Can't Get Enough of Your Love » et « Never, Never Gonna Give you up » ?

— Parfaitement. Et je t'avertis tout de suite, on va danser.

— Je ne sais pas danser.

— Tout ce qu'il y a à faire, c'est se coller-serrer. Tu dois quand même en être capable.

James qui avait gardé le CD en main, se plia en deux de rire.

— Ma Catherine, si raffinée, qui adore l'opéra, veut se coller-serrer en écoutant du Barry White ?

— Plus que tout au monde, répondit-elle avec le plus grand sérieux. Tu comptes rester assis à rigoler, ou on s'y met ?

James essuya les larmes qui avaient coulé sur ses joues, arrêta de rire et lui répondit avec adoration :

— On s'y met, chérie !

La soirée avait pris des allures des plus romantiques. Quand ils se réveillèrent quelques heures plus tard, James attira Catherine contre lui sous l'édredon de plume et la fixa.

— Je t'aime tant...

— Moi aussi. Depuis des années. Déjà quand...

Catherine s'interrompit, les joues rouges. Trop de bière lui avait délié la langue, pensa-t-elle à regret.

— Tu m'aimais déjà quand j'ai épousé Renée ?

Elle avoua d'un signe de tête.

— Après la cérémonie de mariage, elle m'avait dit que tu devais être amoureuse de moi.

— Zut. Je savais bien qu'elle l'avait vu.

— Je ne l'ai pas prise au sérieux. Je me suis dit qu'elle me trouvait irrésistible au point de croire toutes les femmes éprises de moi. (Il rit, cette fois avec amertume. Irrésistible.) Je n'étais pas doué pour lire ses pensées, on peut le dire !

— Tu étais jeune.

— J'étais arrogant et bête. Je ne voyais pas que la femme faite pour moi était la fille aînée de Bernard Gray, si belle, et que je trouvais si timide.

Qu'il était bon de l'entendre parler ainsi. Son humeur s'était nettement améliorée, dans les dernières heures... Catherine estima que récolter un mal de tête d'avoir trop bu en valait bien la peine.

Elle frissonna et remonta l'édredon, mais elle restait mal à son aise. Elle n'avait jamais aimé dormir nue. Avec un soupir d'exaspération, elle se leva pour aller fouiller dans le tiroir où, tout de même, elle gardait le strict minimum chez James. Elle enfila à la hâte une petite culotte, et chercha sa liquette en satin. Le parfum qu'elle utilisait laissa échapper des notes florales du tiroir. Cependant, en prenant la liquette, elle perçut un effluve différent : un parfum exotique, à la mandarine et à la coriandre.

Se guidant grâce à la petite lumière de chevet, Catherine tendit le bras entre la coiffeuse et la commode, et trouva un string de tulle et une nuisette fendue en dentelle. Incrédule, elle contempla l'étiquette La Perla. Ces minuscules bouts de tissu devaient avoir coûté plus de deux cents dollars, se dit-elle, vaguement choquée, quand elle vit l'étiquette du dessous :

La Belle Boutique
La Nouvelle-Orléans

Elle crispa des doigts tremblants sur la lingerie luxueuse qu'elle n'avait jamais portée de sa vie.

CHAPITRE 11

— Robbie et moi avons localisé la voiture de Renée Eastman, annonça Jeff Beal en s'asseyant en face d'Éric le mercredi matin.

— Où ça ? demanda Éric, occupé à lire des papiers.

— Dans le garage d'un autre cottage inoccupé, au sud du domaine des Eastman. Le verrou de l'ouverture manuelle avait été forcé récemment, sans doute dans les deux dernières semaines. On n'aurait pas dû mettre si longtemps à la retrouver.

— Parfois, la meilleure cachette est l'endroit le plus évident. Juste à côté de la scène du crime, ce n'était pas bête. Qu'avez-vous trouvé dedans ?

— Dans la boîte à gants, la carte d'immatriculation et d'assurance, les clés, et ce que Robbie appelle un « vanity », avec des tonnes de rouges à lèvres, mascaras, et machins de bonnes femmes. Il y avait deux manteaux accrochés à l'arrière, et dans le coffre, deux valises et une « besace » toujours d'après Robbie. Pour moi, c'est un grand sac en feutrine. Nous n'avons rien ouvert pour l'instant.

— Pas de calibre .22 ?

— Je vous l'aurais dit tout de suite.

— Donc nous n'avons toujours pas d'arme du crime.

— Non, mais la voiture est partie au département médico-légal. Ils la trouveront peut-être dans l'une des valises.

— On verra. Je suis en train de lire le rapport d'autopsie de Nicolaï Arcos. Il avait quatre impacts dans le dos. Ils sont cautérisés, donc c'est sans doute un Taser qui a été utilisé.

— Alors il a été abattu, puis tué.

— Oui. Il était costaud, et sous l'influence de la drogue. Les égratignures sur le nez et le front indiquent qu'il est tombé face contre terre. Ensuite, le meurtrier l'a retourné pour lui tirer dans l'œil droit, à bout portant. Mais c'est là que ça devient intéressant. Les études balistiques montrent que le revolver n'était pas celui utilisé pour tuer Renée Eastman.

— Mais c'était quand même deux calibres .22, réfléchit Jeff. Pour être sûr de son coup, on utiliserait plutôt un .38. Quelqu'un savait donc que Renée Eastman avait été tuée avec un .22.

— Oui, et dans l'œil droit. Ce n'est pas tout.

— J'ai presque peur de la suite.

— Si on en croit Ken Nordine, Arcos portait des tenues voyantes, dans la veine de son image d'artiste excentrique. Il aimait aussi les bijoux, et ne portait que des choses de valeur.

« Quand il a été trouvé, son portefeuille contenait deux cents dollars, il avait sa bague œil-de-tigre et sa boucle d'oreille en platine : on ne l'a pas tué pour le dépouiller. Et, je ne l'ai pas dit à Nordine, mais il portait aussi quatre grands colliers de perles métalliques, tous violets. Ce sont des colliers faits pour être jetés.

— Faits pour être jetés ? répéta Jeff sans comprendre.

— Je ne suis jamais allé à un carnaval à La Nouvelle-Orléans, mais j'avais vu des choses à ce sujet dans des livres, alors j'ai fait des recherches un peu plus poussées. C'est le genre de colliers à trois sous qu'on jette dans la foule, depuis les chars.

— Euh, très intéressant, commenta Jeff, l'air un peu perdu.

— Ce que je veux dire, Beal, c'est que ces colliers n'ont aucune valeur. On peut en commander cinq douzaines sur Internet pour moins de dix dollars. Par ailleurs, les trois couleurs utilisées ont une signification. Vert pour l'espoir. Jaune pour le pouvoir. Et... violet pour la justice.

Ian Blackthorne regarda le Learjet 45 d'un blanc étincelant prendre de la vitesse sur la piste, puis s'élever dans un ciel azuréen, laissant derrière lui les couleurs arc-en-ciel qui se reflétaient dans la brume de la cascade. Ian ferma les yeux un instant, se demandant où allait l'avion. Il espéra que ce seraient les Caraïbes, sans bien savoir pourquoi. Aujourd'hui, il aurait voulu partir pour la Jamaïque, mais il se contenterait de déjeuner avec son père, à Blakethorne Charters.

Ian se dirigea vers le terminal. À l'origine, l'endroit n'était pas aussi intimidant, mais avec la croissance de l'entreprise, son père l'avait agrandi quand il avait 12 ans. Il préférait l'ancien terminal, deux fois plus petit, sans doute parce qu'il lui rappelait sa vie d'avant l'accident. Parfois, son père l'amenait à l'aéroport pour regarder les avions, puis Ian prenait toujours un banana split au Cici's Café du terminal.

Cinq ans plus tôt, son père avait décidé de se lancer dans la location de camping-cars et de bus de taille moyenne. Tout le monde lui avait dit qu'il prenait trop de risques, mais l'expansion s'était faite à une vitesse qui avait surpris Lawrence lui-même. Il se vantait de louer des bus à des groupes de rock comme les Pretenders ou le Dave Matthews Band, même s'il n'avait qu'une très vague idée de leur passé ou de la musique qu'ils jouaient. Ils étaient riches et célèbres, c'est tout ce qui lui importait.

Dans la foulée, Lawrence avait tout bonnement rasé l'ancien terminal, et le nouveau avait reçu l'approbation des gens du coin, qui lui trouvaient des airs d'aéroport de grande ville. Il comprenait de larges couloirs, un restaurant traditionnel et trois fast-foods, des zones d'attentes décorées avec goût, de nombreuses boutiques et cinq bars. Lawrence riait toujours quand il évoquait les architectes effrayés lui disant que cinq bars, c'était beaucoup trop. Il pouvait maintenant assurer qu'ils lui rapportaient plus que tous les restaurants réunis.

Ian emprunta l'escalier roulant et, au deuxième étage, franchit les grandes portes battantes menant au bureau de son père. Celui-ci parlait à toute vitesse au téléphone et lui adressa un geste de la main. Plutôt que de s'asseoir, Ian fit le tour du bureau.

Son père avait lui-même dessiné les plans de son bureau, refusant de se plier aux goûts plus austères des architectes. La pièce occupait tout l'espace au bout du couloir. La moquette bleu foncé contrastait avec des murs bleu canard, ornés de grandes photographies de jets, de bimoteurs, et de son premier monomoteur, blanc et rouge, situé dans un fond de hangar, toujours bien entretenu.

Au fond de la pièce se trouvait un imposant bureau en acajou, et à sa gauche, un globe de nacre monté sur or, offert par Patricia à Noël. Ses couleurs iridescentes chatoyaient à la lumière qui entrait par les baies vitrées donnant sur la piste d'où venait de décoller le Learjet.

Sur la commode était placée une grande maquette en bois du Bell XS-1, le premier avion à avoir franchi le mur du son, en 1947. Ian l'avait offerte à son père quatre ans auparavant, après la rencontre tant attendue de Lawrence avec le général Yeager, qui l'avait piloté et baptisé *Glamorous Glennis*, d'après sa femme. Lawrence n'avait jamais eu l'air aussi content devant un cadeau, se souvint Ian, non sans fierté.

— Marché conclu, dit Lawrence d'une voix forte. On en reparlera ce soir, mais pour l'instant, j'ai un invité important qui m'attend. C'était un plaisir de faire affaire avec vous.

Lawrence raccrocha et sourit à son fils.

— Désolé, je n'ai pas le temps de t'inviter au restaurant.

— Tu ne sors jamais pour le déjeuner.

— Je comptais faire exception aujour-
d'hui, mais tant pis. J'ai commandé de
bonnes choses au restaurant du terminal, qui
arriveront d'ici vingt minutes. Assieds-toi, tu
me donnes le tournis, à faire les cent pas
comme si tu n'avais jamais vu mon bureau !

Ian s'excusa et s'assit face à son père.

— Tu as l'air fatigué, papa.

Lawrence secoua la tête et se frictionna le
milieu du front.

— C'est cette satanée fusion avec Star
Air. Ils rendent le processus largement plus
difficile que nécessaire. Ça leur permet de
montrer comme ils sont importants, je suppose.

— Et ils le sont ?

— Pas autant qu'ils le pensent, mais on a
besoin d'eux. On ne leur avouera pas, hein,
ajouta-t-il avec un clin d'œil.

— Je n'avais pas l'intention de le crier sur
les toits.

— Je m'en doute. Bon, certains des
cadres de là-bas s'inquiètent de te voir aussi
discret. Sous prétexte que tu ne prends pas
de grands airs en racontant à tout le monde

que tu vas bientôt être haut placé dans l'entreprise de ton paternel.

— En d'autres termes, je suis trop timide pour être un atout.

— C'est tout à fait ce qu'ils veulent dire. Tu veux savoir ce que j'en pense, moi ?

— Bien sûr.

Carré dans son fauteuil, Lawrence contempla son fils avec approbation.

— À mon avis, les gens sont réceptifs à quelqu'un de réservé, mais intelligent, qui les écoute vraiment et leur apporte des réponses en conséquence. Plus qu'un gars qui répète le même cliché dix fois de suite, ou que celui qui fait son numéro de charmeur insupportable, Ian, c'est toi le meilleur. Tu es exactement le second qu'il me faut à Blakethorne Charters.

— Papa, je suis ému...

— Ce n'est pas pour te flatter. Je te dis simplement que si j'avais pu choisir un fils, ç'aurait été toi.

— C'est très touchant, mais à mon avis, tu dis ça à cause des réserves de Star Air.

— Pas du tout.

— Je ne veux pas empêcher votre affaire de se conclure. Je sais que c'est important pour toi, donc si je dois être un obstacle...

— Je ne veux pas entendre ça ! s'exclama Lawrence, qui modéra ensuite le ton. Bon, pour être honnête, ils ont dit quelque chose dans ce goût-là. Je sais que tu es sensible, comme ta mère, alors j'ai peur que tu commences à douter de toi-même.

— En disant que je suis un obstacle.

— Par exemple, oui.

Lawrence plissa les yeux ; le gauche tressautait un peu.

— Mais tu ne dois pas écouter un mot de leurs critiques, reprit-il. Pas besoin d'être impoli avec eux, ce n'est pas ton style, mais prends leurs suggestions « d'amélioration » avec des pincettes. C'est notre entreprise, Ian. Ils ont de la chance que je veuille bien considérer ça comme une fusion. Ne va pas l'oublier. Pas un instant !

— D'accord, ne t'énerve pas comme ça, répondit Ian en souriant. Je continuerai à ma manière, attentive, diplomate et flegmatique.

— T'as intérêt ! Et s'ils ne te montrent pas le respect qu'ils te doivent...

— Eh bien, on les descend un par un !

Lawrence, déconcerté, regarda l'expression féroce de son fils, puis éclata de rire en comprenant qu'il plaisantait.

— Ce n'est pas une mauvaise idée. J'ai passé la matinée au téléphone pour les deux hangars en construction. J'ai un sacré mal de tête, à force de parler ferme-portes hydrauliques, courroies de monte-charge, loquets automatiques, éléments galvanisés et profilés à froid...

— Stop ! C'est moi qui vais avoir mal à la tête !

— C'est vrai que tu es un peu pâle.

Lawrence, calmé tout d'un coup, porta le regard sur la fine cicatrice au front de son fils, qui se poursuivait dans ses cheveux.

— Tu n'as pas une de tes migraines comme après l'accident, quand même ?

— Elles se sont vraiment espacées quand j'avais 17 ans, et je n'ai pas eu le moindre mal de tête depuis deux ans, lui assura Ian.

— C'est la meilleure nouvelle que j'aie entendue depuis... je ne sais même pas quand ! Dimanche, comme tu avais l'air un peu à l'ouest...

— Tu t'es dit que je délirais. Papa, j'avais trop bu la veille, et je ne suis pas habitué. C'est tout. Désolé d'avoir mis le dawa, au brunch.

— Je ne sais même pas ce que ça veut dire, « dawa », mais si tu dois t'en excuser, ça doit être grave. Moi aussi, je te demande pardon. Cette fusion me rend fou. J'y travaille sept jours sur sept, je deviens irritable et j'ai des maux de tête. Quand je pense aux horribles migraines que tu avais... Pendant des semaines, après l'accident, j'ai cru que tu allais mourir. Même quand les médecins m'ont assuré que tu survivrais, je pensais avoir perdu mon petit garçon en pleine santé. Mon fils.

— Je vais bien, papa, dit doucement Ian. Je m'en suis sorti à l'époque, et ça va toujours maintenant.

— C'est vrai. Tout le monde sait que tu es très intelligent, mais on ne se rend pas compte de ta force. Tu as failli mourir, tu as subi une rééducation intensive, sans te laisser déborder dans ton travail scolaire, et le tout sans jamais te plaindre ou t'apitoyer sur ton sort. Mais chacun a ses limites. J'ai toujours eu peur que tu fasses semblant d'être heureux pour me faire plaisir.

— Mais non.

— Je comprendrais, Ian. Tu l'aurais fait par amour. Mais maintenant, je veux de la franchise.

Lawrence regarda son fils, qui se tenait immobile, le visage impassible.

— Es-tu vraiment d'accord pour que je me marie avec Patricia ?

Ian garda les yeux dans ceux de son père, puis lui offrit un large sourire.

— Oui, papa. Je suis content pour vous deux. Vous auriez dû le faire depuis longtemps.

— Ce n'est pas ce que pense tout le monde.

— Tu veux parler de grand-mère.

— Oui, c'est surtout à elle que je pensais. Elle est morte, mais tu sais quelle aurait été sa réaction, et comme vous étiez proches, ça doit t'embêter.

— J'aimais grand-mère, mais je ne pensais pas qu'elle avait raison sur tout. Et comme elle le dirait elle-même, les morts n'ont plus ce genre de préoccupations.

— Sans doute, sourit Lawrence. Nous n'avons pas eu beaucoup de discussions religieuses.

— Elle n'a eu de discussions religieuses avec personne avant ses 70 ans. Ensuite, elle a voulu que j'aille à la messe avec elle.

— Et tu l'as fait, pour faire plaisir à ta mère. Tu l'idolâtrais. Tu serais allé n'importe où avec elle, et c'est ce qui t'a presque tué.

Après une minute de silence, Ian déclara avec douceur :

— Je n'idolâtrais pas maman. En fait, j'avais l'impression d'à peine la connaître.

— Bien sûr que si. Tu l'adorais. Vous passiez le plus clair de votre temps ensemble. Vous lisiez des histoires, vous faisiez des jeux...

— Non, et ce n'est pas que j'oublie ce qui a eu lieu avant l'accident. Ça ne s'est jamais produit, c'est tout.

— Mais d'après ta grand-mère...

— Et d'après Patricia ?

— Elle ne disait pas comme ta grand-mère, mais elle n'était pas tout le temps chez nous non plus. Je ne lui ai jamais posé la question.

— Maman avait des fixations passagères. Un jour, elle courait partout dans la maison pour faire le ménage, alors qu'on avait du personnel payé pour. Le suivant, elle se fixait sur le jardin, et elle plantait des tas et des tas de fleurs. Quand j'étais plus grand, elle passait la plupart du temps dans sa chambre. Elle écoutait de la musique, elle se regardait dans le miroir, ou elle restait à la fenêtre. L'été, elle s'asseyait à côté du bassin, et elle lisait en fumant. Quand j'essayais de lui parler, elle répondait à peine. Elle ne me demandait pas ce que je faisais, si j'étais sage, et elle ne se mettait pas en colère si je me comportais mal. Parfois, je la testais, juste pour voir si elle allait réagir. Mais ça ne marchait pas. Je n'avais pas d'amis, mais je sais qu'elle n'était pas comme les autres mères.

Les yeux bleu-vert emplis d'anxiété, Ian demanda :

— C'était ma faute ? Je la décevais ?

Lawrence secoua lentement la tête et prit un stylo d'or qu'il fit tourner entre ses doigts.

— Je ne te l'ai jamais dit, mais Abigail avait une forme de ce qu'on appelle aujourd'hui le trouble bipolaire. Dans le temps, les médicaments n'étaient pas aussi efficaces.

— Mais je ne me souviens pas qu'elle soit allée à l'hôpital, ou en maison de repos ?

— Son cas n'était pas très grave... En fait, pour être honnête, ta grand-mère ne voulait pas en entendre parler.

— Elle avait honte de maman ? s'indigna Ian.

— Non ! Pas du tout, mais pour elle, il s'agissait d'un état, pas d'une maladie exigeant un traitement. Ta grand-mère adorait Abigail, et elle devait avoir peur d'entendre que son mal était grave, incurable, et ne ferait que s'aggraver avec l'âge. (Lawrence baissa les yeux.) J'aurais dû t'en parler depuis longtemps. Et j'aurais dû agir.

Lawrence laissa échapper son stylo, tendit la main sans arriver à la refermer autour. Il abandonna et se retourna vers Ian.

— Je suis désolé, fiston. Je ne savais pas qu'elle t'écartait comme ça.

— Tu n'étais jamais là pour le voir, répliqua Ian, d'un ton sans reproche. Tu partais tôt le matin, et tu ne rentrais pas au même moment que la plupart des autres pères. Tu étais tout le temps au travail.

— J'ai monté cette boîte à partir de rien, répondit Lawrence, soutenant le regard de son fils. Je m'y suis consacré.

— Grand-mère m'avait toujours dit que tes parents étaient pauvres. Elle... me disait que tu avais épousé maman pour l'argent.

— Merde, alors ! s'époumona Lawrence. Je savais que d'autres pensaient ça, mais raconter ces idioties à mon propre fils, c'est impardonnable ! Quelle espèce de...

Lawrence s'interrompit, son visage bronzé cramoisi de fureur.

— Elle disait que ton attirance pour maman venait de l'héritage laissé par grand-père avant votre rencontre.

— Je n'ai pas besoin de démentir, j'espère ? Ta mère était douce, gentille, altruiste, et belle, dans le genre pâle et délicat. (Arrivant enfin à sourire, il ajouta :) Elle a même transmis son plus bel atout à son fils, *Beauzyeux*.

Ian leva au ciel ses yeux aux longs cils.

— Ne me dis pas que c'est toi qui m'as donné ce surnom.

— Tu rigoles ? Ce doit plutôt être la petite qui t'aimait bien, au service de rééducation. Les infirmières l'ont adopté, et ça a fait le tour de la ville.

— Je me souviens de cette fille, dit Ian en riant. Mais j'ai surtout des souvenirs de Catherine Gray. J'étais secrètement amoureux d'elle.

— Je me rappelle. Elle était déjà très belle, à l'époque. J'aurais sans doute réagi comme toi au même âge.

— L'accident a eu lieu en avril, rappela Ian, un peu rêveur. Elle était bénévole en rééduc' pendant l'été, et elle a passé beaucoup de temps avec moi. C'est elle, qui m'a lu des livres et a joué avec moi. On a même regardé des feuilletons ensemble. Et elle ne m'a pas oublié. Quand je suis rentré à la maison, elle m'a rendu visite toutes les deux ou trois semaines. L'année suivante, elle est partie en Californie, mais elle passait toujours pendant les vacances.

— Dieu du ciel, on croirait que tu es encore amoureux d'elle.

Ian revint à la réalité.

— Ah bon ? Non, Catherine est quelqu'un de très bien. Elle n'a rien à faire avec James Eastman.

— Il est considéré comme « quelqu'un de très bien », lui aussi. Du moins, il l'était avant de se commettre avec cette traînée.

— Renée ?

— Qui d'autre ? Tu la connaissais.

— Elle était gentille avec moi.

— Ian, tu vois la vie en rose. Tu es jeune et beau, bien sûr qu'elle a été gentille avec toi. Mais tu ne l'as pas vue longtemps, et tu n'écoutes pas les ragots. Crois-moi, elle était belle, charmante... et c'était une putain. James était idiot, quand il s'agissait d'elle ! Même ta grand-mère, qui pensait que les Eastman étaient une famille de droit divin, avait perdu son respect pour lui.

— Quel coup ça a dû être pour lui, répondit Ian, sarcastique. Bon, dis-moi, est-ce que Patricia m'en veut d'avoir été écartée de l'héritage par grand-mère ? N'essaie pas de m'épargner, dis-moi la vérité.

— Sincèrement, ça ne la gêne pas. Tes grands-parents étaient très doués pour les affaires, expliqua-t-il. Ils ont gagné beaucoup d'argent, et ont décidé d'en laisser la plupart à Abigail. Elle était douce et fragile, et instable, ils devaient s'en douter. Ton grand-père voulait lui éviter la pression d'une carrière tout en lui permettant d'être très à l'aise. Quand je l'ai rencontrée, elle était riche, mais n'avait pas d'autre objectif que d'être mère et avoir des enfants.

« Patricia était différente, poursuivit Lawrence en pianotant sur la table. Quand je l'ai rencontrée, elle n'avait que 13 ans, mais elle était très déterminée. Son père lui a laissé un legs généreux, qu'elle a utilisé avec sagesse pour financer ses études de droit et des investissements personnels. Ta grand-mère, veuve, a continué à gagner beaucoup dans les affaires. Elle a prévenu ta tante qu'elle comptait te laisser l'intégralité de sa fortune. Patricia pense que c'est à cause de l'accident : ta grand-mère voulait que tu aies une bonne somme de côté en cas de problèmes de santé. Patricia acceptait depuis longtemps les bizarreries de sa mère, qui n'a jamais cru que tu avais complètement récupéré. Elle se débrouille très bien toute seule, et en plus, elle m'épouse. Elle n'aura jamais à s'en faire pour l'argent.

— Tant mieux. Ça m'inquiétait, mais si je lui avais demandé...

— Tu avais peur qu'elle te cache la vérité pour t'épargner ? Non, ça ne la dérangeait vraiment pas.

— Je suis soulagé.

— Si j'avais su, j'aurais pu te libérer l'esprit bien avant. Enfin, maintenant que le testament de ta grand-mère a été homologué, tu vas avoir de l'argent à investir dans notre entreprise. Tu seras mon associé légal et financier ; donc, si tu n'as pas de réserves sur mon mariage, je conclus que la situation est parfaite.

— Je suppose.

— Tu supposes ? Qu'est-ce qui te contrarie, encore ?

— En fait, j'avais promis à grand-mère de ne pas investir mon héritage dans Blake-thorne Charters.

— Tu peux investir chez quelqu'un d'autre, ou même lancer ta propre entreprise, répondit Lawrence sans aucune colère.

Après un instant, Ian secoua la tête.

— Grand-mère ne savait pas toujours ce qu'il fallait faire. Regarde comme elle a négligé le traitement pour maman.

— Elle ne comprenait pas le problème d'Abigail. Moi non plus, et c'était il y a longtemps.

— C'est vrai. De toute façon, je fais ce que je veux de mon argent.

*
* *

— Galerie Nordine, bonjour.

— Bridget, c'est Mme Nordine. Je dois parler à M. Nordine.

— Oh, Dana ! s'exclama la jeune responsable de 26 ans, qui ne put voir la grimace de sa patronne à l'utilisation de son prénom. Vous avez une voix tellement énervée que je ne l'ai pas reconnue, dites donc.

— J'ai vraiment besoin de parler à mon mari.

— Ah, mais on a dû ouvrir en avance, et il y a un monde fou qui veut regarder les tableaux de Nicolaï. Vous savez bien, la valeur des œuvres grimpe en flèche, à la mort d'un artiste.

— Je suis au courant, Bridget.

— Et il a été assassiné ! s'exclama Bridget, la voix vibrant d'excitation, avant de se reprendre. Je veux dire, c'est horrible. Je ne le connaissais pas bien, mais il était jeune, talentueux... Terrible.

— Oui, tout le monde est sous le choc.

Et certains sont ravis, pensa Dana.

— Bridget, je dois parler à M. Nordine.

— Il est occupé à parler à des clients et n'aimerait pas être interrompu. Il peut vous rappeler ?

Dana essaya de prendre un ton vaguement agréable.

— Je suis à l'hôpital avec notre fille. Elle est très malade, ils vont la garder, et il faut que je parle à mon mari.

— Mary est malade ? Qu'est-ce qu'elle a ?

Dana lutta pour conserver sa patience.

— Je n'ai pas encore de diagnostic, mais j'en saurai plus dans quelques minutes. Allez chercher Ken, s'il vous plaît.

— Il est avec le maire et sa femme, et je pense qu'il est sur le point de faire une vente.

— Il peut expliquer à M. et Mme Addison que sa fille est très malade, qu'il doit me parler, et qu'il revient dès que possible. En attendant, vous prenez le relais. Après tout, vous êtes la gestionnaire administrative, pas seulement une réceptionniste améliorée.

— Bien sûr que non ! s'échauffa Bridget, comme prévu.

Bridget Fenmore s'assurait que tout le monde connaisse sa position d'importance à la galerie Nordine.

— Mais Ken m'a dit de ne le déranger sous aucun prétexte, surtout s'il a l'air d'être en train de conclure une vente.

Le dernier restant de patience s'évanouit chez Dana.

— Bridget, j'ai le numéro des Addison. Je vais les appeler, leur expliquer que notre fille est malade, que Ken savait qu'on partait chez le docteur, et qu'on l'attend maintenant à l'hôpital. Je préciserai qu'il a demandé à ne surtout pas être dérangé s'il a de gros poissons au bout de la ligne.

Dana eut un sourire crispé en entendant le hoquet choqué de Bridget.

— Ils seraient horrifiés que Ken envisage de mettre une vente avant la santé de sa fille, poursuivit-elle. Je vous garantis que cela les guérirait de leur envie d'achat, et qu'avec Evelyn Addison, l'information serait connue de la moitié d'Aurora Falls d'ici ce soir. Il ne faudrait pas espérer un monde fou à la galerie demain.

— Pas besoin de menaces, Dana, répondit Bridget avec froideur.

— Apparemment, si. Passez-moi M. Nordine immédiatement.

Enfin, le combiné fut brutalement reposé sur le bureau, et on entendit :

« Mais quelle grognasse, alors ! Pas étonnant qu'il soit à bout... »

Quelle idiote, pensa Dana avec haine. Mais Bridget avait des courbes voluptueuses, de grands yeux marron et de longs cheveux épais, presque noirs. Dana, elle, aurait aimé avoir des cheveux moins plats et d'une autre teinte que son blond cendré naturel. Bridget ressemblait à Renée – en presque aussi belle. Si Dana n'avait pas été absente le jour de son recrutement, la jeune femme aurait été mise dehors avant que Ken puisse la voir. Malheureusement, c'était Ken qui l'avait embauchée, deux mois plus tôt, et il la regardait beaucoup. Beaucoup trop. Et il comptait la garder comme employée jusqu'à... Dana ferma les yeux. Jusqu'à quand ?

— Qu'est-ce que tu veux ? maugréa Ken au bout du fil.

— Le pédiatre a envoyé Mary à l'hôpital.

— Pourquoi ?

— Pourquoi ? Ken, tu ne te souviens pas qu'elle était mal, ce matin ?

— Pas trop...

— Elle n'a rien mangé, et elle avait mal au ventre. On l'a quand même envoyée à l'école, et ils ont rappelé deux heures plus tard parce qu'elle avait de la fièvre. Le pédiatre l'a vue tout de suite et m'a dirigée vers l'hôpital. Il pense à une appendicite.

— Une appendicite !

— Oui, Ken. Elle se plaint du ventre depuis le milieu de la nuit. Il y a un danger de péritonite, alors il faut l'opérer rapidement. Il faut que tu viennes.

— À l'hôpital ? demanda Ken d'un ton distrait. Maintenant ?

— Bien sûr, maintenant.

— Dana, il y avait des gens qui faisaient la queue à 10 heures pour l'exposition Arcos. Je ne peux pas partir maintenant, il y a trop de monde. De toute façon, tu as la carte de sécurité sociale, l'acte de naissance...

— Pourquoi il me faudrait son acte de naissance ?

— Je ne sais pas.

Il s'interrompit pour dire à quelqu'un qu'il arrivait dans une minute.

— Dana, reprit-il. Bridget et moi, on a trop de travail pour penser correctement. C'est la plus grosse journée qu'on ait jamais eue. Tu peux te débrouiller avec Mary. Je ne vois pas pourquoi tu m'appelles. Toi et le docteur Je-sais-plus-quoi, vous en savez plus sur son problème que moi. En plus, il est toujours alarmiste. À tous les coups, les autres médecins estimeront qu'elle n'a pas besoin d'opération. En tout cas, fais au plus vite et viens nous rejoindre. J'ai besoin de toi.

— Ah oui, tu as besoin de moi ?

— Bien sûr ! Je viens de te dire, c'est la folie, ici. Je pourrai demander le double, peut-être le triple pour certains tableaux d'Arcos.

Il chuchota encore à l'intention de quelqu'un d'autre, et reprit, l'air d'être ailleurs :

— Embrasse Mary de ma part, et reviens vite. Je te dis, Dana, c'est le grand jour pour moi !

Pour toi, pensa Dana avec colère après avoir raccroché. *Pas pour Mary, ni pour moi.* Avant, il estimait que son grand jour avait été son mariage avec une femme d'un bon milieu, mais depuis qu'il avait acquis les droits sur toutes les œuvres d'Arcos, il avait changé d'idée.

Dana regarda sans le voir le couloir fourmillant de l'hôpital, pleine de rancœur envers le bel égocentrique amoral à qui elle avait tant donné. Elle ne se rendit même pas compte qu'elle parlait tout haut.

— Ken Nordine, attends un peu de voir si ton grand jour se poursuit...

CHAPITRE 12

Du tulle et de la dentelle. Noirs. La Perla. Et elle avait découvert que le parfum était *Opium*...

— Vous m'écoutez, madame Gray ?

— Bien entendu.

— Parce que si ça vous ennuie, je peux repartir !

— Je ne m'ennuie pas, madame Tate, répondit patiemment Catherine.

— Je sais qu'on est mercredi, et que je vous ai vue lundi, poursuivit Mme Tate avec une irritation gênée, mais je voulais vous donner la nouvelle aussi vite que possible. Si ça vous intéresse, évidemment.

— Beaucoup.

— On ne dirait pas. Vous ne réagissez pas.

— Madame Tate, comment pourrais-je réagir alors que vous ne m'avez rien dit ?

s'écria Catherine, qui, après cet éclat, se maîtrisa et se composa un air captivé. Expliquez-moi ce qui vous a tellement bouleversée.

— C'est mon mari ! Je l'ai pris sur le fait ! annonça la patiente d'un air de triomphe.

Catherine resta interdite, se demandant comment elle pouvait exulter à une telle nouvelle.

— Vous l'avez surpris en train de coucher avec sa secrétaire ?

— Non ! En train de manger avec ! répondit Mme Tate en se renfrognant.

— Ils prenaient le déjeuner ensemble ?

— Dans son bureau. Seuls. Et avec du vin !

Dans sa bouche, le vin avait l'air considéré comme un troisième convive.

— Je n'ai pas besoin d'autres preuves, conclut Mme Tate.

— Ils ont bu toute une bouteille de vin ?

Catherine se trouvait bête de poser cette question, mais rien d'intelligent ne lui venait face à cette nouvelle renversante.

— Elle n'était pas là, sur leur bureau, mais leurs verres étaient pleins. Des verres chics, hein, pas comme ceux qu'on a à la maison. Je parie qu'ils sont en cristal, et qu'il les garde cachés pour leurs repas secrets. Maintenant, je l'ai !

Mme Tate se tortilla sur le canapé, et Catherine craignit que la jubilation n'amène sa patiente à un accident.

— Qu'ont-ils dit quand vous êtes entrée ?

— Ils m'ont dit bonjour comme si de rien n'était, et m'ont demandé si je voulais du jus de pomme.

— Du jus de pomme ?

— Qu'ils essayaient de me faire croire ! Je sais faire la différence entre du jus de pomme et un bon vin blanc ! Pas vous ?

— Peut-être, sous le bon éclairage...

— Peut-être ? Une dame comme vous ? Un peu, que vous verriez la différence ! Ils ne pourraient pas vous avoir, et ils ne m'ont pas eue, moi non plus ! Je ne suis pas une paysanne qui n'y connaît rien, s'exclama Mme Tate, ravie de sa perspicacité. Vous auriez été fière de moi, madame Gray. Je suis restée très calme, très aimable...

Pendant que Mme Tate donnait tous les détails de son incroyable politesse face à la preuve irréfutable que son mari mangeait des sandwichs avec sa secrétaire, Catherine repensa à la soirée d'hier. James était revenu de la cuisine avec boissons et aspirine, pour la trouver, droite comme un I sur le lit.

— C'est à Renée, avait-elle déclaré d'un ton accusateur à un James éberlué. C'est du La Perla. Tu as une idée de combien ça coûte ? Ça a dû coûter des centaines de dollars. Et ça sent *Opium*. Le parfum que portait Renée. Je l'avais entendu dire qu'elle ne portait que ça, pas l'eau de toilette. Je l'ai trouvé dans le coin, entre ta coiffeuse et ta commode.

— Alors ce n'est pas à Renée, répondit James avec fermeté. Impossible.

— C'est à une autre ?

— Mais non ! s'écria James, les yeux fixés sur les sous-vêtements comme s'il s'agissait d'un serpent venimeux. Tu es la seule femme à être venue depuis que j'ai emménagé ici.

— Il paraît que Renée se vantait de ne porter que du La Perla. Et ça vient d'une boutique de La Nouvelle-Orléans. Tu as couché avec elle, il y a deux semaines ?

— Catherine ! Comment peux-tu t'imaginer... ? C'est ridicule !

James éclata d'un rire nerveux, ce qui eut le don de l'enrager.

— Ah oui ! Et ça, c'est ridicule ? demanda-t-elle en brandissant les bouts de tissu.

— Je ne sais pas d'où ça sort !

James se dirigea vers l'endroit qu'elle lui avait désigné.

— C'est là que tu l'as trouvé ?

— Oui.

— Et qu'est-ce que ça ferait là ?

— Voyons... Euh, c'est une femme qui l'a laissé là ?

— Je vois. Sûrement la femme de ménage qui vient une fois par semaine.

— James Eastman, si tu oses blaguer, je pars sur le champ.

— En chemise de nuit ?

Catherine regarda la lingerie fine luxueuse, puis sa chemise de nuit à manches longues, qui lui arrivait au genou. Elle éclata en sanglots.

Tout de suite, James s'assit à côté d'elle et la serra contre lui.

— Catherine, ma chérie, qu'est-ce que tu vas t'imaginer ?

— Ce que s'imaginerait n'importe qui, renifla Catherine. Je sais que je ne déborde pas de sex-appeal comme Renée, mais de me dire que tu te jettes sur elle au moment où elle arrive dans la ville... c'est...

James la recula, et son visage s'assombrit.

— Qu'est-ce que tu me chantes là ?

— Elle t'a forcément dit qu'elle revenait, et tu as dû...

— Dû quoi ? L'inviter ici et coucher avec elle, alors qu'elle a failli gâcher ma vie ? C'est ce que tu penses de moi ?

— Non, mais tu avoueras que la preuve est assez irréfutable.

— La preuve ? Un bout de tissu dans un recoin de ma chambre, prouve que j'ai couché avec mon ex-femme ? Et qu'est-ce qui te fait croire que c'est à elle ?

— Parce qu'il y en a eu d'autres ?

James grimaça et déclara, d'un ton exaspéré, mais un peu amusé :

— Si tu n'arrêtes pas de m'accuser de voir d'autres femmes, je vais hurler. Comment peux-tu penser que je puisse même les regarder ? Tu es intelligente, sensible, tendre, généreuse, drôle, belle, et...

Il s'interrompit pour reprendre son souffle.

— Jusqu'ici, tu m'as soupçonné de coucher avec d'autres femmes ?

— Ben... non, renifla Catherine.

— Et tu ne t'es pas demandé si j'en avais la tentation ?

— Je n'y ai jamais réfléchi. Ça fait auto-centrée ?

James la regarda avec intensité, puis sourit et lui déposa un baiser sur le front.

— Non. C'est la réponse d'une femme qui sait que je l'aime plus que tout, qui sait que jamais je ne ferais exprès de mettre en danger notre relation. Ça ne me traverserait même pas l'esprit.

Touchée, Catherine baissa les yeux.

— Je suis désolée de t'avoir soupçonné, même un instant. Je ne sais pas ce qui m'a fait sortir de mes gonds comme ça.

— La passion peut amener à tirer des conclusions hâtives... Qu'est-ce qui te rend si certaine que c'est à Renée, ce truc ?

— C'est son style, et ça a été acheté à La Nouvelle-Orléans. Son parfum est récent, comme si cela datait de son retour à Aurora Falls.

James prit enfin les pièces de tulle entre ses mains et les porta à son nez.

— Oui, je me rappelle ce parfum. Je ne l'ai jamais trop aimé, mais Renée l'adorait. Je ne suis pas expert, mais tu as raison, ça ne date pas d'aujourd'hui, mais ça ne sent pas le vieux.

Il fronça les sourcils.

— Catherine, la femme de ménage est très méticuleuse, et ça fait cinq ou six ans qu'elle vient. Elle était là la semaine dernière, et si elle l'avait trouvé, elle l'aurait laissé sur le lit. Ce truc n'était pas encore là.

— Alors...

— Alors quelqu'un l'a mis là exprès, enchaîna James avec calme. Pour que l'un de nous deux le trouve.

Avec un sursaut, Catherine revint à la réalité. On était le jour suivant, en milieu d'après-midi, et elle était en train d'écouter Mme Tate lui donner un compte rendu interminable des événements du jour.

— Je suis restée à leur « déjeuner », imperturbable, comme une grande dame. Je n'arrêtais pas de penser que vous seriez fière que j'arrive à leur flanquer la trouille sans dire un seul mot de travers. C'est grâce à vous.

Le sourire triomphant de Mme Tate se fit hésitant.

— Vous êtes fière de moi ?

Je n'ai pas entendu un mot des dix dernières minutes, pensa Catherine, honteuse. La situation de sa patiente aurait pu dégénérer, mais elle avait pris sur elle pour agir de manière raisonnable, grâce à son influence. N'était-ce pas l'effet qu'elle souhaitait avoir sur ses patients ? Et elle osait penser à ses problèmes avec James au lieu d'écouter Mme Tate.

— Vous avez choisi la voie de la sagesse.

Catherine prit conscience que sa voix était atone. Sa patiente était déçue, c'était compréhensible. Il était essentiel d'encourager un comportement raisonnable, et elle venait d'échouer. Pour rectifier le tir, elle lui lança un sourire éclatant.

— Vous avez vraiment assuré !

*
* *

— Quelqu'un a laissé un cadeau chez moi.

James sortit de son attaché-case un sac en plastique transparent fermé, qu'il déposa sur le bureau d'Éric Montgomery. Éric le souleva et regarda son contenu plié.

— Qu'est-ce que c'est ?

— Une nuisette sexy.

— Une chemise de nuit de petite fille ?

— Mais non ! s'énerva James. Tu vois bien que c'est noir, et j'ai dit « sexy » ! Ah, tu plaisantais, comprit-il enfin, se détendant un peu.

— Un petit peu. J'essayais de te calmer. Tu parles tellement fort que tout le monde t'entend, alors que la porte du bureau est fermée. Ah, et tu as l'air de vouloir frapper quelqu'un.

— C'est vrai. C'est Catherine qui l'a trouvée.

— Gloups.

— C'est du jargon de flics ?

— En ce moment, oui, surtout que tu as dit la tenue « sexy ». Au fait, Marissa appelle ce genre de choses « déshabillés ». Tu as bien fait de la mettre dans un sac zippé, pour qu'on ne perde rien des preuves. Tu peux le décrire ?

— Il y a un string, et ce que Catherine appelle une nuisette fendue, noir transparent tous les deux. De marque La Perla, et je ne lui ai pas précisé que je savais déjà que c'est très cher. La tenue sent le parfum *Opium*, celui que portait Renée. Je lui en ai acheté tellement de flacons que je n'oublierai jamais le nom. L'odeur n'est pas forte, comme si ça datait d'un jour ou deux, mais elle n'est pas rance non plus. Éric, est-ce que vous l'aviez trouvé au cottage ?

— Je n'ai pas diffusé d'informations concernant ce qui a été trouvé au cottage, mais à toi, je vais te les révéler. N'en dis rien pour l'instant. On a trouvé la voiture de Renée dans le garage d'un autre cottage. Le déshabillé pourrait provenir d'une des valises qu'elle avait dans le coffre.

— Tu as une liste de leur contenu ?

Éric regarda James sans répondre, puis déclara :

— Pas sous la main. Je la regarderai plus tard, mais je pense que tu as raison. Il y avait des sous-vêtements sexy. Les gars du médico-légal ont dit que tout empestait l'eau de toilette, mais Robbie a reniflé une fois la valise, et a décrété : « Ça, c'est *Opium* d'Yves Saint-Laurent. »

— Ces femmes, elles s'y connaissent en parfums.

— Certaines d'entre elles, fit Éric avec un sourire. Ma mère a porté la même eau de toilette toute sa vie, et elle ne doit pas savoir qu'il en existe d'autres. (Son sourire s'effaça.) Où Catherine a-t-elle trouvé ça ?

— Dans ma chambre. Il y a une coiffeuse contre un mur, et une commode contre l'autre. La nuisette était par terre, dans le coin entre les deux.

— Et Catherine a regardé dans ce coin par hasard ?

— Elle ne veut garder qu'un tiroir avec quelques affaires dans ma commode. Elle devait y chercher quelque chose, et a dû regarder dans le coin en sentant le parfum.

— Ah, ah. Un seul tiroir, et le déshabillé se trouvait à côté ? Celui qui a laissé le « cadeau » a donc dû chercher les affaires de Catherine, pour le laisser là où elle ne pouvait pas le rater.

— Tu as raison. On a dîné chez moi, mais on n'est pas arrivés avant 18 h 30. On s'est couchés vers 22 heures. Tôt pour nous, mais on était fatigués. Si quelqu'un est venu après 17 h 30, il faisait déjà sombre. Mais qui savait que Catherine venait chez moi mardi soir ?

— Tu en as parlé à quelqu'un ?

— Je ne crois pas. Je ne communique pas mon emploi du temps, pour ce genre de choses.

— Je demanderai aussi à Catherine.

Éric prit un stylo, qu'il reposa.

— Tu as vérifié tes serrures, je suppose.

— J'ai regardé ce matin, et je n'ai rien remarqué. Mais je ne suis pas connaisseur. J'ai appelé un serrurier pour qu'il les change d'ici cet après-midi.

— Très bien, mais je vais envoyer la police scientifique avant son passage. Ah, j'aimerais bien avoir les équipes qu'on voit à la télé.

— À la télé, il n'y a pas d'équipes. Un ou deux magiciens suffisent. Dans la vraie vie, les résultats d'analyses n'arrivent pas dans les deux heures. Les criminalistes n'interrogent pas les « principaux intéressés », et ils ne risquent pas de procéder aux arrestations.

— C'est pourtant ce qu'attendent beaucoup de gens des policiers, et ils pensent qu'on est flemmards ou incompétents parce qu'on ne fait pas de miracles comme ils voient dans les séries. Ce n'est pas bien grave, répondit Éric, qui gratifia ensuite James d'un regard appuyé. Ce déshabillé La Perla, il te disait quelque chose ? Tu te rappelles Renée dedans ?

— Je ne sais pas, répondit James en rougissant. Je ne fais pas trop attention...

Éric garda les yeux rivés sur lui.

— Bon, d'accord. Je me souviens de quelque chose de ressemblant. Ça faisait longtemps qu'elle était partie, et même avant, on ne couchait plus ensemble depuis des mois, mais... Bref, je me rappelle qu'elle avait accroché sa bague de fiançailles dans la dentelle. Il y avait eu une petite déchirure, en haut, qui se voyait à peine, mais elle en avait fait toute une histoire... Sinon, je ne m'en souviendrais pas. Tous ces bouts de dentelle et de satin et de mousseline, ils se ressemblent...

Le regard d'Éric était plus perçant que jamais, et James rendit les armes en soupirant.

— Oui, Éric, la déchirure y est. Je ne me souviens que trop bien de ce machin.

Éric hocha la tête et conclut, cynique :

— Si on part du principe que ça a été mis chez toi, il va juste falloir trouver qui a mis la main sur un déshabillé de Renée, et l'a parfumé de sa marque préférée il y a plusieurs jours, pour que ça ne sente pas trop le frais. Trop facile !

CHAPITRE 13

— Alors, comment va ma fifille ce soir ?

Ken Nordine se précipita au chevet de Mary et lui présenta un bouquet d'œillets pas très frais dans un petit vase en plastique.

— Je me suis inquiété pour toi ! ajouta-t-il.

Au point de ne pas avoir appelé de la journée ? s'énerva Dana en son for intérieur. Elle faillit lancer une remarque cinglante quand elle vit Mary sourire en tendant sa petite main vers les fleurs. Alors Bridget Fenmore s'avança au côté de Ken, svelte, parfaitement maquillée et coiffée, radieuse. Dana, elle, n'avait que de la crème de jour sur sa peau sèche, et n'avait pas eu l'occasion de se peigner depuis des heures.

— Regarde un peu qui j'ai emmené, poursuivit Ken d'une voix tonitruante. Bridget ne voulait pas que je vienne sans elle. Elle aussi, elle s'en faisait pour toi !

Tu parles, pensa Dana, regardant avec fureur Bridget embrasser Mary, puis, avec un petit rire, essuyer des traces de brillant à lèvres sur sa joue pâle.

— Tu es toute belle, Mary ! On ne dirait pas du tout que tu es malade !

— Elle aurait pu mourir, dit Dana d'une voix cassante.

C'était faux. Mary la regarda d'un air horrifié, et elle eut envie de se couper la langue.

— Si on n'était pas allées à l'hôpital à temps, se reprit-elle. Mais l'opération s'est très bien passée. Le chirurgien est très content.

Elle sourit à sa fille, qui tenait toujours le minuscule bouquet, et enchaîna très vite :

— Il dit qu'elle se remet miraculeusement bien. Elle sera sur pied en un rien de temps. Encore mieux qu'avant ! Parfaite ! Ce qui ne veut pas dire qu'elle n'était pas parfaite avant. Elle est...

Dana sentit sur elle les regards choqués. On se demandait ce qui allait sortir de sa bouche, mais elle n'avait plus rien à dire. Elle était restée à l'hôpital toute la nuit, avait mal dormi sur le fauteuil inconfortable de la chambre, se réveillant souvent pour regarder la délicate enfant qu'elle avait si souvent repoussée et négligée, dans l'objectif de garder un œil sur son mari, la personne la plus importante de sa vie.

Ken Nordine. Quelle idiote elle était, d'avoir sacrifié sa fille et elle-même pour un homme comme lui, s'était dit Dana, en une prise de conscience tardive, entourée des ombres de cette nuit interminable. Sa douce et innocente fille aurait dû recevoir toute son attention, être sa raison de vivre, plutôt que cet égocentrique de Ken.

Bridget et lui la regardaient toujours, et elle eut envie d'embrasser Mary quand celle-ci déclara :

— J'ai eu d'autres fleurs. Des... je-sais-plus-quoi bleus.

— Des iris, rappela Dana.

— Des iris bleus, de la maîtresse. Des tulipes orange de papi et mamie, parce que c'est la couleur des citrouilles, et Halloween arrive. Et toutes les roses jaunes viennent de mon copain. Il est beaucoup plus vieux que moi, mais il est très beau. Il a les cheveux comme le prince charmant dans mon livre de contes. C'est comme ça que je l'appelle.

— C'est qui, ce prince charmant ? demanda Ken.

— Un secret, répondit Mary en riant.

Ken regarda Dana, qui haussa les épaules.

— J'étais dans le couloir pour parler au médecin. J'ai raté la visite du prince.

Ken regarda la carte des roses.

— Pour ma courageuse, signé *PC*.

— « PC » pour « prince charmant », expliqua Mary, qui commençait à fatiguer.

— Et moi, je l'appellerais comment ? rusa Ken.

— Pas prince charmant. Je vais pas te dire, parce que c'est mon copain secret. Personne doit savoir.

— Il t'a dit qu'il est ton petit ami, et que tu dois garder le secret ?

— Non, papa. C'est moi qui ai décidé.

Il essaie de jouer les pères modèles devant Bridget, pensa Dana. En temps normal, il n'aurait même pas écouté Mary.

— Il n'est pas au courant qu'il est ton petit ami « beaucoup plus vieux », alors ?

— Non, je lui ai pas dit.

Mary sentit quelque chose de différent chez son père, parce que son sourire disparut, et sa voix se fit agressive.

— Je lui ai pas dit, parce que je peux avoir un secret si je veux.

Mary avait souffert, avait été effrayée par le départ à l'hôpital, et sa journée avait été chargée. Elle avait commencé à se calmer, et dix minutes plus tôt, elle était sereine, et commençait à somnoler. Ken avait tout gâché, pensa Dana avec colère.

— Ken, peu importe. Arrête de la harceler.

Mary sentit une dispute s'annoncer, et essaya de sourire à son père.

— Il est très gentil, papa. Tu l'aimes bien.

— Alors je le connais.

— Oui.

— Tu vas arrêter ! s'exclama Dana. Pourquoi tu te mets dans cet état ?

— Je n'aime pas que ma fille me cache des choses.

— Baisse le ton, dit Dana en se levant. Tu fais peur à Mary.

— Oui, tu me fais peur, répéta Mary, sentant qu'il avait perdu la bataille. Et mon petit-ami-beaucoup-plus-vieux est gentil. Et il m'aime, parce que maman a dit que les roses, elles sont très chères. Et jaune, c'est ma couleur préférée. Je vais me marier avec lui.

Elle regarda son père d'un air de défi.

— Ah oui ?

Mary douta sous le regard dur de son père.

— Tu es fâché parce que j'ai dit que jaune c'est ma couleur préférée, mais en fait... ça vient après le rose ! s'exclama-t-elle en regardant les œillets. Rose, c'est ma couleur vraiment, vraiment préférée, papa. Merci pour les fleurs !

Il finit par lui accorder un sourire.

— C'est pour ça que Bridget les a choisies. Je sais que c'est ta couleur préférée, ma choupinette.

N'importe quoi, pensa Dana, qui se contint avec peine. *Tu as pris les œillets à moitié fanés parce qu'ils étaient à prix réduit.* Ken ébouriffa les boucles blondes de sa fille.

— Plus tard, il faudra que tu me dises qui est ce prince charmant, sinon ça me fera de la peine. Tu ne veux pas me faire de peine ?

— Non, répondit Mary avec réticence.

Dana regarda Ken avec hargne, puis vit Bridget tapoter l'épaule de Mary.

— Quel petit ange. J'ai toujours dit qu'elle ressemblait à un ange.

— Pas à moi. De toute façon, comment vous sauriez quelle tête ça a ?

Dana se mordait les doigts de son éclat, mais Bridget ne lui prêta aucune attention et s'adressa à Mary.

— Je sais comment sont les anges parce que j'en ai vu un quand j'avais ton âge. C'était à l'église, et l'ange avait des longs cheveux blonds, comme toi, de grands yeux bleus, et des taches de rousseur sur le nez, comme toi. Elle flottait en l'air, et elle dispersait de la poussière d'ange sur l'assemblée.

Beurk, pensa Dana, dégoûtée. Mary, elle, était enchantée.

— Vraiment ? Tu as vraiment vu un ange ?

— Est-ce que je te raconterais des bêtises ? demanda Bridget d'une voix doucereuse, en ouvrant de grands yeux.

Dana leva les yeux au ciel, ce que nota Ken.

327

— C'est pas merveilleux, ça ? s'extasia celui-ci. Bridget a vu un ange qui te ressemblait.

Il dévisagea Dana longuement, et ajouta :

— Je suis sûr que maman n'en a jamais vu.

— C'est vrai, maman ? Tu n'as jamais vu d'ange ?

— Non, répondit Dana. Je n'ai pas d'hallucinations, moi.

— Halloucina... ? Hallunissa... ? hésita Mary.

— Bon, les heures de visite sont terminées, interrompit Ken d'un ton désolé.

— Pas avant une heure, observa Dana.

Ken ne lui accorda même pas un regard, et garda posés sur Mary ses yeux d'un bleu électrique.

— Il faut que tu te reposes, ma chérie. C'est ce que dirait le docteur. En plus, Bridget et moi, on a eu une longue et dure journée. On a fermé la galerie tôt pour pouvoir nous préparer pour demain.

Il se pencha pour vaguement effleurer le front de Mary des lèvres.

— À plus, ma puce !

— À plus tard, Balcazar ! répondit comme toujours Mary.

— Bonne nuit, dit Ken à Dana, la regardant à peine.

— Bonne nuit, *madame* Nordine, minauda Bridget, qui avait l'air prête à esquisser une révérence. C'était un plaisir de vous voir.

Pendant cinq minutes, Mary fit des commentaires sur les œillets, son papa beau et gentil, Bridget belle et gentille, dit que c'était chouette d'avoir de la compagnie, se demanda si elle aurait une grande cicatrice de son opération, parce qu'elle pourrait la montrer à l'école, même si c'était sur son ventre. Dana garda des yeux vides rivés sur la porte, se demandant ce que pouvaient dire et faire Ken et Bridget. Il était clair qu'ils n'évoquaient pas la santé de Mary.

Au bout d'un moment, une infirmière lui secoua l'épaule.

— Madame Nordine ? Vous vous êtes endormie les yeux ouverts ?

— Sans doute, mentit Dana face aux yeux bruns aimables de la dame d'un certain âge. Je dois être fatiguée.

— Épuisée, plutôt ! Vous êtes là depuis hier après-midi ; ça fait plus de vingt-quatre heures. Mary va très bien, alors vous devriez rentrer chez vous. Mary, ça ne t'embête pas que ta maman rentre se reposer ? Je serai là pour te surveiller.

— Comme mon ange gardien ?

Vous ressemblez plus à un ange gardien que la version donnée par Bridget, pensa Dana.

— Tu ne vas pas avoir peur ?

— Non, mon ange gardien sera là pour briller dans la nuit, alors j'aurai pas peur.

— Allez, madame Nordine, la pressa l'infirmière. Il est huit heures moins vingt, et vous avez l'air prête à vous effondrer, sans vouloir vous vexer. Vous devriez manger un repas correct, regarder un peu la télé et vous mettre au lit. Demain, vous devez être en état de ramener votre petite à la maison, et elle aura besoin de beaucoup d'amour et d'attention. Il faut vraiment que vous partiez.

Dana repensa à son mari avec Bridget. Tous deux superbes et souriants, ils auraient pu se rendre à une séance photos à la sortie de l'hôpital... Ils avaient l'air de partager un secret.

— Vous avez raison, décréta Dana en se levant. Il faut vraiment que je parte.

*
* *

— Je suis contente qu'on dîne au restaurant, ce soir, déclara Catherine.

Elle aimait l'intérieur chaleureux du Reddick, avec ses murs en pin noueux, son éclairage ambré, ses grandes tables décorées d'une grosse bougie dans un photophore, et le soft rock diffusé en musique d'ambiance contribuait à ce sentiment de confort.

— Je sais que c'est plus raisonnable de rester chez moi, sous l'œil du policier en faction, mais ça me rend folle. Et ça faisait des mois qu'on n'était pas venus. J'avais oublié comme c'est sympa, ici.

— Ce soir, tu as l'air de *ma* Catherine, celle que je n'avais pas vue depuis un bout de temps. Elle me manquait, même si elle était partie par ma faute.

— Elle n'était pas partie. Juste en attente.

— Après l'incident La Perla ?

— J'étais sur les nerfs, et j'ai pris les choses au tragique. Éric m'a dit qu'ils avaient trouvé d'autres « sous-vêtements pas possibles » dans la valise de Renée, et qu'ils sentaient tous son parfum. Il a dit que quelqu'un était venu chez toi pour y mettre le déshabillé.

James hocha la tête et ajouta.

— J'ai quand même l'impression qu'il ne croit pas à cette théorie. En fait, j'ai peur qu'il me soupçonne de bien pire.

— D'avoir tué Renée.

James la regarda sans répondre.

— Oh, mon chéri, c'est n'importe quoi !

— Peut-être.

— Sans aucun doute.

— Si tu le dis.

— Voilà qui est mieux. Bon, tu as fait changer les serrures ?

— Hier après-midi. De toute façon, il n'y a que deux verrous. Tu as toujours les clés ? Tu es la seule à les avoir.

— Elles sont dans ma boîte à bijoux de complément, qui n'a pas été touchée. J'ai vérifié. Et Lindsay réveille toute la maisonnée si jamais un inconnu approche.

— Quelqu'un a pu avoir la clé du concierge ou de l'équipe d'entretien du lotissement, moyennant finances. Dans ce cas, je ne le saurai jamais. Je déteste cette vie en logements mitoyens. Je voudrais avoir ma maison.

Et ça serait très facile, pensa Catherine en son for intérieur.

— Enfin, la Catherine qui pleurait et m'accusait de coucher avec d'autres femmes a disparu, dit James avec tendresse. Je suis heureux de retrouver celle qui illumine mes jours.

Un quart d'heure plus tard, au bras l'un de l'autre, ils sortaient du restaurant d'un pas alerte. La nuit était plus froide que d'habitude. James parlait d'un ton léger, mais Catherine fut envahie d'une peur étrange, primitive. Autour d'eux, on aurait dit que des ombres bougeaient. Elle se raisonna : c'était son imagination qui lui jouait des tours, ou le vin qu'elle avait bu. Alors, elle se souvint qu'elle n'avait pris que de l'eau et du café.

N'importe quoi, pensa-t-elle. Elle regarda le parking presque vide, et ne vit rien d'inhabituel. Les lampadaires émettaient une lumière douce, une petite brise agitait les feuilles racornies qui s'accrochaient encore aux buissons entourant le bâtiment et, au loin, un chien aboyait à intervalles réguliers. Rien d'effrayant. Pourtant, elle gardait la sensation d'une présence toute proche. Quelqu'un qui les épiait, attendait...

Son cœur se mit à cogner dans sa poitrine, et son estomac se noua. Quelque chose n'allait pas. Non, pire. Elle n'avait aucune idée de quoi, mais elle le sentait. Elle commença à trembler, serra le bras de James.

— Il y a un truc qui ne va pas.

— Comment ça ? demanda James, qui tourna la tête vers elle.

— Je ne peux pas l'expliquer. J'ai juste l'impression que quelqu'un nous regarde, qu'on est en danger...

Le coup partit dans l'obscurité, rapide, sec. James se raidit, le regard vide. Catherine, paralysée, s'enquit d'une toute petite voix :

— James ? Tu vas bien ?

Au bout d'un instant, il dit à voix basse :

— Oui... juste piqué... abeille...

Sa voix se fondit dans la nuit. Tout à coup, il lui lâcha le bras, se toucha fébrilement le torse, puis regarda sa main ensanglantée.

— Que... quoi... ? articula-t-il à grand-peine.

Et il tomba sur le sol de béton.

CHAPITRE 14

Catherine ne poussa pas de cris. Elle ne s'évanouit pas. Elle ne plongea pas derrière une voiture pour se couvrir. Simplement, elle resta sur place, comme glacée, à regarder l'homme qu'elle aimait, tombé à terre.

— James ? finit-elle par murmurer.

Alors, un deuxième coup retentit dans l'obscurité.

Elle se coucha et se blottit contre son compagnon. Avait-elle été touchée ? Elle n'en savait rien. Elle ne sentait que le choc, le froid et l'immobilité de James. Tremblante, elle attendit un troisième coup de feu, mais la nuit resta d'un calme oppressant. Elle aventura une main vers lui. Son manteau était imprégné de sang tiède à la hauteur de la poitrine. *Il est en train de mourir*, pensa-t-elle, hébétée.

— Je t'aime, murmura-t-elle, la voix brisée. Plus que tout au monde. Je t'en supplie, James. Ne me laisse pas...

Elle vit ses paupières bouger. Elle tâtonna derrière elle, à la recherche de son sac à main, son téléphone. James referma les yeux et sa respiration ralentit. Catherine enfouit sa tête contre lui.

— James, ne meurs pas ! Ne t'en va pas, je t'en prie...

Puis l'obscurité s'intensifia ; une ombre s'approchait. Catherine n'eut pas le temps de relever les yeux. Un coup résonna dans son crâne.

— Marissa, ici Éric.

Il parlait avec calme, mais avait oublié que sa compagne reconnaissait forcément la sonnerie « Brace yourself. I have bad news » qu'elle lui avait attribuée.

— Ma chérie, je suis sur le parking du restaurant Reddick, et...

— Qu'est-ce qui ne va pas ? demanda aussitôt Marissa. C'est Catherine et James ? Ils devaient sortir dîner...

— Reprends ton calme et écoute-moi.

Il s'éloigna du brouhaha des policiers et infirmiers qui s'affairaient sur la scène du crime ; la plupart des clients étaient partis.

— Ils se dirigeaient vers la voiture de James quand quelqu'un a ouvert le feu sur eux.

— Quoi ? murmura Marissa, qui se mit ensuite à crier. *Quoi ?* Ouvert le feu ? Quelqu'un leur a tiré dessus ? Ils ont été touchés ? Ils sont blessés ? Éric, ils sont... morts ?

— Non, ils ne sont pas morts, répondit-il avec fermeté. Respire un grand coup et répète.

Marissa prit une inspiration laborieuse, et répéta d'une voix atone :

— Ils ne sont pas morts.

— Bien.

— Mais, Éric...

Il entendit Lindsay aboyer. Elle réagissait toujours ainsi quand Marissa se montrait nerveuse. Elle n'allait pas prendre le temps de sortir la chienne pour écouter la suite, alors il parla plus fort.

— Continue de bien respirer et laisse-moi parler. Catherine n'a rien. Elle a eu peur, mais rien de plus.

— Dieu merci. Oh, mais est-ce qu'elle... ?

— Je t'ai dit de ne pas parler. Tu n'écoutes pas.

Cela ne plaisait pas du tout à Éric de s'adresser de ce ton sévère à sa compagne, mais c'était la seule façon de la calmer pour lui donner les détails.

— James a reçu une balle en haut de la poitrine.

— Le cœur ?

— Si tu n'arrêtes pas de m'interrompre, je raccroche ! menaça Éric, qui prit lui-même une grande inspiration en s'apercevant qu'il avait le pouls effréné et le souffle court. S'il avait reçu une balle en plein cœur, il serait mort. Il est blessé, mais on ne sait pas encore si c'est grave.

Une sirène s'éleva, et un gyrophare éclaira la nuit de son rouge criard.

— L'ambulance part maintenant, et Catherine est dedans avec James.

— Mais elle n'est pas blessée.

— Elle n'a rien eu, je te promets.

— Lindsay, tais-toi, finit par ordonner Marissa. Bon, je commence à reprendre mes esprits. Dis-moi ce qui s'est passé. Le flic en faction a rattrapé celui qui leur a tiré dessus ?

— Non, mais ce n'est pas sa faute. Pour Catherine et James, tu veux que je te fasse un compte rendu, ou tu préfères te rendre à l'hôpital ?

— À l'hôpital, bien sûr, répondit Marissa d'une voix ferme. Ma sœur a besoin de moi.

*
* *

L'assurance de Marissa s'évanouit dès qu'elle raccrocha et n'eut plus la voix forte d'Éric pour la soutenir. Plus tard, elle se souvint seulement avoir attrapé son manteau, dit à Lindsay, sa peluche dans la gueule, que tout allait bien, et être partie au garage. Dans la voiture, elle avait fourragé dans son sac pour retrouver ses clés et démarré la Mustang, se rappelant par miracle d'ouvrir la porte automatique avant de faire marche arrière. Elle marmonna des insanités en attendant une éternité que la porte se relève, puis partit à fond la caisse dans la nuit.

À proximité de l'entrée des urgences, toutes les places étaient prises. Marissa finit par repérer un endroit, cinq rangées plus loin, où les voitures avaient déjà débordé du marquage des deux côtés. Avec rage, elle manœuvra son coupé sport et s'y gara, ce qui lui laissa tout juste l'espace pour entrouvrir la portière et sortir. Elle se rua vers l'hôpital, et s'immisça dans le troupeau de gens qui restaient aux portes pour discuter de leurs petits maux. Entendant une femme glapir comme si elle était en proie à une douleur insoutenable, elle jeta un « Excusez-moi » fort hypocrite sans se retourner, et un homme âgé d'apparence raffinée l'insulta de manière bien peu élégante. Enfin, elle parvint à la réception.

— Gray, dit-elle sans reprendre son souffle, à une jolie jeune femme en tenue hospitalière, qui la regarda avec de grands yeux. Je viens voir Catherine Gray. Ou James Eastman. Oui, c'est lui qui est blessé. On lui a tiré dessus. Catherine est avec lui. Où sont-ils ?

— Mademoiselle, comme vous pouvez voir, nous avons beaucoup de monde, ce soir.

Si vous voulez bien vous asseoir en salle d'attente, je vais m'enquérir de l'état de... James Easton, vous dites ?

— Eastman. Il était avec ma sœur, Catherine Gray. Je suis Marissa Gray.

Un stylo à la main, la jeune femme nota tous les noms sous sa dictée.

— C'est Éric Montgomery, le shérif adjoint, qui m'a avertie il y a un quart d'heure. James s'est fait tirer dessus dans le parking du Reddick. Je suis sûre qu'il arrivera dès qu'il pourra. Éric, je veux dire...

L'infirmière hocha la tête et lui adressa un sourire compatissant, qui lui fit couler des larmes inattendues.

— Je ne veux pas paraître trop insistante, mais vous pouvez faire vite ? Il faut que ma sœur sache que je suis là. S'il vous plaît.

— Je fais vite.

La jeune femme tendit le papier à une collègue en lui résumant la situation à toute vitesse.

— Ne pleurez pas, madame. Je vous tiens au courant dès que possible.

— Merci beaucoup, répondit Marissa.

Elle fouilla son grand sac à la recherche du paquet de mouchoirs qui, grâce à Catherine, était à sa place, accompagné d'au moins une dizaine d'objets essentiels comme un tube de rouge à lèvres ou une barre de Snickers. Un écran plat vissé au mur de la salle d'attente montrait une émission sous-titrée, son coupé. Marissa la regarda sans la voir. Ses larmes n'arrêtaient pas de couler. À côté d'elle, une femme d'âge mûr, bien en chair, portant un pantalon extensible fuchsia, toussait bruyamment sans se couvrir la bouche ; une très vieille dame, tassée sur sa chaise dans un coin, chantait « Amazing Grace » à pleine voix, avec moult trémolos ; un adolescent en face de Marissa la regardait fixement, penché en avant et la bouche ouverte.

Les infirmières appelèrent quatre personnes avant Marissa, et quand vint son tour, elle eut l'impression qu'une heure s'était écoulée. Elle bondit, manquant de faire tomber son gros sac à main, et courut vers l'infirmière, qui la conduisit dans un couloir immaculé bien que rempli de monde.

— Votre sœur est dans cette salle d'examen. Elle est encore assez secouée, alors je vous accompagne.

Catherine était assise au pied d'une table d'examen, petite et fragile, le teint gris. Elle était enveloppée d'une couverture blanche, mais elle tremblait en regardant le carrelage d'un air absent.

— Catherine ! s'écria Marissa, l'étreignant avec force. J'ai eu trop peur ! Tu vas bien ? Tu as été examinée ?

Catherine releva lentement la tête. Elle avait les yeux injectés de sang, les paupières gonflées, et n'eut pas l'air de la reconnaître.

— Catherine ? s'inquiéta Marissa. Cathy la parlotte ?

En entendant le surnom de son enfance, Catherine eut une lueur dans les yeux.

— Maman !

— Non, rectifia Marissa, apeurée. Ma chérie, c'est moi, Marissa. Ta sœur préférée !

Catherine la regarda avec effort.

— Marissa ? Ma... sœur ?

Enfin, la reconnaissance illumina ses yeux verts.

— Marissa ! Ah...

La couverture était tellement serrée qu'elle n'arrivait pas à bouger. Marissa l'étreignit à nouveau. Elle sentait sa sœur qui bougeait en vain les bras sous le tissu, et l'infirmière desserrer la couverture.

— Quelqu'un a dû croire que vous aviez besoin d'une camisole, s'énerva-t-elle. Désolée, s'excusa-t-elle ensuite. La nuit est longue, et on a vraiment beaucoup de monde.

— Je sais bien, répondit Marissa. Et ça ne l'a pas gênée.

Catherine n'avait l'air d'être gênée par rien, pensa-t-elle, paniquée.

— Elle a vu un docteur ?

— Oh oui, répondit l'infirmière, qui dégagea Catherine. J'étais là.

— Il a dit que je vais bien, et que je dois aller voir James, articula Catherine d'une voix haut perchée, enfantine. James a besoin de moi.

L'infirmière entreprit d'enrouler la couverture plus confortablement autour d'elle.

— Vous avez mal compris. Le docteur veut que vous restiez là pendant que lui, aide James.

— Non, je ne crois pas...

— Mais si, dit Marissa d'un ton brusque, sachant qu'elle réagissait toujours à un peu de rudesse. Allez, embrasse-moi.

Catherine la rapprocha d'elle et dit :

— Je suis contente de te voir, si tu savais.

— Sans doute pas autant que moi.

— Excusez-moi, les interrompit Robbie Landers depuis la porte. Il y a encore quelques questions à poser, et Éric s'est dit qu'il valait mieux que ce soit moi.

— Robbie, tu peux m'amener voir James ? demanda Catherine d'un ton piteux, avant d'annoncer à l'infirmière : Elle fait la loi !

— Il faut attendre le docteur, Robbie ne va rien y changer, expliqua Marissa. Essaie de te calmer.

— Je ne peux pas.

— Robbie, vous pouvez commencer, assura Marissa à la jolie policière aux grands yeux bleus.

Catherine était sous le choc, et il fallait que tout soit aussi calme que possible pour elle.

— Je sais que je vous ai déjà posé des questions là-bas, mais vous étiez un peu vague, expliqua Robbie. Madame Gray, vous êtes épuisée et je suis désolée de faire ça, mais je dois revenir sur votre version des faits.

— Appelez-moi Catherine.

— D'accord, répondit Robbie, pas très à l'aise à côté de la compagne de son patron. Catherine.

— Je ne sais pas qui veut s'asseoir, dit l'infirmière en désignant l'unique chaise.

— Prenez-la, Robbie, proposa Marissa. Vous devez être debout depuis votre arrivée au Reddick. Je vais m'asseoir sur le lit à côté de ma sœur, pour la garder au chaud.

Catherine arrêta l'infirmière, qui partait déjà.

— Attendez, je veux savoir comment va James.

— Nous vous dirons ça dès que nous le saurons. Maintenant, je vais vous laisser un peu d'intimité. Si vous avez besoin de quelque chose, criez. Avec tout le monde qu'on a, il y aura forcément quelqu'un dans les parages.

Avec un dernier sourire à Catherine, elle referma la porte.

— Elle ne voulait pas que je sache que James va mal, fit Catherine d'un air absent.

— Elle ne sait rien pour l'instant, répondit Marissa d'un ton ferme. Ils ne vont pas te laisser là à souffrir plutôt que te dire ce qui se passe. Allez-y, Robbie.

Robbie s'assit, ouvrit son calepin et demanda à Catherine sur un ton professionnel :

— À quelle heure êtes-vous arrivés au restaurant, à peu près ?

Catherine baissa les yeux et déglutit. Marissa alla vite lui verser un verre d'eau et lui passa un bras autour de l'épaule.

— Alors, James devait passer me prendre vers 19 h 30, commença Catherine après une ou deux gorgées. En fait, il est arrivé... vers moins le quart ou moins dix.

— D'accord, répondit Robbie en écrivant. Qui savait que vous alliez au Reddick ?

— Personne. On avait décidé d'aller au restaurant dans la journée, mais on n'avait pas encore choisi. Marissa, je t'ai parlé du Reddick avant de partir ?

— Non, mais je ne t'ai pas demandé où vous alliez.

— Vous savez si M. Eastman en a parlé à quelqu'un aujourd'hui ?

— Je ne crois pas, fit Catherine. Il n'a pas du tout donné de nom de restaurant avant qu'on soit dans la voiture.

— Donc, il y a plusieurs personnes qui auraient pu savoir que vous aviez le projet de sortir dîner, mais sans connaître le lieu. Vous avez sans doute été suivis. James est passé vous prendre chez vous ?

— Oui. C'est ce qu'il fait toujours, le soir.

— Mais vous n'avez pas remarqué que vous étiez suivis ?

— Non. Après, on avait le policier qui nous suivait, alors je me sentais en sécurité, et je ne faisais pas très attention. Il va bien, au fait ?

— Alors, votre attaquant s'est occupé de lui en premier...

— Oh, non, s'étrangla Catherine.

— Il n'a pas été grièvement blessé, ajouta aussitôt Robbie. Seulement assommé.

— C'est tout ?

— Oui. Il a déjà repris conscience.

— Ouf. Est-ce que vous en savez plus sur James ? Sincèrement ?

— Je suis sincère, et je ne sais rien sur l'état de M. Eastman. Question suivante. Vous souvenez-vous exactement du moment où vous avez quitté le restaurant ?

Catherine réfléchit.

— Alors, ça nous a pris une vingtaine de minutes pour y aller. Ensuite, on est restés longtemps. On était tellement bien... soupira-t-elle. On n'a pas dû partir avant 21 h 30. C'est ce que vous a dit James ?

— D'après le serveur, vous êtes partis vers 21 h 40.

James ne peut rien dire, pensa Marissa avec un frisson de terreur. *Il est inconscient, peut-être en train de mourir. Ou alors il est mort.* Elle sentit Catherine se crisper à côté d'elle, mais Robbie détendit l'ambiance en ajoutant avec un grand sourire :

— Il a dit que vous étiez, je cite, « très belle », en français, et que James avait laissé un pourboire très généreux.

— C'était un très bon serveur.

Robbie dirigea à nouveau son stylo vers le calepin.

— Nous avons établi que vous étiez partis

entre 21 h 30 et 40. Il y avait beaucoup de clients, dans le restaurant ?

— Même quand on est arrivés, il y avait peut-être un tiers des tables d'occupées. Quand on est partis, il y en avait encore moins.

— Y en a-t-il qui sont partis en même temps que vous ?

— Je ne crois pas.

— Donc, quand vous vous êtes dirigés vers sa voiture, il n'y avait que vous et James sur le parking ?

— J'ai vu la voiture de police, et je me suis dit que l'officier devait être là. Je n'ai vu personne d'autre aller vers sa voiture.

— Où exactement se trouvait la voiture de James ?

Bien sûr, Robbie a vu la voiture. Elle teste la mémoire de Catherine, se dit Marissa. Celle-ci n'hésita pas.

— Il ne restait que quatre ou cinq véhicules. Il n'y en avait aucun près de la voiture de James, qui était garée au milieu de... la deuxième rangée.

— Est-ce que vous avez vu quelque chose ?

— James parlait. Je ne sais plus de quoi, maintenant, dit Catherine, qui hésita, puis referma la bouche.

— Quoi ? demanda Robbie en relevant la tête.

— Rien, c'est bête...

— Catherine, s'il vous plaît, il faut être entièrement franche avec moi. Sinon, nous risquons de passer à côté d'un détail *très* important.

— Je comprends. Je n'essayais de rien cacher, mais j'avais peur que ça soit mon imagination qui m'ait joué des tours.

— Catherine, la pressa Marissa. Je suis sûre que tu n'as rien imaginé.

— C'est bon ! s'écria sa sœur, sur un ton qui ne lui ressemblait pas. Je n'étais pas à l'aise, sur le parking. J'avais l'impression de voir des ombres bouger, mais il n'y avait pas de nuages qui flottaient devant la pleine lune, ni rien qui rappelle les films. Je sentais juste une présence mal intentionnée.

— Une présence ? répéta Robbie.

— Oui, affirma Catherine. Sur le moment, j'ai eu l'impression d'avoir trop bu, mais je n'avais pris que de l'eau et du café. Je sais que j'ai l'air d'une folle, mais j'ai senti quelque chose de pas net.

Robbie la regarda avec beaucoup de sérieux.

— Du moment où vous êtes sortie, ou en vous approchant de la voiture ?

— On était à peu près à mi-chemin. J'ai serré son bras plus fort, et je me rappelle avoir regardé autour de moi. Je n'ai rien vu, rien entendu.

Catherine, après avoir bu un peu, inspira un grand coup.

— Quand j'ai été sûre que je ne me trompais pas, j'en ai parlé à James, et il m'a demandé ce que je voulais dire. Là, il y a eu un coup de feu. Il a mis la main sur sa poitrine et quand il l'a retirée, elle était couverte de sang, il a dit autre chose, et puis il s'est affaissé. Il n'est pas tombé sur le béton. Il s'est écroulé.

Catherine éclata en sanglots.

— Et je suis restée plantée là, inutile.

CHAPITRE 15

— Vous ne pouviez rien faire, déclara Robbie.

— Je me suis agenouillée auprès de James. Quand il a retiré sa main, il y avait tellement de sang... expliqua Catherine, l'air perdue. Je croyais qu'il était en train de mourir, ou déjà mort. Je lui demandais de revenir. Je ne pensais à rien d'autre, et quand j'ai compris que quelqu'un arrivait devant nous, j'ai voulu relever la tête, mais tout est devenu noir...

— Le tireur vous a assommée. Vous êtes sûre de ne pas l'avoir vu ?

— Je n'ai rien vu, je suis désolée.

— Au contraire. Si vous l'aviez vu, il vous aurait sans doute tuée.

Catherine cligna des yeux.

— Qui les a trouvés ? demanda Marissa.

— Un couple qui retournait à sa voiture. Ils ont aperçu James allongé par terre, et ils ont couru au restaurant pour appeler la police. Ils n'ont vu personne d'autre sur le parking. Personne à l'intérieur n'a rien entendu, donc on ne sait pas combien de coups ont été tirés.

— Le nombre de coups de feu intéresse sûrement la police, mais pas moi, décréta Catherine avec fougue. Je ne pense qu'à James. Je ne sais toujours pas s'il est en vie. Ça fait une éternité...

— Ce n'est qu'une impression, intervint Marissa. Il doit être au bloc opératoire. Tu sais que ça prend longtemps, une opération.

— Pas si la personne meurt tout de suite.

— Dans ce cas, plus de temps ça prend, meilleur signe c'est, conclut Marissa, qui espéra être logique. James est jeune, fort et en bonne santé. Il n'est pas mort. Je le saurais.

— Comment ? demanda Catherine, sceptique.

— Je le saurais, c'est tout.

Marissa poursuivit, pour empêcher Catherine de la mettre en doute :

— Je vais au distributeur. Catherine, Robbie, vous avez le courage d'avaler le breuvage qu'ils tentent de faire passer pour du café ?

— Pas moi, répondit Catherine sans entrain.

Robbie, avisée, fit signe qu'elle non plus. Au moment où Marissa se levait, Éric ouvrit la porte.

— Je peux entrer ?

— Tu as intérêt, même ! s'exclama Marissa. Je pensais qu'on ne te verrait pas de la nuit.

Il entra doucement et sourit à Catherine.

— Comment tu te sens ?

— Pas trop mal, répondit-elle d'une petite voix faussement calme. Tu as fait d'autres découvertes ?

— Non, rien d'important.

Marissa voyait qu'il n'était pas tout à fait sincère, mais Catherine n'était pas en état d'entendre parler d'angles de tir ou de distance.

— On n'a pas terminé l'enquête préliminaire. Je vais y retourner, je voulais juste savoir comment va James.

— Ben s'il est mort, personne ne m'a rien dit, déclara Catherine, butée.

Marissa l'étreignit, et les deux policiers se mirent à parler en même temps, pour assurer à Catherine que James allait s'en sortir, que tout allait s'arranger, qu'elle devait garder espoir, et ainsi de suite, ce qui donna à Marissa l'envie de crier pour les faire taire.

Et là, le médecin entra.

Marissa et Catherine la connaissaient depuis des années, depuis ses débuts à l'hôpital où leur père exerçait depuis plus de vingt ans. Elle était grande, mince, avec des cheveux blonds coupés court, et la pâleur de son visage trahissait sa fatigue. À la télé, les femmes exerçant la profession de chirurgien étaient toujours maquillées, pensa Marissa sur un mode automatique. Souvent, même, elles portaient des faux cils pour en battre derrière leur masque.

— Bonjour, dit le médecin. Je ne vous ai pas revues depuis l'enterrement de votre mère. Je suis désolée de ne pas être passée, et de vous revoir dans ces circonstances.

— Si c'est vous qui vous occupez de James, tant mieux, réussit à articuler Marissa, à côté de Catherine qui ouvrait de grands yeux attentifs.

— L'opération s'est bien passée pour M. Eastman, expliqua tout de suite la praticienne. Il a été blessé par balle à l'omoplate gauche – l'os de l'épaule, comme vous savez. Dans un cas pareil, l'os peut soit être endommagé, soit faire ricocher la balle dans un autre endroit du corps, ce qui engendre d'autres problèmes. Là, il s'agit d'une perforation : la balle a traversé le corps. Il n'y a pas d'articulations impliquées, et peu de tissus. C'est très positif. En ressortant, la balle a causé une belle hémorragie, mais nous l'avons stoppée. Les tendons et les ligaments sont un peu touchés, mais rien de grave. (Enfin, elle sourit.) Je sais que c'est bizarre à entendre, mais sachant ce qui aurait pu arriver, M. Eastman a beaucoup de chance.

— Beaucoup de chance, oh oui ! s'exclama Catherine, la voix tremblante, avant de se couvrir le visage des mains. Quel soulagement ! Ça aurait pu être bien pire !

— Mais il va bien, et il y a toutes les chances qu'il se rétablisse rapidement.

Le médecin s'adressa ensuite à Éric.

— Vous êtes monsieur Montgomery, le shérif adjoint.

— Oui.

— On m'avait dit que vous alliez venir. Je voudrais vous parler dans le couloir.

Marissa entendit le ton préoccupé du médecin, qui leur adressa à nouveau un sourire et ajouta plus gaiement :

— Après tout, elles peuvent se réjouir de la bonne nouvelle sans subir le détail des techniques chirurgicales.

Elle n'a pas tout dit, pensa Marissa. Mais elle n'avait pas envie d'en entendre plus, et Catherine encore moins. Pour elle, savoir James bien portant était suffisant.

Marissa ferma les yeux et embrassa sa sœur. Elle se surprit à dire une courte prière en silence. Elle n'était pas pratiquante, mais elle ne pouvait s'empêcher de penser que James et Catherine avaient eu un ange gardien ce soir.

*
* *

— Je ne suis pas pathologiste, mais je peux vous donner des renseignements sur la balle, commença celle qui avait pratiqué l'opération.

Elle marchait dans le couloir avec Éric et Robbie, qui suivait avec carnet et stylo.

— Je me doutais que c'était votre intention, dit Éric. Je suis preneur de toute information.

— Comme je disais, la balle a traversé le corps, donc je ne peux pas vous la donner pour expertise. Par contre, je suis certaine que le tireur n'a pas utilisé une carabine à bout portant : il y aurait plus de tissus endommagés. À mon avis, M. Eastman a reçu une balle provenant d'un fusil de calibre .22. Même un pistolet du même calibre aurait laissé un impact ressemblant à un tatouage sur la peau.

— Pourtant, les fusils .22 sont destinés au petit gibier, en général, s'étonna Robbie.

Éric confirma.

— Je n'ai pas vu assez de dommages des tissus pour penser à une arme plus puissante. En fait, dans l'hypothèse où j'ai raison, c'est même surprenant que M. Eastman ait autant souffert.

— C'est possible, si le tireur n'était pas trop éloigné, répondit Éric.

— Là, je ne peux plus vous aider, donc je laisse ça aux experts. Je voulais épargner les détails à Catherine, qui va beaucoup mieux que tout à l'heure. Sachant que vous êtes très proche de sa sœur, monsieur Montgomery, vous pourrez lui transmettre l'information plus tard.

— C'est ce que je ferai, et je vous remercie pour votre tact. Quoi d'autre ?

— La fracture de l'omoplate n'est pas grave et n'a pas l'air instable, mais ça reste une fracture, qui prendra un moment pour guérir. Dans l'intervalle, il y a toujours risque d'infection et de fistule. (Robbie ouvrit de grands yeux.) C'est une poche de sang ou de pus, qu'il faudrait alors drainer. Vous faites la même tête que ma fille ado quand elle dit : « Maman ! C'est dégueu, ton truc ! »

Robbie sourit.

— Il paraît que M. Eastman est accro à son travail, mais au moins, il n'est pas dans le bâtiment. En plus, il est droitier, donc il aura plus de facilité à respecter l'immobilité du côté gauche. Il faudra quand même qu'il y aille doucement et qu'il se repose beaucoup. Soyez bien clair là-dessus avec Catherine. Je suis sûre que si quelqu'un parvient à lui faire entendre raison, ce sera elle.

— J'espère, approuva Éric. James n'aime pas recevoir d'ordres. Merci pour tous vos renseignements, docteur. J'ai l'impression qu'on va vraiment avoir besoin d'aide, sur cette affaire.

Quand elle fut partie, Éric se tourna vers Robbie.

— Bon, on sait qu'il y a un adepte du calibre .22.

— Renée et Arcos ont été tués au pistolet, pas au fusil.

— De toute façon, ce n'était pas le même pistolet pour les deux.

— Ou alors, c'est une coïncidence que ce soit trois calibres .22.

— Non, il y a forcément un lien.

— Tu as raison.

— Ne dis pas ça pour me faire plaisir. Je ne t'en veux pas d'avoir ri, tout à l'heure.

— Oh, je sais, tu m'en aurais déjà reparlé. Je pense vraiment qu'il y a un lien.

— Qu'a dit Catherine au sujet de la fusillade ?

Robbie retrouva la page dans son calepin et récapitula :

— Ils étaient seuls sur le parking, et il est tombé au premier coup de feu. Elle est restée debout sous le choc, et c'est après le deuxième coup seulement qu'elle s'est baissée. Ensuite, on l'a assommée, mais elle n'a pas vu son agresseur.

Elle releva les yeux de ses notes et ajouta :

— Le tireur ne devait pas être tout près de la voiture.

— Pas au moment de tirer, mais il s'en est approché, affirma Éric. On a trouvé trois colliers de carnaval violets à côté de la portière passager.

CHAPITRE 16

— Au moins, on peut dire que je suis doué pour offrir une soirée inoubliable à ma dulcinée.

— Oh, James, arrête ! s'écria Catherine en s'asseyant sur le lit d'hôpital. C'était très romantique... avant qu'on se fasse tirer dessus !

Une étincelle brilla dans les yeux de James.

— C'est ce qui s'appelle voir le verre à moitié plein ! Je rirais un bon coup, si ça ne faisait pas mal.

— Alors ne ris pas. Je veux que tu te rétablisses et que tu sortes d'ici.

— Je ne serai pas rétabli avant plusieurs semaines, et je ne sors que dans quelques jours. Je vais louper le mariage de Patricia.

— Tu ne t'inquiètes quand même pas pour le mariage ! s'indigna Catherine.

— Je rigole. Patricia devra se débrouiller sans nous.

— Sans toi.

James arbora un air surpris.

— Je suis obligée d'y aller, expliqua Catherine.

— N'importe quoi.

— James, je suis demoiselle d'honneur. Patricia n'a pas de parentes proches, ni d'amies qui puissent me remplacer.

— Tu es folle, décréta James avec sévérité. C'est ta commotion qui t'a fait oublier ce qui s'est passé hier soir ?

— Je serai surveillée.

— Comme hier soir.

— Éric m'a dit que celui qui en était chargé n'était dans la police que depuis deux mois. Quand il a entendu un pneu éclater, il est vite sorti de la voiture. Il n'a même pas pensé que ça ne s'était pas fait tout seul. En tout cas, il est suspendu de ses fonctions.

— Eh bien, il n'a pas assuré, mais ça ne change rien à ce qui nous est arrivé. À ce qui aurait pu t'arriver.

— Je ne veux pas laisser tomber Patricia, s'entêta Catherine, qui embrassa James. Le mariage ne me contrarie pas du tout. Il n'y a que toi qui m'inquiètes.

— Tu me parles comme à un gamin. Tu ne peux pas faire semblant qu'il n'y ait pas de danger pour ne pas m'inquiéter. Je suis déjà inquiet ! Quelqu'un nous a suivis au restaurant, et a failli me tuer !

— Pas moi. Ce n'est pas moi, sa cible.

— Et qu'est-ce qui te permet d'être aussi affirmative ?

— Il s'est approché suffisamment pour m'assommer, mais il ne m'a pas tuée.

— Peut-être qu'il n'était pas prêt, ma chérie. Il pourrait avoir une raison tordue d'attendre...

Catherine trembla d'effroi, mais James n'en vit rien.

— Qui pourrait faire ça, et pourquoi ?

— Je ne sais pas. On a assassiné Renée. Arcos est venu s'en prendre à toi en croyant que tu étais la coupable, mais quelqu'un d'autre lui a réglé son compte.

— Si Arcos me croyait coupable, c'est que ce n'était pas lui. Est-ce que quelqu'un l'a tué en croyant que c'était lui ?

— Ou alors, parce qu'il t'a agressée. Et il t'aurait fait du mal, s'il n'avait pas été assassiné aussi. Éric a bien cru que j'avais tué Renée par haine, puis Arcos dans l'idée de te protéger.

— Je ne crois pas.

— Oh, si. Tu ne te l'es peut-être pas avoué, mais tu le sais.

— Enfin, s'il te soupçonnait, il doit en être revenu, maintenant.

— Peut-être, dit James lentement. Peut-être.

*
* *

Bridget Fenmore s'avança vers une femme qui parcourait la galerie d'un air perdu. Normalement, elle aurait ignoré quelqu'un qui venait regarder sans but précis, mais elle savait reconnaître un manteau en cuir Burberry. Et... n'était-ce pas un sac à main Prada ?

Elle tempéra son désir de se ruer sur elle, et prit un air nonchalant, essayant de ne pas regarder ses vêtements.

— Bienvenue dans notre galerie. Vous désirez voir quelque chose en particulier ?

— Non, merci.

De près, Bridget découvrit une femme entre deux âges, maquillée à la perfection, un ennui visible dans ses yeux bleus.

— Nous avons l'exposition Arcos au rez-de-chaussée, qui a beaucoup de succès.

— Je l'ai vue. Pas mon style.

— Alors, quel style aimez-vous ?

— Euh... Les jolies choses. Je n'y connais rien en art, avoua-t-elle avec un sourire honteux. Je sais juste ce que j'aime.

— Au premier étage, nous avons une salle consacrée à Guy Nordine, le père du propriétaire. Il a un style très différent d'Arcos, vous aimeriez peut-être.

— Bof, j'ai regardé aussi. On vient de redécorer la maison, et je ne les vois pas avec nos nouveaux meubles.

Quel dommage, pensa Bridget. *Cette femme est riche. La Mercedes flambant neuve garée dehors doit lui appartenir.*

— Dans ce cas, je vous laisse faire un tour. Vous verrez peut-être un tableau assorti à vos meubles.

— Merci, dit la femme, visiblement soulagée de ne pas être suivie par une experte.
C'est joli, ici. Je vais regarder l'architecture,
et j'aurai peut-être des idées pour rénover
la maison.

— Quelle bonne idée !

T'es vraiment conne, pensa Bridget. *Tu
veux que ta maison ressemble à un
musée ?*

— Prenez votre temps. Si vous avez des
questions sur... l'architecture, je me ferai un
plaisir de vous répondre. N'hésitez pas à
m'appeler si vous avez envie d'un thé ou un
café.

— C'est très gentil à vous. Je dirai à mon
mari comme j'ai été bien accueillie.

La femme sourit, révélant ses rides autour
des yeux et de la bouche, puis fronça les
sourcils, ce qui accentua les nombreux plis
sur son front.

— En fait, il ne vaut mieux pas que je lui
parle de vous. Vous êtes trop jolie, trop
jeune.

— Oh, merci, répondit Bridget, qui avait
perfectionné son expression de modestie
rougissante. Je suis sûre que votre mari ne

vous échangerait pour rien au monde. Profitez bien de votre visite.

Ken aurait été content d'elle. Bridget retournant à une table où elle faisait mine de ranger des brochures depuis une heure. Elle était seule. Dana avait décidé sur un coup de tête qu'elle était folle de sa fille, et avait passé avec elle les trois derniers jours à l'hôpital. Ken, lui, déjeunait avec l'acheteur potentiel de deux tableaux assez coûteux. Ils n'atteignaient pas les prix de ceux d'Arcos, mais les deux ventes cumulées offriraient un joli bénéfice.

Y avait-il de nouveaux visiteurs, qu'elle n'avait pas encore accostés ? Oui, un grand homme mince ; il avait dû entrer sans se faire remarquer, pendant que Bridget parlait à la cruche bien habillée, qui regardait maintenant un excellent tableau d'art moderne d'un air ahuri. Il portait un costume anthracite et un long manteau noir, de coupe tellement parfaite qu'ils étaient sans doute faits sur mesure. Même de loin, elle reconnaissait son regard scrutateur sur *La Dame de carnaval* comme celui d'un expert. C'était un habitué des galeries d'art, aussi Bridget se dirigea vers lui d'un pas tranquille. Elle souhaitait lui faire bonne impression, ce qui ne risquait pas d'arriver si elle lui sautait dessus comme une vendeuse pressée de caser sa marchandise.

En s'approchant, elle attendit un instant et le salua du ton chaleureux et professionnel enseigné par Ken.

— Je suis Bridget Fenmore, gestionnaire de la galerie. Bienvenue.

Surpris, il la regarda et cligna des yeux plusieurs fois, puis retrouva son calme au prix d'un effort visible.

— Enchanté, madame Fenmore, dit-il avec raideur, d'une voix grave. Je suis John... Jones.

Ben voyons, pensa Bridget. Il aurait eu besoin de cours de théâtre, mais s'il préférait rester anonyme, ça ne la dérangeait pas. Elle lui adressa un sourire charmeur.

— Vous vous intéressez à *La Dame de carnaval*. C'est de Nicolaï Arcos, qui est... mort cette semaine, malheureusement.

— Oui, il paraît, répondit lentement John Jones.

— C'est tragique, avec le talent qu'il avait...

— Vraiment ?

Bridget fut décontenancée par le ton agressif de Jones. Elle regarda ses yeux sombres perçants, encadrés de profondes pattes d'oie, son front haut marqué, ses cheveux noirs semés d'argent coupés court sur les côtés, les rides descendant de son nez aquilin vers ses fines lèvres dures.

— Bien sûr que sa mort est tragique. Je le connaissais, je l'aimais bien.

Bridget se sentit bête, à balbutier autant de mensonges. Elle n'aimait pas Nicolaï Arcos, mais elle ne l'avouerait jamais.

— Et je le trouvais très talentueux, ajouta-t-elle, reprenant un peu de combativité. Comme de nombreux critiques d'art.

— Des critiques respectés ?

— Oui. Philip Ransworth, par exemple.

— Je n'en ai jamais entendu parler.

— Eh bien, il est célèbre.

C'est ce que lui avait dit Ken, en tout cas.

— Et il avait fait une critique élogieuse de l'exposition Arcos.

Bridget tenta d'éblouir John Jones par un nouveau sourire, qu'il accueillit d'un air patient. Ah, mais que faisait Ken ? Il aurait su se débrouiller de « M. Jones », lui ! Quelle que soit leur relation, il devrait être là, pensa-t-elle, soudain en colère contre l'homme qu'encore la veille au soir, elle embrassait passionnément. C'était sa galerie, après tout. Enfin, elle était là, et elle ne devait pas laisser transparaître à cet étrange visiteur qu'il la faisait se sentir bête.

— La beauté est dans l'œil du spectateur, finit-elle par dire, se sentant un peu ridicule.

John Jones éclata d'un rire un peu rouillé, comme s'il ne riait pas souvent.

— Pardonnez-moi, madame Fenmore. Je vous ai mise mal à l'aise.

— Pas du tout.

— Mais si. Ne faites pas attention à mes manières.

— Vos manières sont...

— Souvent déplorables. Ma femme me l'a dit des centaines de fois.

Bridget regarda ses mains, jointes juste au-dessous de sa taille. Pâles, elles étaient dotées de veines proéminentes sous une peau fine et douce. Il portait une alliance simple en platine sur l'un de ses longs doigts soignés, et elle aperçut une Rolex du même métal dépassant d'une manche. Il se déplaçait avec une grâce harmonieuse qui démontrait une excellente coordination, mais faisait aussi preuve d'une certaine raideur. Bridget était en train de lui attribuer 59 ou 60 ans, quand il se détourna, avec l'air de deviner exactement ce à quoi elle pensait.

— Vous aimez danser, madame Fenmore ?

— Danser ? Oui.

— Vous êtes-vous déjà rendue à un bal ?

— Euh, je ne crois pas.

— Vous en auriez le souvenir, non ?

— Oui, bien sûr. Je veux dire, non, malheureusement.

Elle ne pratiquait pas les danses de salon, et d'un coup, fut envahie de regret, de sa méconnaissance et du fait de n'être jamais allée à une réception plus élégante qu'une soirée de Noël à l'Holiday Inn.

— C'est dommage. Je vous verrais bien dansant le quadrille.

— Oh, merci, répondit Bridget, qui rougit, même si elle ne savait pas à quoi pouvait ressembler un quadrille.

— Pour ma part, j'avoue que je n'étais pas mauvais au tango, il y a un siècle environ. Si j'étais plus jeune, nous pourrions le danser ensemble.

Ses yeux se firent lointains.

— J'avais une très belle partenaire de tango... Ah, comme elle me manque !

Cette partenaire devait être sa maîtresse. Devant sa tristesse, Bridget faillit lui demander si elle était morte, mais elle se reprit.

— Je suis désolée.

— Oui, elle me manque nuit et jour, reprit John Jones, qui regarda à nouveau le portrait. Vous ressemblez beaucoup à cette femme.

— Ah, merci.

— Vous la trouvez belle, vous ?

Bridget hésita, prenant la question comme un défi personnel. Elle sentit la transpiration sur ses paumes de main, souhaita pouvoir s'échapper, ce qui était impossible sans paraître grossière. En fin de compte, elle décida de ne pas se laisser effrayer par sa bizarrerie.

— Je la trouve très belle, déclara-t-elle avec force.

— Vous savez qui c'était ?

— Je ne sais pas si elle existait vraiment, ou si elle est imaginaire, déclara Bridget, selon les instructions de Ken. Elle ressemble à quelqu'un que j'ai déjà vu, mais c'est difficile à dire, avec le masque qu'elle porte.

— Qu'elle tient, la corrigea Jones, regardant le masque blanc bordé d'or. C'est un loup monté sur un bâtonnet en or. Très joliment stylisé. Et le pentagramme noir autour de l'œil est... captivant.

— Oui, le masque qu'elle *tient* est très joli. Mais vous appelez cette étoile un pentagramme ? C'est en rapport avec la sorcellerie ?

— Il n'y a pas grande différence entre l'étoile à cinq branches et le pentagramme. Dans le pentagramme, les lignes intérieures sont apparentes, ce qui est le cas ici, si vous le regardez de près.

Bridget se dressa sur la pointe des pieds, écarquilla les yeux et discerna les lignes, très fines, d'un marron presque noir.

— C'est un pentagramme, symbole des sorciers wiccans. J'espère que ça ne vous empêche pas d'aimer le loup ?

— Oh, je l'adore !

La nervosité la transformait en adolescente écervelée. Bridget se félicita que Ken n'ait pas été présent pour l'entendre, et enchaîna en vitesse :

— Imaginaire ou pas, cette *Dame de carnaval* est très belle.

— Oui, dit Jones en se rapprochant du tableau. Ah, l'éventail...

— Il est magnifique, aussi. Peu courant. On aurait peut-être eu moins de plaintes s'il avait été présenté fermé, mais je l'aime beaucoup.

— Il est exquis.

— Oui. Il y a une marge entre la pornographie et l'érotisme. Certains n'arrivent pas à voir la différence.

— Mais, vous, vous pouvez, conclut Jones d'un ton interrogateur.

— Moi, j'ai fait des études. Mais de toute façon... le vrai artiste et le spectateur doué de sensibilité savent distinguer le racoleur du sensuel.

Bridget était fière de son commentaire, jusqu'à ce que John Jones la regarde à nouveau de son expression condescendante et amusée. Elle se sentait de plus en plus mal à l'aise avec le pompeux M. Jones, et de plus en plus en colère après Ken. Le premier gardait le regard posé sur elle, attendant qu'elle ajoute quelque chose.

— Je me demande s'il existe de vrais éventails comme ça ? demanda-t-elle.

— Oh, oui. J'en ai vu. Vous aimez ce portrait, madame Fenmore ?

— J'aime ce tableau, rectifia Bridget, car « portrait » sous-entendait qu'il s'agissait d'une personne réelle. Il est magnifique.

— Je suis sûr que la dame aussi, l'aimait.

— Si elle a vraiment existé.

M. Jones prit une expression à la fois triste et amusée.

— Oui, je pense que cette femme – cette vision d'une femme – a existé.

— Je n'ai pas loupé l'heure du déjeuner, j'espère.

Éric entrait dans la chambre d'hôpital, et James détacha ses yeux de la télévision.

— Si, ça fait une heure, et tu peux en remercier ta bonne étoile. Je croyais que ma mère était la seule capable de rater du flan instantané, mais je me trompais : c'est dix fois pire ici.

— Tu dis ça parce que tu n'as pas goûté ceux de Marissa.

Éric s'assit à la fenêtre, sur la chaise recouverte de plastique, et éclata de rire en levant les yeux.

— Ne me dis pas qu'en moins de vingt-quatre heures ici, tu en es réduit à regarder des feuilletons pour grand-mère !

— La télécommande est cassée.

— On dit ça...

— Je t'assure. Je m'apprêtais à appeler une infirmière.

Éric s'empara de la télécommande et éteignit la télé.

— Là, tu n'auras plus besoin de déranger quelqu'un. Mais j'ai sûrement coupé une scène palpitante.

— Tu sais, j'allais vraiment voter pour toi, fit James, pince-sans-rire. Maintenant, je ne sais plus si je te veux pour shérif.

— Dommage. J'ai pourtant la chance d'avoir une série de meurtres sur les bras deux semaines avant l'élection.

— J'y ai pensé, et tu me crois si tu veux, mais je m'en veux que tu sois dans cette situation, répondit James avec plus de chaleur. Enfin, tu n'es pas ici en campagne. C'est une visite amicale ?

— En partie. Comment tu vas ?

— Pas terrible.

— Ça ne me surprend pas. D'après le médecin, tu ne seras pas remis avant deux ou trois mois.

— C'est trop gentil d'être venu me remonter le moral. Tu aurais au moins pu apporter des fleurs.

— Je t'ai fait envoyer un énorme bouquet de roses pour l'après-midi. Des roses rouges, pour témoigner de mon amour.

— Merci, je n'en demandais pas tant.

Éric rit doucement, puis reprit son expression naturelle.

— Tu as eu une sacrée chance, hier soir. Tu n'as aucune idée de qui a pu faire ça ?

— Je te l'aurais dit.

— Alors, peut-être que ce détail t'aidera. On a retrouvé trois colliers de carnaval violets sous ta voiture, près de la portière.

— Des colliers de carnaval ? Comme à La Nouvelle-Orléans.

— Oui, des colliers de pacotille. Je n'aime pas donner d'informations sur une enquête en cours, mais sache qu'on a retrouvé les mêmes sur le corps d'Arcos. Violets aussi. Il en existe de plusieurs couleurs. Je ne sais pas si le tueur le savait, mais cette couleur symbolise la justice.

— En gros, soit la justice a une signification, soit le tueur avait des colliers violets en réserve.

Éric opina de la tête, et James pâlit peu à peu.

— Il estime être au service de la justice.

— C'est ce que je pense, dit Éric doucement.

Il ne voulait pas rompre le charme. James avait l'air de réfléchir, ce qui pourrait aboutir à quelque chose.

— Mais pourquoi quelqu'un a tué Arcos, et voulu me tuer aussi ?

— Parce que Renée vous a quittés tous les deux, et que vous êtes susceptibles de l'avoir tuée par désir de vengeance ?

— De vengeance ? Éric, je n'ai jamais adressé la parole à Arcos. Je ne sais pas s'il voulait se venger de Renée. Aussi bien, c'est lui qui a rompu avec elle. Mais je peux t'assurer que moi, je n'ai jamais eu d'envie de vengeance parce qu'elle m'avait quitté.

— Jamais ? Même pas un petit peu ?

— Non, affirma James, qui réfléchit. J'étais gêné, surtout quand la police a commencé à penser que je l'avais assassinée. Mais mon sentiment principal restait... le soulagement.

— Ah bon ?

— J'étais soulagé qu'elle soit partie. On a eu des disputes monumentales, mais ce n'est pas pour ça que je l'aurais tuée. Et je ne pensais pas que quelqu'un d'autre pourrait lui faire du mal. Je me suis dit que, peut-être, elle était allée trop loin avec quelqu'un, et qu'elle était partie sans laisser d'adresse parce qu'elle avait peur de cette personne. Et à cette période, elle buvait beaucoup. Pas de façon à se mettre en danger, ou à mettre d'autres en danger, mais plus que d'habitude. Quand elle buvait, c'était souvent par anxiété, mais aussi par ennui.

« J'ai pensé que cette fois, elle s'ennuyait, poursuivit James. Créer des scandales dans notre « trou paumé », comme elle disait, ça ne l'amusait plus, alors elle a pu décider de partir pour s'offrir un petit drame : elle a tout fait pour me causer du tort, en partant le lendemain d'une grosse dispute en public, où on avait failli en venir aux mains.

« J'étais certain de ce qu'elle avait fait, Éric. Je lui en voulais, mais malgré moi, j'étais aussi un peu inquiet. Elle était instable, et bien sûr, je voulais être libéré d'elle, mais sans lui vouloir de mal. Je savais que la police trouverait ça louche, mais connaissant la personnalité de Renée, je ne croyais pas qu'ils me suspecteraient de meurtre ! Comme quoi... Quand l'enquête a commencé à être un peu pressante, j'ai arrêté de m'inquiéter pour elle, et j'ai commencé à m'en faire pour moi. J'ai vraiment flippé, alors que je n'ai jamais rien fait à Renée. Jamais une gifle, quoi qu'elle ait pu faire.

— C'était Mitch Farrell qui était shérif, et on lui mettait beaucoup de pression pour ne pas laisser tomber l'enquête sous prétexte que tu étais d'une famille en vue.

— Je sais, mais tu peux imaginer, quand même.

— Bien sûr, et j'aurais flippé aussi.

Éric, qui ne restait jamais en place très longtemps, se leva pour faire les cent pas.

— Donc, tu as été soulagé que Renée te quitte.

— Oui.

— Heureux, ou simplement délivré ?

— Au début, délivré, comme si j'avais été libéré d'un poids insupportable.

— Mais tu le supportais, attaqua Éric. Tu as supporté d'être humilié en public par ta femme pendant plus de deux ans. Je n'ai jamais compris pourquoi. Quelle prise avait-elle sur toi ? L'amour ?

— Oh, non ! Et elle n'avait pas de moyen de pression sur moi au sens où tu l'entends.

Elle ne savait rien qui m'aurait nui si j'avais demandé le divorce.

— Alors, c'était quoi ? Pourquoi tu as enduré ses frasques pendant si longtemps ? Pourquoi avoir attendu qu'elle te quitte, et te sentir soulagé ? Pourquoi tu n'as pas divorcé ? C'est ce qu'aurait fait un vrai mec.

Une lueur de colère passa dans les yeux de James.

— Parce que tu es expert en comportement de « vrai mec », Éric ? Tu oses me dire ce qu'un vrai mec aurait fait ?

— Je te dis ce qu'aurait fait quelqu'un qui n'est pas timoré, ou persécuté, ou... une lopette.

James le regarda d'un œil noir, puis se mit à rire.

— Lopette ? Je n'ai pas entendu ce mot depuis que ma grand-mère est morte.

— La mienne aussi, l'utilisait.

Ce mot sorti de nulle part avait au moins eu l'avantage d'atténuer la tension.

— Bon, écoute, reprit Éric. Je ne veux pas t'énerver ou te mettre dans tous tes états. C'est juste que je ne te comprends pas, James. C'est frustrant, de voir la façon dont tu as géré, ou pas, la situation avec Renée. Merde, ça me met en rage, avec ce que ça a donné maintenant.

— Tu crois ?

— Oui. Pas toi ?

— Je crois que c'est le retour de Renée à Aurora Falls qui a « donné » ce résultat.

— Pourquoi est-elle est revenue ?

— Je dois avoir répondu cinquante fois à cette question. Je-ne-sais-pas !

— Est-ce que c'était à cause de la finalisation du divorce ?

— Tu crois franchement qu'elle serait revenue parce qu'elle voulait rester mariée avec moi ?

— Sans vouloir être insultant, non, je suis persuadé que non.

— Je ne suis pas offensé. Je pense qu'au moment de son départ, elle en était venue à me détester.

James s'interrompit un instant, puis reprit d'un air songeur.

— Quand j'ai eu sa mère au téléphone, elle m'a dit que Renée était à court d'argent. Elle avait même essayé de revenir chez ses parents, et vu sa relation avec sa mère, c'est qu'elle devait vraiment être désespérée. Si elle en était à ce point, elle aurait peut-être pu revenir vers moi en dernier recours.

James plissa le front, et finit par faire non de la tête.

— Non, elle n'était pas débile. Elle savait bien que je refuserais qu'elle revienne.

— Tu en es sûr ? Vu comme tu fermais les yeux avant, elle aurait pu croire qu'elle avait une chance avec toi.

Éric essayait depuis un moment de faire réagir James pour en apprendre plus sur cet étrange couple, mais en retour, il ne reçut qu'un regard irrité. James respira profondément, et Éric le sentit résister à la colère. Ce n'était pas surprenant. James Eastman était plein de bon sens. Il ne se laisserait pas piéger aussi facilement.

— La seule raison que je voie, c'est le succès de l'exposition Arcos.

— Tu penses qu'elle l'aimait suffisamment pour vouloir la voir ?

— L'aimer ? Éric, Renée n'aimait personne. Je ne pense pas qu'elle était capable d'amour. Mais il y a *La Dame de carnaval*, qui attire les foules... Enfin, quand même...

— Oui ?

— Une exposition à Aurora Falls, on en parle à peine dans les journaux ou sur Internet. Pour en avoir entendu parler, il faut qu'elle ait été près d'ici, ou que quelqu'un d'ici lui en ait parlé.

— Elle aurait été vue à la galerie, en train de regarder son portrait. Ça n'aurait rien de surprenant.

— Sûrement pas. Elle n'aurait pas supporté de rater son portrait exposé dans une galerie d'art. Tu sais comme elle adorait les arts plastiques.

— Non, je n'en savais rien.

— Elle a rencontré Arcos en prenant des cours avec lui. Elle s'est mise à en parler aussitôt, et sans arrêt. Un mois plus tard, elle n'y faisait plus jamais allusion. C'est là que j'ai su qu'il y avait quelque chose entre eux.

— Tu crois qu'Arcos l'a tuée parce qu'elle l'avait quitté ?

— Il ne l'aurait sans doute pas fait dans son état normal, mais apparemment, il prenait de la drogue en quantité. Ce qui n'expliquerait pas pourquoi lui a été assassiné.

— Pour venger Renée, parce qu'on a cru qu'il l'avait tuée ?

— Et moi, dans ce cas ? Le tireur pensait que moi aussi, je l'avais tuée ?

— Peut-être que tu représentais une possibilité, au même titre qu'Arcos.

— Tu oublies que j'étais à une conférence à Pittsburgh au moment du crime ?

— Pittsburgh est à moins de quatre cent cinquante kilomètres. Tu aurais pu faire l'aller-retour en neuf heures. Si tu avais pris l'avion et loué une voiture là-bas, le compteur aurait pu t'innocenter, mais tu y es allé dans ton véhicule personnel. Nous n'avons aucune idée du kilométrage au moment de ton départ pour la conférence. Dans tous les cas, tu aurais pu louer une autre voiture sur place. Nous n'avons pas trouvé de trace chez les loueurs, mais tu aurais pu utiliser de faux papiers...

— Stop ! s'écria James. Ça me rend fou, ces histoires. J'étais malade ! Je ne suis allé nulle part !

— C'est ce que tu dis.

Ils se mesurèrent du regard, et Éric dit d'un ton neutre :

— Allons, James, tu sais bien comment on mène une enquête criminelle.

Un infirmier entra et regarda James. Éric suivit son regard et constata qu'il était plus pâle et marqué qu'à son arrivée.

— Je sais que les heures de visite ne sont pas terminées, commença l'infirmier, mais M. Eastman a besoin de repos. Je suis désolé, monsieur, mais il faut que vous partiez, maintenant.

— Très bien, dit doucement Éric, qui savait avoir quasiment poussé James dans ses retranchements. Puis-je rester le temps de poser deux dernières questions ?

L'infirmier n'avait pas l'air d'accord, mais James décréta :

— Vas-y. Je ne suis pas mourant. Je suis en état de répondre à deux questions.

L'infirmier se retira en fermant la porte, et James demanda aussitôt :

— Alors ?

— Premièrement : as-tu réussi à annoncer la mort de Renée à ses parents ?

— J'ai eu Audrey, sa mère, lundi. Elle ne me croit pas. J'ai demandé à parler au père, Gaston, mais elle a prétendu qu'il était en

390

Europe, et qu'il était hors de question que je le dérange. Je ne l'ai pas crue, mais je ne sais toujours pas si Gaston est au courant. Il m'aurait contacté, je pense. Il faut le trouver et lui annoncer la mort de sa fille unique, mais qu'il soit en Europe ou aux États-Unis, je t'en laisse la responsabilité. Je ne suis plus le mari de Renée. Deuxième question ?

Éric envisagea un instant de laisser James tranquille pour le moment, mais c'était impossible. Sans une trace d'émotion dans la voix, il demanda encore une fois :

— Pourquoi n'as-tu pas demandé le divorce quand Renée était encore à Aurora Falls ?

— Avant tout, par arrogance, avoua James en baissant les yeux. Quand je l'ai épousée, j'étais jeune et persuadé d'être meilleur que tout le monde. Je ne voulais écouter personne.

Amer, il laissa échapper un rire.

— Ce que je me trompais ! Je m'en suis rendu compte au bout d'à peine un an de mariage. Mais j'ai quand même refusé de l'admettre. Quand j'ai enfin pris mon courage à deux mains, comme j'aurais dû faire depuis le début, j'ai menacé Renée de divorcer pour adultère. Renée pouvait être discrète quand elle voulait, mais j'aurais eu assez de preuves pour gagner devant un tribunal.

— C'est là qu'elle est partie ?

— Non. Elle pensait que je ne le ferais pas, par peur d'être humilié. Elle m'a menacé de propager des rumeurs sur ma famille, de dire que j'avais abusé de sa personne, physiquement et mentalement. Je ne serais pas allé jusqu'au bout, même si mes parents m'ont dit qu'ils n'avaient pas peur des racontars. Après tout, ils viennent tous les deux d'une famille respectée, établie à Aurora Falls depuis plus d'un siècle. Renée, elle, ne faisait pas vraiment l'unanimité.

— C'est peu de le dire.

— Malgré tout, je repoussais l'échéance. Je pensais ne pas vouloir faire subir une telle humiliation à ma famille, mais en y repensant, je vois que ce n'est qu'en partie vrai. C'est moi qui ne voulais pas subir ça. Voilà la vérité, même si elle est difficile à admettre.

James regarda Éric, la honte inscrite sur son visage, et le shérif lui adressa un signe de remerciement.

— Je sais que ça a dû être pénible à avouer.

— Alors tu comprends.

— Oui, mais... Mon grand-père citait parfois ce passage des Proverbes : « L'arrogance précède la ruine, et l'orgueil précède la chute. » Dans ton cas, James, je pense que ton arrogance passée a causé beaucoup de ruines, et ce n'est pas facile à oublier ou à excuser.

*
* *

Bridget se réveilla en sursaut et regarda son réveil. 23 h 45. Elle bâilla.

Tout à l'heure, elle avait proposé à Ken de venir dormir chez elle, mais il avait craint que Dana ne le devine.

— Elle a pourtant dit qu'elle passait encore la nuit à l'hôpital, avait protesté Bridget.

— Peut-être, mais elle a pu dire ça pour pouvoir rentrer à 2 heures du matin et me trouver absent, avait répondu Ken. Dana n'est pas idiote, et elle a déjà des soupçons sur cette liaison.

— Cette liaison ? Parce qu'il y en a eu combien ?

— Bridget, ça fait longtemps que j'ai épousé Dana, expliqua Ken avec douceur. C'est un mariage difficile, pour ne pas dire malheureux, parfois. J'ai connu d'autres femmes. Des histoires sans lendemain.

— C'était bête de ma part de m'imaginer... Évidemment, un homme comme toi, coincé avec une femme comme elle... Mais je suis au courant, pour Renée Eastman. On dit que tu étais amoureux d'elle.

— Amoureux ? fit Ken avec un rire agressif. Non, Renée n'était rien pour moi.

— Et moi ?

— Je t'aime. Je voudrais qu'il n'y ait eu que toi dans ma vie. Tu le sais. Pourquoi n'as-tu pas confiance, d'un coup ?

— Tu as un comportement bizarre, ces derniers temps. Pas du tout comme au début. Ken, dis-moi la vérité : tu as changé d'idée ? Tu ne veux plus être avec moi ?

— Après tous nos projets pour assurer notre avenir ? Tu crois que je prendrais cette peine pour une femme qui ne représente rien à mes yeux ? Je compte bien me débarrasser de Dana et faire de toi ma femme dès que possible, déclara-t-il d'une voix enflammée.

— Alors, où est le problème ?

— La situation est tendue, Bridget, et je dois être prudent. La galerie Nordine ne m'appartient qu'à moitié. Je ne veux pas perdre la part de Dana.

— Je sais, mais quand tu auras vendu les tableaux d'Arcos...

— Chut. Il nous faut être patients, ma chérie. Tout est trop nouveau pour l'instant, pas assez assuré...

— Tu veux parler de nous ?

— Non, de l'aspect financier, répondit-il brutalement, avant de se radoucir. Si Dana demande le divorce pour adultère, je perdrai la moitié de la galerie, et il n'en est pas question !

— C'est l'inquiétude qui a dû te causer une migraine. Je sais que tu en as marre de parler de ça, mais tu ne peux pas racheter la part de Dana ?

— Pas pour l'instant. Je ne suis pas riche, Bridget.

— Pas encore. Mais comme tu as fait en sorte que Dana ne gagne rien sur les œuvres d'Arcos, tu vas le devenir.

— Je serai à l'aise, mais pas riche. Et ça pourrait mal tourner d'ici là.

— Comment ça ? demanda Bridget, anxieuse. Tu pourrais ne rien toucher sur les tableaux ?

— Ce n'est pas important, pour toi ?

— Euh... Bien sûr que non.

— Tu m'aimes pour moi-même, non ? Tu ne fais pas semblant parce que tu crois que j'ai beaucoup de fric, ou que je vais avoir beaucoup de fric ?

— Ken, tu sais que je ne fais pas semblant. J'ai toujours su que tu n'étais pas riche. Et on ne pouvait pas savoir qu'on aurait un tel coup de chance avec l'exposition Arcos.

— Mais quand on s'est rapprochés, tu me croyais aisé.

— Oui, mais...

— Est-ce que tu m'aimes, au moins ? Ou c'est juste une attirance ? Ou pire, tu ne fais que te distraire ? C'est ça, Bridget, je ne suis qu'une distraction ?

— N'importe quoi ! Je t'aime, Ken !

— C'est facile à prononcer, ces mots.

Pour la première fois depuis le début de leur liaison, Bridget se trouva mal à l'aise. Il était l'homme le plus doux et le plus prévenant qu'elle ait connu. Elle se sentait si bien avec lui, tellement entourée d'amour. Que se passait-il ?

— *Elle* aussi, m'avait dit qu'elle m'aimait, et elle est partie, siffla Ken.

— Elle ? demanda Bridget avec précaution. Tu parles de qui ?

Au bout d'un instant, Ken avait retrouvé une voix normale.

— Excuse-moi, Bridget. J'ai l'air d'un fou.

— Non, répondit-elle sans conviction. Juste différent, comme toute cette semaine.

— C'est le meurtre d'Arcos qui m'a déstabilisé. Il y a tellement de détails à régler pour nous deux... En plus, Dana est une vraie harpie, elle est vraiment difficile à entourlouper. Je dois être sur mes gardes vingt-quatre heures sur vingt-quatre. Je suis fatigué. Je vais prendre mes cachets contre la migraine, et je file au lit.

— Très bonne idée.

— Encore désolé d'avoir été si bizarre. J'ai beaucoup de soucis, mais bientôt, tout ne sera que roses, caviar et bon temps pour Ken et Bridget *Nordine*.

Elle sourit : il savait comment lui faire plaisir.

Ils raccrochèrent et Bridget resta à réfléchir dans le noir. Pourquoi Ken était-il parti en vrille comme ça ? Peut-être les meurtres. Après tout, l'une des victimes était Renée Eastman. À part qu'elle ne signifiait rien pour lui. D'après ses dires, en tout cas.

Bridget poussa un soupir et essaya de se raisonner. La journée avait été difficile. Les visiteurs étaient venus nombreux, et Dana n'était pas là. Ken était simplement épuisé, comme elle. Elle aurait voulu être allongée dans une chaise longue couverte de velours blanc, avec de la musique douce et quel-qu'un pour lui masser les pieds.

Il était tard – ou très tôt – et son énergie faiblissait. Elle n'avait pas envie de se faire plus de souci à propos de Ken. Son mal de tête allait se dissiper. Et il l'aimait. Elle en était certaine. Ce n'était peut-être pas un amour « à la vie à la mort », mais c'était suffisant pour le moment. Plus tard, il aurait tout le temps de grandir... grandir...

Bridget s'assoupit, et se réveilla une heure plus tard. Elle allait se rendormir quand elle entendit une lame de plancher craquer. Toutes les lames de plancher craquaient, dans cette vieille maison. Les changements de température, pensa-t-elle, prête à sombrer à nouveau. Encore un craquement. Il devait faire de plus en plus froid. On était fin octobre, il faisait plus froid que d'habitude dehors, et elle était éveillée à une heure où, d'habitude, elle était en plein sommeil et n'entendait rien.

Crac. Plus près, cette fois. *Crac.*

Bridget se redressa dans son lit. L'air était tiède, mais d'un coup, elle eut la chair de poule.

Je ne suis pas toute seule dans la chambre, pensa-t-elle soudain.

Elle regarda les rideaux. C'était un modèle peu coûteux, doublé de voilage, qui laissait passer un peu de lumière du lampadaire proche. Derrière, elle distingua une ombre.

Non, pas juste une ombre. Une silhouette d'être humain.

En silence, elle tendit la main vers sa table de nuit. Dans le tiroir, elle gardait un revolver .22 donné par un ancien amant pour qu'elle soit en sécurité. Il lui avait même appris à s'en servir, et elle était bonne tireuse.

Le tiroir ne fit presque pas de bruit en s'ouvrant. Elle effleura des doigts le métal froid de l'arme...

Avant qu'elle puisse refermer la main sur la crosse, la silhouette bondit sur elle, lui appuya un chiffon sur le nez et la bouche, et lui enfonça la tête dans l'oreiller. Elle se débattit vainement sous les draps, mais elle n'arrivait pas à bouger la tête. Elle ne pouvait plus retenir son souffle, et inspira un tout petit peu une odeur sucrée, écœurante. Elle essaya encore de se débattre, mais cela ne faisait que lui couper le souffle encore plus. Dans sa bouche, sa gorge, ses poumons, s'insinua la senteur sucrée.

Et Bridget trouva enfin le sommeil.

CHAPITRE 17

— L'infirmière à domicile arrivera à 10 heures demain matin, pour tout préparer.

Au téléphone, Dana attendit la réponse de son mari.

— Ken, tu m'entends ?

— Une infirmière à domicile ? s'étonna-t-il vaguement.

— Oui. Mary sort demain vers 11 heures. Ne me dis pas que tu as oublié.

— Non, non. Une infirmière ?

— Je te l'ai dit hier, je ne me sens pas capable de m'occuper de Mary tout de suite, alors l'hôpital m'a donné une liste d'infirmières, et j'en ai embauché une pour qu'elle reste deux jours. Ou trois. Honnêtement, je serais plus tranquille si elle pouvait rester toute la semaine. Ken ? Tu m'écoutes ?

— Hein ? Oui. Une infirmière, pour Mary.

— Ken, qu'est-ce qui se passe ?

— Bridget n'est pas là aujourd'hui.

— Pourquoi ?

— Je ne sais pas. Elle n'a pas appelé. Au bout d'une heure de retard, je l'ai appelée, mais je n'ai eu que sa messagerie.

— Oh, elle aura eu une urgence. Un problème familial.

— Elle n'a pas de famille par ici. Et de toute façon, elle m'aurait appelé. J'ai réessayé trois fois, et elle n'a pas décroché. Dana, elle a plus de trois heures de retard ! cria-t-il.

Bridget avait été en retard deux fois depuis son embauche, mais elle avait toujours appelé pour s'excuser. Malgré tout, la colère envahit Dana. Ken n'avait pas l'air frustré ou énervé, mais inquiet.

— Je suis sûre qu'elle va très bien.

— Tu n'en sais rien !

— Toutes les Bridget du monde vont bien, en général, Ken.

En temps normal, il aurait réagi avec agressivité à ses sarcasmes, mais là, il ne parut pas les remarquer. Le silence se fit pesant.

— Ken, arrête de t'en faire pour Bridget. Elle aura une très bonne excuse pour avoir du retard et ne pas avoir prévenu.

— Tu crois vraiment ?

Quel salaud ! pensa Dana. Ne pouvait-il pas dissimuler ses sentiments pour elle, même en parlant à sa femme ?

— Oui, Ken. J'en suis certaine. Maintenant, on peut reparler de notre fille ?

* *
*

En rentrant chez elle, Catherine admira par la vitre la clarté du bel après-midi d'automne. Après seulement trois heures de sommeil dans la nuit et avec le mal de tête écrasant qu'elle tenait, elle aurait dû annuler la plupart de ses rendez-vous de la journée. Cependant, elle avait tenu à voir deux patients en début d'après-midi, car ils avaient atteint un moment important de leur thérapie. Son sens des responsabilités l'avait emporté sur sa fatigue. Les séances s'étaient bien déroulées, surtout une, qui avait permis à un patient des progrès essentiels ; elle était très contente de ne pas avoir reporté ces rendez-vous. Après James et Marissa, les patients étaient sa priorité.

Quand elle avança dans le garage, il était presque 16 heures. Elle se sentait presque trop fatiguée pour sortir de la voiture. Elle avait envie de refermer les portes automatiques, s'allonger sur le siège avant, et s'endormir pour huit heures.

Voilà qui ferait du bruit, se dit-elle en souriant. Le policier de garde la penserait dans la maison. Marissa rentrerait, et en se garant, la verrait étendue dans la voiture et péterait un plomb. Catherine sortit de la voiture et franchit la porte menant à la cuisine, laissant ses pensées vagabonder. Elle imagina des véhicules convergeant vers sa maison, sirènes hurlantes et gyrophares dehors. Éric viendrait, bien entendu. Et Robbie. Des infirmiers. Les policiers délimiteraient la scène du crime avec des tonnes de rubans. Si les journalistes avaient vent de l'affaire, des vans de chaînes télévisées débarqueraient, avec des reporters et des cameramen. Steve Crown et sa femme, toujours vigilants, seraient postés à leur fenêtre, et Steve aurait envie d'intervenir, alors qu'il n'était pas tout à fait remis de l'agression d'Arcos...

Lindsay aboya, ce qui la tira de sa rêverie mouvementée.

— Bonjour, Lindsay, dit Catherine au deuxième aboiement. Marissa arrive bientôt.

Lindsay déposa à ses pieds sa peluche et remua la queue avec l'air d'attendre.

— Bon, tu es peut-être contente de me voir quand même.

Catherine gratouilla la chienne entre les oreilles, touchée par l'affection qu'elle lui témoignait. Ces derniers jours, elle avait vécu tellement d'horreurs, de doutes et de peurs qu'il ne lui fallait guère plus pour la faire craquer.

— Aïe, je crois que je suis au bord d'une crise de larmes, dit-elle avec un rire nerveux. Tu viens te reposer à mes côtés, Lindsay ?

Deux heures plus tard, Marissa rentra du travail et trouva Catherine sur son lit, en sous-vêtements, pelotonnée contre Lindsay, et à moitié couverte d'une couette. La chienne remua la queue doucement, mais ne marqua pas d'intention de se lever. *Que c'est mignon*, pensa Marissa. Elle s'approcha du lit.

— Je suis confuse, Lindsay, mais ta chère Catherine est attendue quelque part, et je suis sa cavalière. Je te promets de la ramener saine et sauve.

Elle secoua doucement sa sœur.

— Réveille-toi, la belle au bois dormant. Nous avons une répétition de mariage.

Catherine gémit doucement.

— Je suis désolée. Tu as donné ta parole, et tu ne romps jamais une promesse si tu peux l'éviter. Il va falloir émerger, là.

Catherine grogna, les yeux délibérément fermés.

— On doit être à l'église dans une heure.

Catherine ouvrit les yeux d'un coup.

— Oh non, merde, fait chier !

Marissa recula d'un pas, submergée par l'hilarité. Il était rare que sa sœur utilise des gros mots, et encore plus rare qu'elle crie comme ça. Même Lindsay bondit et sortit de la chambre.

— Tu veux dire que tu n'as pas envie de te lever, ou qu'il vaut mieux que je décampe tant que je suis encore en vie ?

Catherine finit par focaliser son regard sur sa sœur.

— Oh, Marissa, articula-t-elle, avant d'arrondir les yeux. Oh, pardon !

Catherine rabattit la couette et se redressa d'un air morne, demandant d'une voix toute piteuse si la répétition était vraiment dans une heure. Elle gémit à la réponse affirmative de Marissa, et celle-ci la prit en pitié.

— Bon, écoute, tu es épuisée. Tu n'as qu'à me laisser prendre ta place, ce soir. Tu me montres ce qu'il y a à faire, c'est-à-dire pas grand-chose, et tu te recouches.

— Non, répondit Catherine à contrecœur. Patricia compte sur moi, et je ne veux pas la décevoir. Je ne peux pas rater la répétition, après tous ses préparatifs pour que son grand jour soit parfait. Après une petite douche, je serai une nouvelle femme.

Après exactement cinquante minutes, Catherine redescendit, vêtue d'une robe en soie grenade moirée à manches longues, une large ceinture dorée soulignant sa taille fine. Elle portait deux rangs d'or torsadé et des boucles d'oreilles assorties. Marissa, qui l'attendait dans le fauteuil face à l'escalier, s'exclama :

— Tu es splendide ! Si seulement James pouvait te voir dans cette robe.

Catherine s'avança dans le séjour et se regarda dans le miroir au-dessus du foyer. Elle fit bouffer ses cheveux et essuya une tache de rouge à lèvres au coin de sa bouche.

— Oh, il la verra. Je ne suis pas du genre à porter une robe une fois pour la jeter après. Vu le prix que je l'ai payée, je la porterai encore dans vingt ans.

— Si tu n'as pas pris vingt kilos d'ici là. Tu manges des quantités impressionnantes, en ce moment.

— C'est le stress. Quand tous ces problèmes seront réglés, je régulerai mon appétit. Je vais essayer de faire bonne figure ce soir, pour Patricia et pour Ian. Il a l'air content que son père se remarie enfin. Malgré tout ce qui se passe, même James qui a failli être tué, je veux quand même que ce mariage soit aussi joyeux que possible.

— Catherine, tu es une sainte.

— Tout à fait, répliqua celle-ci avec le plus grand sérieux. Maintenant, je veux que tu te montres souriante, charmante, et que tu fasses honneur à l'exemple donné par ta grande sœur.

Les deux sœurs n'eurent que dix minutes de retard à l'église. Patricia était nerveuse et tournicota sans fin ses cheveux blonds. Elle exprima son horreur au sujet de l'agression contre James, et ajouta qu'elle avait eu peur que Catherine décide de ne pas assister à la cérémonie. Lawrence, calme et charmant, posa des questions sur James, maudit le tireur, et remercia Catherine de remplir quand même sa tâche de demoiselle d'honneur.

Ian, qui était le témoin de Lawrence, se montra très plaisant. Il garda avec lui Robbie, timide tout à coup, pendant qu'il parlait avec son père et des amis, garçons d'honneur eux aussi ; Catherine apprécia qu'il ait eu la délicatesse de ne pas la reléguer sur un banc. Robbie portait un fourreau simple couleur ardoise avec un rang de petites perles et des boucles d'oreilles assorties. Sa belle constitution et sa peau lisse permettaient de la qualifier de jolie, mais Catherine avait envie de défaire toutes les épingles de ses cheveux, pour libérer sa chevelure acajou de son chignon habituel, et de maquiller ses grands yeux bleu foncé. En un quart d'heure, elle aurait pu passer de jolie à belle.

Catherine remarqua aussi Tom, le policier assigné à sa protection depuis aujourd'hui. Il passait inaperçu avec aisance, mais son regard aiguisé parcourait sans arrêt la pièce, sans manquer de se poser sur elle. Elle lui faisait confiance, et se sentait rassurée qu'il soit là. Elle ne pouvait cesser de penser que si quelqu'un cherchait à venger la mort de Renée, elle était une cible potentielle à la folie meurtrière d'un autre Arcos. Après tout, il était de notoriété publique qu'elle aimait James...

Le prêtre apparut et annonça qu'ils allaient procéder à la répétition. Un instant, Robbie ne sut pas quoi faire, ce qui se comprenait : elle ne connaissait que Catherine, Ian et Marissa. Elle se dirigea vers le fond de l'église, mais Marissa la retint et s'assit à côté d'elle sur un banc plus proche de l'autel. En quelques secondes, elle la faisait rire. *Ah, Marissa*, pensa Catherine. Parfois, elle la rendait folle en se montrant têtue, fonceuse et impulsive, mais en général, elle était impressionnante d'empathie. Catherine avait envie de l'embrasser pour la remercier d'avoir senti que Robbie n'était pas à son aise, et de s'être aussitôt mise à bavarder et plaisanter avec la jeune policière.

La répétition se déroula avec tant d'aisance qu'on l'aurait crue rodée des centaines de fois. Patricia ne trahit sa nervosité que par une voix légèrement tremblante, et Lawrence envoya quelques traits d'humour au jeune prêtre, un peu compassé. Ian, détendu, sourit aux futurs mariés ainsi que, de loin, à Robbie.

Pour le dîner, Lawrence avait réservé l'une des petites salles de la luxueuse auberge Larke Inn. Ainsi que l'avait expliqué Patricia en riant à Catherine :

« Lawrence s'occupe du dîner de répétition, et je me charge du mariage. On ne demande pas d'aide aux amis, et encore moins à une organisatrice de mariage. Voilà ce qui arrive, quand deux personnes qui veulent tout régenter se marient !

— Vous avez tout à fait raison, avait répondu Catherine. Comme ça, le mariage sera entièrement à votre goût. C'est ce que je voudrais... enfin, un jour. »

Elle avait rougi de s'être ainsi dévoilée, mais Patricia s'était contentée de sourire, et n'avait pas fait d'allusion déplacée. Beaucoup la trouvaient sans-gêne, mais Catherine appréciait qu'elle se montre compréhensive aux bons moments.

En à peine une heure, la cérémonie était parfaitement au point, et tout le monde partit pour le Larke Inn. Patricia avait tenu à un petit nombre d'invités, mais il y avait tout de même des membres de la famille et des amis. Catherine estima qu'une quarantaine de personnes étaient présentes dans la salle.

Une façade entièrement vitrée orientée à l'ouest donnait sur les chutes d'Aurora. L'eau cascadait magiquement sous des lumières blanches placées avec art, et les invités venus de loin s'extasièrent en découvrant cette vue magnifique.

Dehors, il faisait plus froid que d'ordinaire, mais la salle donnait un sentiment de chaleur, avec ses lambris en noyer et son éclairage ambré. Sur les tables, des nappes de lin doré étaient décorées de grosses bougies jaunes entourées de feuilles d'érables en soie bordeaux et orange. D'un côté de la porte, une table ronde en verre accueillait un immense bouquet comprenant lys tigrés des mêmes couleurs, tournesols, asters mauves et mufliers rouges. Là aussi, des feuilles d'érables étaient éparpillées autour, comme si elles venaient de tomber d'un arbre. Une vingtaine d'étoiles iridescentes pendaient du plafond, en hommage aux invités de la compagnie Star Air de Lawrence.

— Vraiment magnifique, murmura Marissa en entrant. Catherine, tu es sûre qu'ils n'ont pas fait appel à des professionnels pour la décoration ?

Catherine regarda Lawrence, un verre à la main, image de la sociabilité professionnelle détendue, acquise avec de longues années de pratique. Près de lui, Ian souriait, pressant la main de Robbie dans la sienne. Ils forment un très beau couple, pensa-t-elle en regardant la lueur dans les yeux bleus de la policière. Elle était intelligente, raffinée et jolie, tout en restant sympa et pas du tout autocentrée comme les filles que Lawrence le poussait à fréquenter.

— Vous êtes bien Cathy Gray ?

Elle sursauta en se faisant prendre le bras par une petite femme grassouillette, qui l'apostrophait déjà par son surnom sans la connaître.

— Oui, je suis Catherine Gray.

— Moi, c'est Maud Webster, annonça la femme avec l'air de quelqu'un qui connaît tout le monde. Mon mari Ed est vice-président de Star Air.

— Enchantée, madame Webster.

— Appelez-moi Maud. Ed m'a dit que vous êtes la seule demoiselle d'honneur. C'est parce que Patricia n'a pas de parentes proches, avec sa sœur qui est morte.

— Elle a des grand-tantes.

— Oh, bien trop vieilles pour la fonction.

Sur son passage, Maud Webster poussa sans ménagement Ian et Robbie, qui adressèrent un sourire compatissant à Catherine, puis se dirigèrent vers un groupe de jeunes gens. Maud tenait un verre de Martini, et ça ne devait pas être son premier.

— D'après Lawrence, Patricia a choisi une « sacrée belle fille » comme demoiselle d'honneur, et il ne pensait pas que c'était une très bonne idée, dit Maud à pleins poumons, alors que Patricia était à portée d'oreilles. Il ne faut pas être plus belle que la mariée, et vous, pas de doute, vous allez lui faire de l'ombre.

— Je ne sais pas, mais... commença Catherine, qui se sentit rougir.

— Oh, pas de coquetterie avec moi, Cathy ! Au fait, ce n'est pas vous qui avez retrouvé un cadavre, il y a quelques jours ? ajouta Maud, essayant d'avoir l'air de s'en souvenir à l'instant. Mais oui, Ed m'en avait parlé. C'était le cadavre de la femme de votre amant ! Et assassinée, en plus !

Catherine resta sans voix face à la grossièreté de Maud Webster, mais Marissa, remontée, se tourna vers elle.

415

— Ma sœur est la compagne de James Eastman, qui est divorcé.

— Mais le cadavre était celui de sa femme ! Ou de son ex-femme, si vous voulez chipoter, fit Maud en rejetant la remarque de Marissa d'un revers de main dodue. Sapristi, Cathy, ça a dû être un choc ! Je ne sais pas ce que je ferais, si je trouvais un corps. Je crierais sans m'arrêter, sans doute. Je suis trouillarde.

— Catherine, tu es très belle, ce soir, intervint Patricia, qui s'interposa entre elle et Mme Webster. Celle-ci reprit son souffle pour poursuivre :

— Cathy et moi, on parlait...

— C'est dommage que James ne soit pas là, la coupa Patricia sans lui accorder un regard.

— Il est désolé, il aurait aimé venir.

— Tu l'as eu, ce soir ?

— Oui, je l'ai appelé en partant pour l'église, répondit Catherine.

— Comment il va ?

— Plutôt pas mal.

— Ah, tant mieux ! Il m'impressionne. C'est vraiment un homme remarquable !

Tout en s'extasiant comme si James avait gagné le décathlon aux Jeux olympiques, Patricia s'approcha de Catherine, faisant encore reculer Mme Webster. Elle demanda, d'un ton léger :

— Et ce soir ? Il fait la fête dans sa chambre ?

Mme Webster essaya de regagner sa place, le regard très déterminé. Catherine se détendit et répondit à Patricia sur le même ton :

— Il n'en est pas là, je pense. Il a dit qu'il allait regarder des documentaires, mais je parierais plutôt sur un téléfilm romantique.

— Oh, il ne voudra jamais le reconnaître !

— Je sais, mais j'ai déjà vu la saga en question. Je lui poserai une question piège demain, et je parie qu'il se trahira.

— Je n'en serais pas si sûre. C'est un excellent avocat.

— Ah, il est cachottier, comme ça ? brailla Mme Webster.

— Maud, te voilà, je t'ai cherchée partout ! dit un homme d'aspect agréable, qui, avec un sourire forcé, posa une main ferme sur le bras potelé de sa femme.

— J'étais là, avec Catherine ! C'est Cathy Gray, tu sais, celle qui...

— Enchanté, Catherine, s'imposa Ed Webster d'une voix forte, en entraînant son épouse avec lui. Allons saluer les Sutpin, ma chère.

— Je ne peux pas me l'encadrer, Adele Sutpin. Je te dis que c'est Cathy qui...

— Harold ! Adele ! Belle fête, n'est-ce pas ? s'exclama Ed en faisant signe à un couple, dont l'expression piteuse était celle de gens pris en pleine tentative de fuite.

— Mais ça va pas, Ed ? s'énerva sa femme. Je voulais parler à Cathy, elle a trouvé la femme morte la semaine dernière.

Sans tenir compte de ses protestations, Ed Webster la guida vers les infortunés Sutpin, qui ne parvinrent pas à la porte.

— Vous croyez qu'elle était déjà comme ça quand Ed l'a épousée ? demanda Catherine.

Marissa et Patricia éclatèrent de rire.

— Elle est insupportable, hein ? convint Patricia. Ed est sympa, en revanche, et il est très bien placé chez Star Air, alors Lawrence m'a donné pour mission d'être très gentille

418

avec lui. Mais il n'a rien dit sur Maud. Je pense que je vais dire au bar d'arrêter de lui servir de l'alcool.

— J'espère qu'elle ne dira pas à Ed que j'ai été impolie, s'inquiéta Catherine.

— Tu n'as pas été impolie, et je ne pense pas qu'Ed t'en voudrait si tu l'étais. D'après Lawrence, il pense que tu es « une femme de rêve ». Tu l'as conquis !

— Oh, c'est un syndrome post-traumatique, du fait de vivre avec Maud.

— Ah, Catherine, toujours à se sous-estimer, rit Patricia. Pas étonnant que James soit aussi amoureux. Excusez-moi, Lawrence me fait signe. Sans doute un gros bonnet à saluer ! Ne vous inquiétez pas : plus qu'un quart d'heure de conversations polies, et on pourra passer à table. Je meurs de faim.

Catherine avait redouté le dîner sans James, se disant qu'elle ne ferait que s'inquiéter pour lui pendant toute la soirée. Elle n'avait pas prévu de se faire cuisiner par Maud Webster, et ce n'était pas plaisant. Mais avec Marissa comme escorte, la soirée se révéla sympathique.

Les deux heures suivantes passèrent vite, avec un excellent repas et de nombreux toasts portés aux mariés. Catherine n'était pas tranquille quand, à son tour, elle dut trinquer, n'étant pas très proche de Patricia, mais Marissa trouva son petit discours « honnête et chaleureux sans être tire-larmes ». Comme elle était la spécialiste de l'écriture dans la famille, et qu'elle n'y avait pas contribué, Catherine fut flattée. Ian s'exprima plus longuement, avec éloquence et affection pour son père et sa tante, se réjouissant qu'ils deviennent mari et femme. Il leva son verre de champagne. Son père sourit et Patricia essuya une larme.

— Éric et James auraient apprécié la fête, dit Catherine en milieu de repas, sur un ton de regret.

— Pas vraiment, avec tout ce qui s'est passé. Je sais que c'est égoïste, mais je m'inquiète de l'influence que ça va avoir sur l'élection du shérif.

— Éric fait un très bon travail sur l'enquête.

— Tout ce que les gens voient, c'est qu'il n'a pas encore retrouvé...

— Le tueur. Tu peux le dire.

— Je sais, je n'avais pas envie d'aborder un sujet déplaisant ce soir.

— Déplaisant ? Tu es sûre que c'est le mot qui convient ?

— D'accord. Atroce.

— Bon, peut-être que les... événements récents ne jouent pas en sa faveur, mais le concurrent en lice n'a rien d'exceptionnel, et il a fait ses preuves à la police de Philadelphie. En plus, c'est lui que Mitch Farrell voulait pour successeur, et il est très respecté et apprécié. Et dans tous les cas, Éric est jeune, donc il aura toujours l'occasion de se représenter en cas de défaite.

— Dis donc ! Entre ton discours de demoiselle d'honneur et ton petit speech de réconfort, tu tiens la forme, ce soir !

Autour d'elles, tout le monde semblait passer un bon moment. Lawrence renversa un verre de vin, mais Patricia le redressa et glissa une serviette sur la tâche d'un geste délicat, sans perdre un instant le sourire. Lawrence ne s'aperçut de rien. Catherine ne l'avait jamais vu être déraisonnable avec la boisson, mais ce soir, c'était une occasion exceptionnelle, et il était très rouge et très gai.

Peu après, Patricia bâilla, puis attira l'attention sur sa fatigue en riant et feignant d'étouffer un nouveau bâillement.

— Excusez-moi ! s'écria-t-elle. J'ai une journée chargée qui m'attend demain.

— La cérémonie n'est qu'en fin d'après-midi, lui rappela quelqu'un. Tu peux te lever tard.

— Oh, je ne me lève jamais tard, alors surtout pas la veille de mon mariage.

Les invités comprirent le sous-entendu, constatèrent qu'il était déjà 23 heures, et reconnurent, endormis par le repas et le vin, que la soirée à venir serait bien plus éprouvante. Ce fut comme si un gong avait sonné : on commença à s'agiter dans son siège, puis les gens prirent congé des futurs mariés, en leur assurant qu'ils étaient impatients d'être au mariage, qui promettait d'être superbe.

Les deux sœurs s'avançaient vers eux, quand Marissa avertit Catherine :

— Attention, voilà Maud Webster.

Celle-ci afficha une expression satisfaite en les apercevant.

— Elle va encore poser des questions sur Renée, se désola Catherine.

— Qu'est-ce qu'on fait ?

— On joue les impolies et on file sans dire au revoir. Patricia et Lawrence ne nous en voudront pas. Lawrence a l'air prêt à tomber.

Marissa signala au policier qu'elles partaient vers la porte, et tira sur le bras de Catherine.

— Vite ! Elle nous rattrape !

Elle imprima à leur fuite un rythme effréné et hilare, qui donna le tournis à Catherine ; tous trois franchirent les portes en courant et dévalèrent les marches du perron de l'auberge pour ne s'arrêter que sur le large trottoir.

— Il gèle ! se plaignit Catherine.

— Heureusement qu'on n'est pas venues en décapotable.

— J'espère que tu aurais au moins eu le bon sens de remonter le toit et de mettre le chauffage à fond. Mais je suis très bien, avec ma berline bien confortable.

— Qui est à quelques mètres de nous. C'est pas vrai, tu as une voiture moins grosse que les autres, mais c'est la seule à avoir l'arrière qui déborde.

— C'est bon, je n'évalue pas bien les distances. Et de toute façon, je ne bloque personne.

— Mais ça fait trois ans que tu as cette voiture. Tu ne sais toujours pas te garer correctement avec ?

— Euh, tu veux rentrer à pied ?

— Non.

— Alors pour une fois, arrête de critiquer ma conduite !

— Bon, pardon. Et excuse-moi de demander pardon. Rien ne te satisfait, ce soir.

— Je suis épuisée, et j'ai très mal à la tête.

— Tu t'énerves toujours quand tu es fatiguée, remarqua Marissa, comme si sa sœur était une jeune enfant. D'ailleurs, si tu m'avais plantée là, Tom m'aurait ramenée.

— Je ne sais pas comment fait Éric pour te supporter, conclut Catherine.

— Oh, il s'accommode de moi.

Catherine n'avait pas fermé sa voiture à clé. Elle ouvrit la portière et resta stupéfaite quand la lumière intérieure s'alluma.

— Ça alors... Tom ?

Le policier s'approcha, pistolet en main.

— Oui, madame Gray ?

— Le siège. Regardez mon siège.

— Qu'est-ce qu'il y a ? demanda Marissa en reculant.

— Je crois que c'est le masque porté par Renée pour *La Dame de carnaval*.

CHAPITRE 18

— Cette bonne femme tournicote dans la chambre de Mary depuis deux heures ! C'est insupportable !

Dana Nordine regarda longuement son mari, toujours beau malgré ses traits tirés, et répondit sans hausser le ton :

— Cette « bonne femme » s'appelle Mme Greene, et c'est l'infirmière que j'ai fait venir. Mary rentre après une opération gravissime, au cas où tu aurais oublié. Elle prépare la chambre.

— Alors elle partira dès que Mary sera rentrée ?

— Mais non, Ken, elle va rester au moins soixante-douze heures. À temps complet.

— Trois jours et trois nuits ?

Dana s'exhorta au calme.

— Mary pourrait avoir un problème, aussi bien de nuit que de jour.

— Et si elle a un problème pendant la nuit, tu ne peux pas appeler une ambulance ?

— Ce n'est pas ce que je veux.

Dana et Ken s'étaient retrouvés devant la chambre d'hôpital de leur fille. À l'intérieur, une infirmière demandait à la petite comment ranger ses vêtements, son chien en peluche, et ses bouquets en voie de fanaison pour le voyage de retour. Mary répondait avec animation. Dana emmena Ken hors de portée de voix et commença :

— Mary est ta fille. J'espérais que tu aurais la même réaction que moi : elle mérite les meilleurs soins possibles. Après tout, on a les moyens de se payer les services d'une infirmière libérale pour trois jours. Ou elle te drague déjà ?

— Me draguer ! répéta Ken, horrifié. Elle a 70 ans et un nez de cochon ! Je n'ai jamais vu des narines aussi énormes !

Dana finit par rire.

— Je pense que tu es le seul à t'intéresser plus à l'apparence physique du personnel

427

médical qu'à ses compétences. Mme Greene ne va pas rester longtemps, et tu ne seras pas obligé de la regarder si tu la trouves répugnante à ce point. Elle est recommandée par le médecin, elle a d'excellentes références, et les enfants l'adorent.

— Je m'en fous, de ses références. Je veux dire, je suis sûr qu'elles sont suffisantes pour s'occuper d'une gamine qui se remet d'une simple appendicectomie.

— Alors c'est quoi, ton problème ? On croirait que tu viens de découvrir un vol de tableau.

— En fait, j'ai fait une grosse vente ce matin, mais... Tu te rends compte, Bridget n'a toujours pas reparu ! Zéro appel, zéro texto !

Zéro sexe, pensa Dana. Mais ce n'était pas le moment de lancer une deuxième dispute.

— Tu es allé chez elle ?

Elle savait qu'il avait dû le faire, mais autant faire comme si elle avait le moindre intérêt pour Bridget Fenmore, au moins le temps d'installer Mary à la maison.

— Oui, une ou deux fois.

Compter vingt, pensa Dana.

— Il n'y a pas de trace d'elle. Le courrier et les journaux s'entassent.

— Et sa voiture ?

— Quoi, sa voiture ?

— Elle est là ?

— Oui, dans le garage. J'ai regardé par la fenêtre, expliqua-t-il en détournant les yeux.

Dana savait, pour être allée une fois à la petite maison de Bridget, que le garage n'avait pas de fenêtre. Ken avait sa clé, et il n'avait pas vu sa maîtresse à l'intérieur. Pour voir la voiture, il avait dû passer par la cuisine.

— Tu as appelé ses parents ?

— Je ne sais pas où ils habitent. Ils sont peut-être morts, elle n'en parle jamais.

— Elle l'a peut-être dit pendant son entretien d'embauche, mais je suppose qu'une fois que tu l'as regardée, ce genre de détails ne t'a pas intéressé.

— Tu fais un peu trop ta maligne à mon goût, ces derniers temps. Ça veut dire quoi, ce nouveau ton ?

— Je n'ai pas envie d'en parler avec toi.

— Ah bon ?

— C'est comme ça. Et ses amis ?

Ken la regarda d'un air vide.

— Tu as contacté ses amis ? explicita Dana.

— Qu'est-ce qui te fait penser que je connais ses amis ? Elle n'est que notre employée. On ne passe pas notre temps libre avec elle.

Voilà qui s'appelle être sur la défensive, pensa Dana.

— Elle m'a parlé d'une amie, une fois, dit-elle à voix haute. Si elle n'est pas dans l'annuaire, il va falloir que tu appelles la police.

— Quoi ?

— Il faut bien signaler la disparition de Bridget, si tu es si certain qu'elle n'a pas juste décidé de rallonger son week-end.

— Elle n'est pas là depuis jeudi. Tu appelles ça un long week-end ? Elle aurait été où, d'abord ? Et avec qui ?

— On ne dit pas « elle aurait été », mais « elle serait allée ». Sinon, aucune idée, tu la connais bien mieux que moi.

Dana s'attendait à des dénégations outrées, mais Ken devait être trop fatigué.

— Bon, Ken, je veux faire sortir notre fille d'ici.

— Je suis venu signer les papiers. C'est fait. Maintenant, il faut que je retourne à la galerie. Toi et Machine, vous pourrez ramener Mary à la maison.

Dana inspira avec lenteur, le temps d'être capable de parler plutôt que de crier de rage.

— Ken, tu pourrais faire semblant de te sentir concerné. Après tout, il ne faudrait pas te faire une mauvaise publicité. Je veux que tu sois avec nous pendant l'heure qui vient. Si tu n'es pas là, je ferai en sorte que la moitié du personnel hospitalier sache que tu te fiches complètement de ta fille.

— Ne me menace pas.

— Ne me déçois pas.

— Tu veux dire : « Ne me désobéis pas. »

Dana se surprit elle-même en répondant par un sourire.

— Tu as amélioré la précision de ton vocabulaire, depuis le temps où tu étais manutentionnaire dans un des magasins de mon père. Je repère toujours des fautes de grammaire par-ci, par-là, bien sûr.

— Putain, Dana...

— Soit tu restes ici, soit tu reviens dans l'heure, le coupa-t-elle. Mary n'en peut plus d'impatience de voir son père. Et n'oublie pas qu'on t'a beaucoup plus à l'œil depuis le meurtre d'Arcos.

Elle se rapprocha pour ajouter d'une voix sifflante :

— Ne gâche pas tout à cause de Bridget Fenmore.

*
* *

Éric se tenait devant la maison des Gray, képi à la main. Il n'eut pas le temps de sonner que Catherine, l'air épuisé, lui ouvrit la porte.

— Tu sais d'où il sortait, ce truc ? demanda-t-elle.

— Le masque ? Non. Pas pour l'instant, ajouta-t-il devant son air dépité. Je peux entrer ?

— Oh, pardon.

Elle s'effaça, et il aperçut Lindsay qui cherchait à voir, assise dans l'entrée.

— Quel chien de garde redoutable vous avez, toutes les deux.

— C'est la chienne de Marissa, tu ne te rappelles pas ? Allez, je vais suspendre tes affaires. Marissa, Éric est là !

Elle criait. Éric, qui l'avait toujours vue pleine de retenue, en conclut qu'elle était complètement sur les nerfs. Il fut soulagé que Marissa vienne se jeter dans ses bras.

— Notre chevalier ! Dis-nous tout sur cet horrible masque !

— J'ai appelé tout à l'heure, mais...

— James s'est refait mal, expliqua Catherine sans prendre de gants. Il s'est levé dans la nuit, il devait avoir une crise de somnambulisme, et...

— Il n'y a pas beaucoup de dommages à l'épaule, intervint Marissa sans même regarder sa sœur, qui commençait à pleurer. Il a dû subir une deuxième opération, mais il s'agissait seulement de refermer des points qui s'étaient ouverts. L'incision d'origine s'était agrandie, mais avec quatre points de plus...

— Cinq ! la corrigea Catherine.

— ... Avec cinq points de plus, c'était réglé. Il est sous analgésiques, et ça l'endort plus ou moins. D'après le médecin, ça ne retarde sa guérison que d'un jour ou deux.

— Tu parles, elle a dit ça pour me faire plaisir, maugréa Catherine.

— Non. Tu crois qu'elle irait te taper dans le dos et te raconter qu'il va se remettre si ce n'était pas vrai ? Elle connaissait papa, quand même !

— Et alors ?

— Eh bien, c'est une question de respect, de professionnalisme, je sais pas, moi !

— C'est bien embêtant pour James, dit Éric. Il est somnambule ?

— Pas que je sache, répondit Catherine.

— C'est peut-être une réaction à sa blessure, ou à un médicament.

— Bon, Catherine, calme-toi, dit gentiment Marissa. Monte pleurer un bon coup, histoire de te déstresser.

— Je ne pars pas avant d'en savoir plus sur le masque.

Marissa poussa un soupir. Elle avait l'air presque aussi fatiguée que Catherine, et deux fois plus exaspérée. Elle s'efforçait toutefois de garder sa bonne humeur.

— Bon, Éric, il va falloir que tu nous révèles ce que tu sais dans les moindres détails, sinon, on n'aura pas la paix, et une petite sieste avant le mariage ne serait pas de trop pour quelqu'un de ma connaissance...

— Alors ? le pressa Catherine.

— Le masque est en plastique. On n'a pas trouvé d'empreintes. La colle de la dentelle n'était pas tout à fait sèche.

— Et la peinture ?

— C'était de la peinture au latex, comme pour les maquettes. Sur du plastique, ça peut sécher en une heure.

— Donc tu ne peux pas déterminer quand on a peint l'étoile.

— Non. On va tester la colle et la peinture lundi, mais là, je peux seulement te dire que le masque a sans doute été décoré hier. En tout cas, tu sais qu'il ressemble à celui de *La Dame de carnaval*.

— Oui, même si je n'ai vu le tableau qu'une fois.

— Où peut-on trouver ce genre de masque, par ici ?

— À Aurora Falls ? demanda Éric. Je ne sais pas, mais on approche d'Halloween. On est en train de vérifier si les boutiques n'ont pas vendu un masque blanc de ce genre,

mais ça se commande du jour pour le lendemain sur Internet. Quand on veut faire ce
genre de chose, on préfère se faire livrer
plutôt qu'être reconnu dans un magasin.

— Ça pourrait être celui que portait
Renée ?

— Si elle a vraiment mis le masque pour
poser devant Arcos, il aurait pu le garder
pour des raisons sentimentales. On ne l'a pas
trouvé lors de nos fouilles après le meurtre,
mais il aurait pu être détruit. Et même si le
masque n'était que le produit de son imagination, il a pu être reproduit de façon à y
ressembler.

— Alors la question importante, c'est qui
ferait ça ? dit Marissa.

— Oui. Nous avons la liste des invités
d'hier. Catherine, vous en connaissiez ?

— Ouh là, non ! Il y avait beaucoup de
relations de travail de Lawrence. On me les
a présentés, mais je ne me souviens plus
trop des noms.

— À part celui de Maud, glissa Marissa.

— Ah, elle, je ne l'oublierai jamais.

— Qui est-ce ?

— Maud Webster, la femme du vice-président de Star Air, expliqua Catherine. Elle était curieuse, et d'un sans-gêne ! Elle avait dû boire un coup de trop, mais elle ne doit pas être mieux sobre. Elle voulait absolument savoir ce que ça m'avait fait de découvrir le corps de la « femme de mon amant ». Elle parlait très fort, et tout le monde l'entendait. Marissa et Patricia ont essayé de s'interposer, mais rien à faire. C'est son mari, Ed, qui l'a entraînée vers les Suskin, ou les Sutpin. Ils avaient l'air prêts à prendre la fuite quand ils l'ont vue arriver.

— Ils doivent la connaître, rétorqua Marissa. Si même moi, je n'arrive pas à faire taire quelqu'un, c'est qu'il y a un gros problème.

— Je questionnerai les Suskin ou Sutpin à propos de Maud. Elle a peut-être une raison pour être aussi tenace.

— Je pense qu'elle fait partie des gens qui vivent pour les ragots, mais il y a peut-être autre chose, répondit Catherine.

— Elle a été entendue, tu dis ? reprit Éric.

437

— Par au moins la moitié de l'assistance.

— Est-ce que quelqu'un a eu l'air surpris ?

— Surpris ?

— Quelqu'un qui n'aurait pas su que tu avais découvert le corps.

— Franchement, je pensais plus à me cacher qu'à regarder les réactions des autres. Pourquoi ?

— Tout le monde n'était pas d'ici, au dîner. Il y a des gens de Star Air qui ont fait au moins cent cinquante kilomètres pour venir. Ils avaient dû entendre parler du meurtre, mais ne devaient pas savoir à quoi tu ressemblais.

— Donc Maud m'a désignée à tout le monde... Mais comment saurait-on quelle était ma voiture ?

— C'était sans doute facile de glisser une question innocente à Patricia ou Lawrence.

— Et si on avait pris celle de Marissa ?

— Les Mustang décapotables rouges ne courent pas les rues. Tu es sûre que tu n'avais pas fermé à clé ?

— À peu près. Je stressais pour mon discours, et pour ma nouvelle robe, ce n'est pas mon style habituel. Mais comment aurait-on pu savoir que la voiture était ouverte ?

— C'est peut-être sans importance. La personne avait peut-être emporté un passe-partout.

— Quelqu'un serait venu au dîner avec le masque et, en plus, un passe-partout ?

— Qu'il aurait pu laisser dans sa propre voiture. Vous n'avez pas remarqué si quelqu'un s'absentait un gros quart d'heure ?

Les deux sœurs se regardèrent, et Marissa commença.

— Avant le dîner, il y a eu au moins vingt minutes de présentations et papotage. Au dîner, il y avait quarante et une personnes.

— Tu as compté ? se récria Catherine.

— Je m'ennuyais pendant les discours interminables des amis de Lawrence. Bref, avant le dîner, beaucoup des invités ont eu l'occasion de s'éclipser quelques minutes.

— Après, ce n'est pas forcément un invité. Le Larke Inn dispose de trois salles et d'un grand parking. Ce n'était pas difficile de repérer ta voiture, qui est garée en ville tous les jours, et de passer à l'action une fois que tu étais entrée. On approche d'Halloween.

Ça peut être une blague sans méchanceté, juste dans l'idée de te faire une frayeur.

— Ça a marché, pour la frayeur. Non, franchement, Éric, si quelqu'un a pris la peine de commander les fournitures et de reproduire le masque avec exactitude, ce n'est pas pour une simple blague.

C'était exactement la théorie d'Éric, qui aurait aimé pouvoir tranquilliser Catherine.

— Je n'exclus pas cette possibilité, répondit-il avec fermeté.

Il échangea un regard avec Marissa. Depuis le temps qu'ils s'aimaient, elle distinguait la moindre nuance dans sa voix, comprenait comment il fonctionnait. Parfois, Éric se sentait si proche d'elle que l'assurance de ne pas être seul était un bonheur incomparable. Parfois, c'était bien peu pratique.

— Comment aurait-on su que j'allais à Larke Inn hier soir ? demanda Catherine.

— Lawrence Blackthorne est connu dans la ville. Si quelqu'un savait que la femme qui a trouvé le corps de Renée était demoiselle d'honneur...

— Beaucoup de *si*, à mon avis.

— C'est vrai, reconnut Éric. Simple hypothèse.

— D'autres hypothèses tirées par les cheveux, monsieur le shérif ?

— Adjoint, la corrigea Éric sans réussir à sourire. Moins tirée par les cheveux, celle-là. Je sais que tu exerces sous le sceau du secret, mais est-ce qu'un de tes patients serait capable de ça ?

— Un patient ? Bien sûr que non ! s'indigna Catherine.

— Je ne veux pas parler d'un taré fini, précisa-t-il, pour se faire envoyer un regard noir. Bon, ce n'est pas le terme correct. J'entends par là, quelqu'un qui n'est pas forcément dangereux, mais à qui tu aurais dit des choses qui ne lui ont pas plu.

— D'accord, je vois ce que tu veux dire, se radoucit Catherine. Mais je ne vois personne qui pourrait faire ce genre de choses.

À part Mme Tate, pensa-t-elle. Mais elle ne lui en voulait pas. Catherine avait senti sa sincérité quand elle avait déclaré la prendre en exemple.

— Ce n'est pas un patient qui a posé ce masque sur mon siège.

— En gros, la liste des suspects est infinie, de toute façon, résuma Marissa.

— J'en ai bien peur, reconnut Éric.

— Mais pourquoi avoir voulu me faire peur ? reprit Catherine. N'essaie pas de me rassurer, Éric. Je sais que tu cherches à bien faire, mais je ne suis pas stupide. Donne-moi tes suppositions en toute sincérité.

Cette fois, Éric était à court d'imagination. Il n'avait plus de théorie fumeuse qui puisse rassurer Catherine quelques heures, au moins pour qu'elle profite du mariage.

— Notre ville n'est pas très grande, mais tout le monde ne connaissait pas James, ni sa relation avec toi. Avec ta découverte du corps, il y a maintenant des milliers de personnes qui ont appris ton existence.

Marissa lui jetait des regards noirs, mais Éric refusait de s'arrêter maintenant. Catherine avait 29 ans, était intelligente, et ne méritait pas de tels faux-semblants.

— Peut-être, poursuivit-il, que la personne qui a laissé le masque dans ta voiture voulait te rappeler que Renée a été la femme de James, alors que toi...

— Je ne suis que sa petite amie, compléta Catherine. Pas sa femme, pas sa fiancée, juste sa copine.

— Euh... c'est ça. Mais ça ne veut pas dire que James ne soit pas amoureux de toi. Après tout ce qu'il a vécu...

— Ne t'inquiète pas pour mon ego, Éric. Cette situation me convient, pour l'instant.

— Tant mieux.

Éric, mal à l'aise devant le sourire piteux de Catherine, ressentit une colère injustifiée contre Marissa, qui l'avait bassiné avec la susceptibilité de sa sœur. Non, c'était trop bête de se laisser influencer par les élans protecteurs de Marissa, alors qu'il se devait d'être honnête envers la personne concernée.

— Et quel serait le deuxième *peut-être* ?

— Comment ça ?

— Éric, tu as dit que le masque avait peut-être été mis là pour me faire mal. Je vois sur ton visage que tu as au moins une autre hypothèse.

— Effectivement... admit Éric en se préparant. Les gens qui te connaissent, ou qui ont fait des recherches à ton sujet, savent que tu es sûre de l'amour de James. Le masque pourrait être un avertissement sur le sort qu'a subi la première femme aimée par James.

— Pour me dire que James pourrait me tuer, tout comme il est censé avoir tué Renée ?

— Mais il ne l'a pas tuée ! explosa Marissa.

— Je sais, répondit Catherine en levant la main. Merci de prendre sa défense, mais je voudrais entendre le troisième « peut-être » d'Éric.

— Ah, tu as deviné. C'est peut-être quelqu'un qui ne connaît pas le meurtrier de Renée, mais élimine les possibilités. Il aurait tué Arcos en le pensant capable d'avoir tué sa maîtresse par vengeance, et aurait tenté de tuer James pour la même raison.

— Et moi ?

— Tu aurais pu croire que Renée, revenue à Aurora Falls juste avant la finalisation du divorce, essayait de reconquérir James. Et à ce moment-là... quelqu'un aurait pu t'estimer capable d'avoir tué ta rivale.

— Dans ce cas, pourquoi ne pas m'avoir tiré dessus comme sur James ?

— Peut-être que ce sont des menaces, dans l'idée de te faire quitter Aurora Falls. Le tueur d'Arcos n'est peut-être pas certain de ta culpabilité, et pourrait avoir des réticences à tuer une femme.

— J'ai l'impression que tu tournes en rond, pour me protéger de quelque chose. Vas-y, parle !

— Bien. Tu fais maintenant partie du groupe des cibles, avec Renée, Arcos et James. La plupart des citoyens respectaient tes parents, et te respectent maintenant. Il est possible que le tueur retarde ce qui serait pour lui le plus marquant et le plus tragique de ses meurtres.

CHAPITRE 19

— Je n'en reviens toujours pas que vous ayez pris une chambre ici, l'endroit où vous vous mariez ce soir, dit Mitzi.

C'était la nouvelle réceptionniste du cabinet Eastman & Greenlee, une petite blonde aux yeux bleus, au visage rond et aux joues rouges.

— Vous vivez déjà avec M. Blakethorne, et vous auriez pu rester chez lui sans réserver de chambre.

Patricia, qui tapotait sa robe, suspendue sur un portant au milieu de la chambre, se retourna vers Mitzi avec un sourire.

— Voyons, ça porte malheur de voir le marié avant la cérémonie. Je ne voulais pas voir Lawrence de la journée. Depuis le temps qu'on se fréquente, je ne voulais pas qu'on se lève et qu'on prenne le petit déjeuner ensemble comme si c'était un jour ordinaire. C'est une journée extraordinaire, pour moi.

— Oh, comme c'est romantique ! s'écria Mitzi, dont les yeux s'embuèrent.

— Ne pleurez pas, ordonna Patricia. Vous allez gâcher votre joli maquillage.

Elle se regarda dans le miroir de la coiffeuse, et constata que son maquillage était intact. Patricia croisa le regard de Catherine. Mitzi avait été embauchée parce qu'elle était la fille d'amis des Eastman, mais elle n'allait pas faire long feu. À l'heure actuelle, elle admirait Patricia au point de la vénérer.

« C'est gênant, mais c'est mignon, avait avoué Patricia à Catherine. D'ici deux mois, bien sûr, elle trouvera que je suis une garce, comme le reste du cabinet, parce que je ne prends pas de gants pour dire leurs quatre vérités à ceux qui ont commis des erreurs. Pour le moment, je suis son idéale. Elle m'a posé tellement de questions sur le mariage que je lui ai proposé de participer. Elle sera à côté du livre d'or, et elle sourira aux invités qui entrent dans la salle. Les gens la trouveront adorable, et elle aura l'impression que je lui ai confié une tâche d'importance, alors

447

que la chienne de Marissa pourrait s'en tirer aussi bien. Tu me trouves sordide ?

— Je te trouve très attentive aux sentiments des autres, avait répondu Catherine. Même si Mitzi ne t'aime plus par la suite, elle gardera en mémoire ce mariage comme un de ses grands moments. »

— C'est vraiment trop dommage que vous ne puissiez pas partir tout de suite en lune de miel, poursuivait Mitzi devant le miroir. Normalement, on part juste après le mariage. C'est vraiment triste que vous deviez attendre...

— Ne vous remettez pas à pleurer, Mitzi. Lawrence a des affaires à régler, mais dans deux semaines, on se baladera sur les Champs-Élysées. Vous imaginez ? Les petites boutiques, les cafés, les cinémas...

— Oh, j'ai toujours voulu aller à Paris ! gloussa Mitzi.

— Je sais que Lawrence doit régler des détails avec Star Air avant la fusion, mi-décembre, intervint Catherine. Mais il n'a jamais entendu parler du téléphone ? C'est un outil pratique, pour conclure des marchés quand on est loin.

— Oh, il ne fait pas confiance aux opérateurs européens pour joindre les États-Unis.

Il devrait former un club avec Mme Tate, qui ne mange pas de nourriture étrangère, pensa Catherine.

— Alors il pourrait utiliser son portable, suggéra-t-elle tout haut.

— Le problème, c'est qu'il passe son temps à perdre les portables. Remarque, Ian est encore pire. À eux deux, ils doivent dépenser trois ou quatre cents dollars par an, rien qu'en achat de téléphones.

Vêtue d'une longue combinaison, elle se dirigea vers Catherine en virevoltant.

— Demoiselle d'honneur, vous voulez bien m'aider à enfiler ma robe ?

Catherine retira la robe ivoire en satin du cintre rembourré et la tint à bout de bras. Toutes les femmes dans la pièce poussèrent des exclamations, comme si elles n'avaient jamais rien vu d'aussi beau. Catherine pensa que Patricia avait eu le bon goût de choisir une robe sans froufrous ni longue traîne.

« J'ai 40 ans, et je ne veux pas qu'on croie que j'essaie d'en paraître 25, lui avait répété

Patricia. Les femmes qui font ça ont l'air ridicules ! »

Elle resta figée comme une statue devant la psyché, et Catherine passa la robe fourreau sur son corps long et mince. Le haut du décolleté, tout en dentelle, se poursuivait en délicats mancherons. Le buste ruché de satin était parsemé de sequins. Elle portait un collier de diamants, assorti à un bracelet large et à des boucles d'oreilles d'un carat, cadeau de mariage de Lawrence. Pour montrer les boucles étincelantes taillées en radiant, Patricia portait les cheveux relevés, laissant seulement pendre quelques boucles de cheveux sur son cou.

— C'est une très belle robe. J'adore l'ourlet qui descend plus bas derrière que devant, pour imiter une traîne. Elle est parfaite pour ta silhouette. Lawrence va l'adorer.

— Ce serait peut-être le moment de me poser le voile ?

— Oh, les roses en tissu du voile sont assorties à celle de votre bouquet ! s'extasia Mitzi.

Patricia leva la superbe cascade de roses ivoire entrelacées dans du lierre.

— Il n'est pas trop long ?

— Arrête la chasse aux compliments, Patricia ! dit Catherine en riant. Tu sais bien que tu es magnifique !

Patricia eut un sourire hésitant.

— Tu sais, quand Lawrence a épousé ma sœur, elle était jeune, belle... On aurait dit une photo dans un magazine pour futures mariées.

— Une photo *retouchée*, tu veux dire. De toute façon, j'ai vu des photos de mariage d'Abigail. Elle était jolie, mais pas vraiment belle. C'est ta mère qui n'arrêtait pas de dire qu'elle était magnifique, plus belle que toi, et tu as fini par la croire.

Devant le regard fâché de Patricia, Catherine s'exclama :

— Ne t'énerve pas ! Tu viens de bénéficier de l'équivalent d'une demi-heure de séance de thérapie gratuite !

Le silence était pesant dans la chambre. Les autres femmes attendaient, inquiètes, la réaction de Patricia. Celle-ci finit par éclater de rire.

— Merci, madame la psy. Je suis toujours contente de faire une affaire. Et peut-être qu'Abigail n'était pas aussi magnifique que ma mère le prétendait.

— C'est vrai que vous êtes très belle, Patricia.

Tout le monde se tourna vers Beth Harper. Elle avait été secrétaire des années chez Eastman & Greenlee, puis, après s'être mariée, avait trouvé un emploi moins prenant au cabinet de M. Hite – où exerçait maintenant Catherine. Elle gardait un salaire correct, mais elle travaillait cinq heures de moins par semaine, et on ne lui demandait pas d'heures supplémentaires.

Deux semaines avant le mariage, Beth avait annoncé à Catherine que Patricia lui avait demandé de chanter ce jour-là.

« Ça fait un an que je ne la vois presque plus, mais elle se souvenait que je chante pour de grandes occasions dans le coin. C'est tout Patricia, ça. Vous croyez qu'elle n'est pas au courant de votre existence, et d'un coup, elle apparaît en sachant tout de vous.

— Vous êtes d'accord pour chanter ? avait demandé Catherine.

— Bien sûr. Elle voudrait « We've Only Just Begun ».

— « On ne fait que commencer » ? La chanson des Carpenters ?

— Oui, et je l'ai déjà interprétée, donc je n'aurai pas besoin de beaucoup d'entraînement. Bon, je ne trouve pas que ça soit trop approprié à leur situation. C'est plutôt pour un mariage de jeune couple.

— Je suis d'accord avec vous. Ouh là, dites-moi que vous n'avez pas donné votre avis à Patricia.

— Vous voyez bien que je ne suis pas à l'hôpital avec une commotion cérébrale ! avait répondu Beth, ce qui avait fait rigoler Catherine. Je n'irais rien insinuer dans ce genre ! De toute façon, elle m'a dit avoir choisi cette chanson pour son mariage quand elle avait 14 ans. Je ne vais pas lui refuser la joie qu'elle a attendue aussi longtemps. »

Après avoir complimenté Patricia, Beth ajouta :

— Et vous aussi, Catherine.

Celle-ci se détailla dans la psyché. Avec ses manches courtes et son décolleté carré simple, la robe fourreau choisie par Patricia était loin d'attirer l'attention.

« Qu'en penses-tu ? avait-elle demandé à Marissa chez elle, devant le miroir.

— Un peu fade, avait répondu sa sœur, toujours directe.

— Elle est bien ajustée. Ça fait une silhouette... classique, avait commenté Catherine sans conviction.

— Voilà, avait répondu Marissa, qui avait parcouru la robe du regard, comme pour chercher la faille. Je pense que Patricia voulait s'assurer que tu ne lui fasses pas d'ombre, mais avec du maquillage et de bons accessoires, tu seras resplendissante.

— C'est son grand jour, pas le mien.

— C'est elle qui a choisi la robe, mais ce n'est pas ma faute si quelques arrangements montreront que tu es plus que vaguement jolie.

— Marissa... tu as des projets ?

— Ne t'en fais pas. Je serai subtile, comme à mon habitude.

— La subtilité ne fait pas partie de ton vocabulaire ! » lui avait rappelé Catherine alors qu'elle repartait.

Maintenant, Catherine se regarda, contente que James ne la voie pas « vaguement jolie » avec la robe, le tour de cou en argent et les tout petits clous d'oreilles que lui avait fournis Patricia comme seuls accessoires. Elle ne voulait pas faire de l'ombre à la mariée, mais elle aurait quand même aimé faire une certaine impression.

À ce moment, un coup retentit à la porte, et avant que quelqu'un ait eu le temps de répondre, Marissa entra, tout sourire, gloussements et mimiques exagérées. Catherine y reconnut sa tactique pour détourner l'attention de Patricia.

— Désolée de débarquer comme ça, sans être invitée ! annonça Marissa à plein volume.

Tout le monde s'extasia sur sa robe rose sans manches au grand décolleté croisé. Catherine était ravie qu'Éric puisse accompagner sa sœur au mariage, rien que pour la voir aussi belle.

— Patricia, je viens juste d'y penser, commença Marissa. Je sais que tu as choisi un joli tour de cou pour Catherine, mais je me suis souvenue d'un ensemble qui irait follement bien avec sa robe si élégante.

Marissa ouvrit une boîte en feutrine noire

pour révéler une chaîne d'argent ornée de six breloques en forme de goutte d'eau, avec des pendants d'oreilles assortis.

— Ça pourrait être superbe avec la robe, non ?

Patricia s'approcha. Les bijoux brillaient dans l'écrin noir.

— Ce n'est pas vraiment ce que j'imaginais...

Marissa fit hésiter son large sourire.

— Je m'en doute, mais c'était à notre mère. Tu sais bien qu'elle est décédée il y a moins d'un an. Elle a toujours dit que ces bijoux seraient parfaits sur Catherine... Je me disais que si tu voulais bien, elle pourrait les porter ce soir ?

Elle aurait dû être actrice, pensa Catherine en essayant de ne pas sourire. *Marissa a dû comploter ça depuis longtemps. Elle a eu la bonne idée de ne pas m'en parler, et de ne pas demander à Patricia de faire l'échange avant, parce qu'elle aurait sans doute dit non. Et maintenant, Mitzi m'enlève déjà le tour de cou pour « voir ce que ça donne » avec le collier.*

Vingt minutes plus tard, Catherine s'avançait dans l'allée, consciente que l'éclairage doux de l'église faisait briller le collier, accentuant l'éclat argenté de la robe.

Pour la réception, Lawrence avait réservé la plus grande salle de l'auberge, dont les portes coulissantes permettaient d'agrandir encore l'endroit. Patricia, qui s'était chargée de la décoration, avait choisi le blanc et le bleu, qui rappelaient le bureau de Lawrence.

— Quel beau ciel bleu ! s'était exclamé quelqu'un, s'attirant les rires de l'assemblée et l'approbation bourrue de Lawrence, qui avait affirmé :

— Quand je suis aux commandes d'un avion, le ciel prend ces couleurs, par joie pure !

Marissa était très affairée à prendre des photos et à parler au téléphone. Elle préparait sans doute l'article qui paraîtrait dans la *Gazette* de lundi. La tâche avait été confiée à une débutante, qui n'avait d'autre expérience que trois mois au bulletin hebdomadaire d'une petite ville.

— Le rédacteur en chef ne l'aime pas, alors il veut qu'elle rate son article sur un mariage important pour pouvoir la virer. Je ne vais pas le laisser faire ! La pauvre a juste besoin d'un peu d'expérience !

— Et d'une espionne munie d'un téléphone dernier cri, avait ajouté Catherine, touchée par les attentions de sa sœur, que tant croyaient égocentrique.

— Pas besoin de chance quand on a du talent, avait rétorqué Marissa.

Toute à ses pensées, Catherine fut surprise quand elle se fit interpeller :

— James te manque, ce soir ?

C'était Éric, qui sortait d'une conversation avec quelqu'un que Catherine identifia comme le maire d'Aurora Falls.

— Ah, je ne t'avais pas vu ! Oui, James me manque. Je viens de l'appeler pour lui dire que la cérémonie s'était déroulée sans accroc.

— Il nous reste encore la réception, murmura Éric. Jeff est en poste, et Marissa et moi aussi, on est là pour veiller sur toi toute la soirée. Ne quitte pas la pièce, s'il te plaît. Nous sommes là pour te protéger.

Pendant toute la cérémonie, Catherine avait eu l'impression d'être à peu près calme, mais dès qu'elle entendit cela, elle respira mieux. James avait raison : elle prenait des risques en étant ici. Cependant, elle ne pouvait rester terrée chez elle à longueur de temps. Elle avait de la chance de recevoir de l'aide.

— Merci, Éric, je promets de ne pas essayer de vous échapper.

— Ouf, dit le shérif officieux, faisant mine d'essuyer de la sueur de son front.

Un groupe avait attaqué « I Will Always Love You », et Ian dansait avec Robbie, qui était vêtue d'une robe de satin déclinée en deux bleus différents, à l'encolure croisée haute. Elle avait coiffé en anglaises son opulente chevelure châtaine, qui cascadait sur le côté, révélant son dos lisse et bien droit. Catherine ne l'avait jamais vue aussi sexy, et il en allait sans doute de même pour Ian, qui gardait le regard fixé sur elle.

Catherine but un peu de champagne. Elle détestait cette boisson, mais n'avait pas voulu paraître impolie quand un jeune serveur désireux de bien faire lui en avait proposé un verre, sous l'œil attentif de son supérieur. Elle dansa avec Éric pendant que

Marissa bavardait, l'air de rien, avec le photographe de la *Gazette*.

— Elle trouve que le rédacteur en chef ne lui a pas donné de bons conseils sur les photos à prendre, alors elle lui donne son avis, expliqua Éric.

— Elle s'y connaît tant que ça en photographie ? s'étonna Catherine.

— Non, rit Éric. Mais elle est bien décidée à aider la nouvelle recrue. Ne t'inquiète pas, le photographe lui dira oui, et fera comme il juge bon. Les photos seront très bien. En plus, il immortalise tous les invités, ce qui nous aidera si le tueur est présent.

Si le tueur est présent... La phrase résonna dans la tête de Catherine. Et s'il était là ? Si James avait raison ? S'il ne l'avait épargnée que pour l'assassiner plus tard ? Si...

La musique changea, et Catherine fut prise d'assaut par un don Juan local, trois fois divorcé, qui se lança dans un discours sur sa « grâce éthérée » sur la piste de danse, qui lui avait « presque coupé le souffle ». *J'aurais bien aimé te le couper définitivement*, pensa-t-elle. Elle en ressentit une pointe de honte. Mais seulement une pointe. Certains hommes devraient savoir quand arrêter, ou au moins se renouveler dans leur tactique de drague. Celui-là devait utiliser les mêmes répliques éculées depuis quarante ans.

Près d'elle, Patricia serrait le bras de Lawrence, qui parlait à un couple que Catherine ne connaissait pas. Il dirigeait toute son attention vers l'homme, mais Patricia, elle, détachait rarement les yeux de son époux. *Elle l'aime depuis si longtemps*, pensa Catherine. *Je me demande si, quand il a épousé Abigail, elle était comme moi au mariage de James et Renée.*

Ah, que c'était énervant. Pourquoi son image surgissait-elle aux moments les plus heureux ? Et si elle avait été là ce soir ? Elle aurait certainement essayé de ramener tous les regards sur elle, peu importe par quels moyens. Pauvre James. Il devait redouter de telles occasions, du temps où il était avec Renée.

Est-ce qu'il aurait apprécié d'être là avec moi ? se demanda Catherine. D'un coup, il lui manqua tellement qu'elle eut envie de lui parler sur-le-champ. Par automatisme, elle chercha son téléphone, mais elle avait laissé son sac à main à l'étage. Or, elle venait de promettre à Éric de ne pas quitter la pièce.

Elle connaissait par cœur le numéro de sa ligne fixe de chambre à l'hôpital. Cela lui éviterait de chercher son portable. Elle ne trouva ni Marissa ni Éric. Robbie, elle, dansait avec Lawrence sous le regard de Ian.

— Tu aurais ton portable, sur toi ? demanda-t-elle au jeune homme.

— Mon portable ? s'étonna-t-il. Je savais que les ados ne pouvaient pas s'en séparer, mais je pensais qu'à ton âge, tu n'en serais plus là.

— Tu te trompes. En fait, j'ai juste envie d'appeler James, et j'ai laissé mon téléphone en haut. Ou alors, oublié. Ou alors, perdu.

— Perdu ? D'après Marissa, tu es la personne la plus organisée au monde. Je ne pensais pas que tu perdais les choses.

— Ma sœur a tendance à amplifier mes qualités.

— Perdre mon téléphone, c'est ma spécialité. Je devrais me l'attacher au poignet.

— Tu n'es quand même pas aussi étourdi...

— Oh, si tu savais...

Ian, qui souriait, détourna le regard. Au son de « Beautiful Day » de U2, Lawrence, tout rouge, grimaçait en essayant de faire tourner Robbie façon rock'n'roll, et il manqua de tomber. Elle l'aida à rester debout et le guida sur le côté de la piste, ralentissant le rythme pour l'aider à retrouver son équilibre.

— Papa ferait bien de se maîtriser, grommela Ian. Si Patricia le voit tomber en plein milieu de la piste avec ma jeune et jolie cavalière, ça ne va pas lui plaire.

C'est peu de le dire, pensa Catherine. De côté, Patricia épiait la scène, des éclairs dans les yeux. Elle éclata de rire et se mit à parler avec la femme à côté d'elle, mais Catherine voyait qu'intérieurement, elle bouillait de rage.

— Je ne crois pas que trop de gens aient remarqué, chuchota Catherine. Il ne doit pas être habitué au champagne.

— Il a trop bu, c'est tout.

— C'est peut-être juste l'effet d'un alcool différent de d'habitude.

Il valait mieux changer de sujet, aussi enchaîna-t-elle :

— En tout cas, tout ce romantisme ambiant m'a donné envie de parler à mon cher et tendre, alors si tu avais ton téléphone sur toi...

Soudain, elle sentit un coup dans son dos. Elle faillit tomber, mais Ian la rattrapa. Alors qu'elle essayait de retrouver son équilibre, elle entendit :

— Ça alors, je peux pas bouger sans rentrer dans une jolie fille !

Oh non ! C'était Lawrence, qui avait beuglé de façon à être entendu dans toute la pièce. Les invités se retournèrent pour voir qui était le soûlard qui causait un tel raffut, constatèrent qu'il s'agissait de leur hôte et détournèrent vite le regard.

Lawrence poussa à moitié Robbie vers Ian, qui la réceptionna en douceur et lui passa un bras protecteur autour de la taille.

— Je suis désolé, Robbie...

— Maintenant, je vois ce que tu lui trouvais, mon gars, s'époumona Lawrence. Un beau brin de fille. Il faut absolument que tu notes son nom dans le carnet noir que tu gardes au secret dans ton appartement. Vous savez, Robbie, il ne laisse entrer personne, mais avec vos talents de flic, vous arriverez à y pénétrer sans vous faire choper !

Il passa le bras droit autour de la taille de Catherine et lui proposa :

— Allez, demoiselle d'honneur, une petite danse ?

— En fait, je m'apprêtais à appeler James...

— Ce coincé, là ? Il ne m'arrive pas à la cheville. Et je ne parle pas que de la piste de danse, explicita-t-il avec un clin d'œil.

Au secours, que faire ? pensa Catherine, horrifiée. Elle sentit que le bras de Lawrence tremblait, pas forcément d'un tremblement visible. Elle fut prise de panique, et quand Ian s'avança vers lui avec colère pour lui prendre le bras, Catherine lui fit non de la tête.

Ian, sans lâcher son père qui protestait, s'approcha de Catherine.

— Il n'est pas saoul, lui glissa-t-elle, et il la regarda d'un air incrédule. Il a peut-être bu, mais ce n'est pas tout. Ne fais pas de scandale. Fais-le asseoir, pendant que je vais chercher Patricia.

— Mais, Catherine...

— Ne le laisse pas debout, souffla-t-elle avant de se diriger vers Patricia, qui avait tourné un dos très droit sur la scène.

Et c'est là que Catherine le vit.

Un homme grand et mince, à l'élégance naturelle, la regardait. Appuyé contre la grande baie vitrée donnant sur les chutes Aurora, il avait deux doigts sur la vitre, comme pour toucher l'eau. Quand elle le regarda, il ne détourna pas son visage mince aux pommettes hautes, ainsi que l'aurait fait un homme surpris à se rincer l'œil devant une belle femme. Il la fixa ouvertement, comme s'il attendait qu'elle le reconnaisse.

Catherine fut prise d'un frisson. Elle ne savait pas qui était cet homme, mais elle n'arrivait pas à regarder ailleurs. Il l'étudiait, pas d'une manière sexuelle, mais plutôt comme on mesure un adversaire. Elle ressentit le danger quand il étira les lèvres en un petit sourire méprisant, sans pour autant parvenir à détourner les yeux. À voir sa peau blanche plutôt lisse et ses épais cheveux grisonnants, elle lui donna une cinquantaine bien sonnée. Ses grands yeux sombres étaient creusés dans leurs orbites, entourés de rides profondes. *Le chagrin*, pensa Catherine. Ce bel hidalgo aux allures de gentilhomme aurait pu être un aristocrate du XIXe siècle qui se serait trompé d'endroit et d'époque, mais pourtant, elle avait l'impression de le connaître...

Une journée chaude et humide, chargée de la fragrance douceâtre des lys blancs. Un mariage. Du champagne. Une superbe mariée aux cheveux de jais, qui la regardait avec des yeux triomphants et moqueurs.

Catherine fit volte-face et trébucha, cherchant Éric désespérément.

* * *

Les paupières lourdes, Dana regarda le radio-réveil. 1 h 24. Après une longue journée, elle s'était mise au lit à 23 h 30, épuisée. Et depuis, elle n'avait pas pu fermer l'œil.

Sans tourner la tête, elle tâtonna de l'autre côté du lit *king-size*. L'oreiller de plume n'était pas creusé, et le drap de satin ivoire était encore bordé avec la couverture. Ken n'était toujours pas rentré.

Dans l'après-midi, ils avaient réinstallé Mary dans sa chambre jaune et blanc. Dana avait prévu que l'infirmière dorme à côté, dans la chambre d'amis, mais celle-ci avait tenu à rester avec Mary. Ils avaient sorti le lit jumeau de dessous, et même s'il était inconfortable, Mme Greene l'avait décrété parfait. Elle avait aussitôt montré à Mary comment faire un lit au carré, comme à l'hôpital, et avait déballé ses affaires, prenant soin d'entreposer l'équipement médical hors de portée de la petite fille.

Ensuite, elle avait écouté d'un air captivé les présentations des sept peluches de Mary : une pour chaque soir, afin qu'aucune ne se sente mise de côté. Elles avaient joué à un jeu vidéo, puis mangé un plateau-repas dans la chambre en faisant semblant de passer commande au service d'étage d'un hôtel de luxe ; enfin, elles avaient un peu regardé la télé avant que Mary accepte « d'essayer » de dormir. Quand Dana était passée voir à 21 heures, Mary était tranquillement endormie, une peluche dans les bras. Mme Greene, assise dans une chaise à bascule, lisait à la lueur d'une jolie lampe, que Dana avait amenée avec la chaise pour son confort.

« Roman policier, avait chuchoté Mme Greene en mettant de côté son livre de poche quand Dana était entrée dans la pièce. Je suis accro. Je suis incapable de dormir si je n'ai pas lu quelques pages.

— J'en lisais tout le temps aussi. Je ne sais pas pourquoi j'ai arrêté. Je vais peut-être m'y remettre, avec les événements récents.

— C'est terrible, ce qui s'est passé, s'était indignée Mme Greene avec un air réprobateur. À part ça, il ne faudrait pas me pousser beaucoup pour repartir avec votre lampe Tiffany.

— C'est vrai qu'elle est jolie.

— Magnifique, vous voulez dire ! J'ai toujours admiré ces lampes. C'est trop cher pour moi, bien sûr, mais si j'en avais une, je suis sûre que je l'emballerais dans des kilomètres de rembourrage et que je la cacherais de peur qu'elle se casse. »

Elle sourit, et ses dents proéminentes brillèrent sous la lumière.

« Vous m'avez très bien accueillie, et Mary est en pleine forme.

— Tant mieux. »

Dana allait repartir, mais Mme Greene l'avait rappelée.

« Madame Nordine ?

— Dana.

— Alors, Dana, je voulais vous dire que vous êtes une des meilleures mères que j'aie jamais vues. Les autres infirmières aussi en parlaient, à l'hôpital. Mary vous adore. Elle aime aussi son père, mais vous êtes sa maman, celle qui la protégera toujours. »

Dana sentit sa gorge se serrer, et elle sentit les larmes lui monter aux yeux. Elle n'arriva même pas à articuler un merci. Elle sortit, s'appuya contre le mur, et pleura. Elle ? Une bonne mère ? L'idée lui semblait extravagante. Elle ne s'était pas montrée exemplaire par le passé, mais désormais, elle le serait, se promit-elle en silence. Toujours.

Dana descendit lentement l'escalier en colimaçon. De l'appartement du troisième étage, elle passa à l'exposition du rez-de-chaussée. Avec la lumière de la lune combinée à celle des lampadaires, elle n'avait pas besoin d'allumer, aussi se promena-t-elle en voyant d'un autre œil les tableaux qu'elle voyait tous les jours depuis des mois. Quand elle aperçut un bandeau discret annonçant « Vendu » sur *La Dame de carnaval*, elle s'arrêta net et se demanda qui était l'acheteur. Enfin, ça ne l'intéressait pas plus que ça. Ce qu'elle voulait, c'était que le tableau débarrasse le plancher.

Elle se prépara un chocolat chaud dans la kitchenette attenante et, quand elle reprit son tour, elle se rendit compte qu'elle n'avait pas mis de chaussons. Mais les carreaux frais étaient agréables, surtout en sirotant sa boisson. Des baies vitrées de devant, elle regarda Foster Street.

Ils avaient ramené Mary à 14 heures, malgré les récriminations de Ken, qui se plaignait de devoir ouvrir une heure plus tard.

Dana l'avait ignoré, et Mary, d'abord pleine d'entrain, avait ensuite bavardé calmement avec l'infirmière, qui, dès qu'elle regardait Ken, pinçait les lèvres avec un dégoût à peine dissimulé.

Pendant le restant de l'après-midi, Dana et Mme Greene s'étaient occupées de Mary. Peu de visiteurs avaient fréquenté la galerie, ce qui avait frustré Ken, mais arrangé Dana. Elle n'eut pas besoin d'être cordiale et de réciter des commentaires sur les œuvres d'art, et Ken ne fit pas appel à son charme habituel. Au lieu de cela, il passa son temps à ronchonner, faire les cent pas en passant des coups de fil, se mit en colère pour une coupure de courant de dix minutes, et ne prêta guère attention à Mary.

Dana vit soudain passer Ken devant la galerie, au volant de leur cabriolet noir Mercedes. Il tourna en direction du sud de la ville. Chez Bridget. Moins de douze heures après avoir ramené sa fille de l'hôpital, il partait à la recherche de la remplaçante de Renée, la femme pour qui il comptait quitter Dana, elle le savait. La femme dont il pensait qu'elle lui donnerait un fils et, par la même occasion, des heures de passion au lit.

Dana esquissa un sourire sardonique, voire cruel. Il pouvait passer la nuit à rouler, appeler, chercher et se lamenter.

Elle s'en fichait bien. Et Bridget aussi.

CHAPITRE 20

L'infirmière se redressa tout d'un coup dans son lit. Quelque chose n'allait pas. Grâce à la lumière extérieure, elle put passer en revue la pièce : commodes blanches, chaise à bascule, lit à baldaquin avec une petite fille à la respiration régulière. Elle poussa un soupir. Elle n'était pas extralucide. Elle n'était que Mme Greene, infirmière diplômée, embauchée pour s'occuper de Mary Nordine, 5 ans, qui venait de subir une appendicectomie.

Elle se leva sans bruit. Mme Nordine voulait la faire dormir à côté, mais elle préférait être dans la chambre de son patient, quitte à dormir sur une pile de couvertures. Comparé à d'autres fois, le lit pliant était d'un confort de rêve.

Mary, allongée sur le dos, les cheveux blonds étalés en halo sur son oreiller, refermait les bras sur son lion en peluche.

« C'est son tour, avait-elle expliqué à l'infirmière avec sérieux. Papa dit que plus tard, je pourrai avoir un vrai animal. Mais je pense pas qu'on prendra un lion.

— Sans doute pas, mais les chiens et les chats sont très bien pour une petite fille, avait répondu Mme Greene. Après tout, le lion serait plus grand que toi, et ce serait lui qui te traînerait partout. Ça ferait un peu désordre ! »

Mary avait ri et serré son lion contre elle pendant que l'infirmière la bordait et lissait des mèches folles dépassant sur son front.

« Fais de beaux rêves, petite Mary. Tu es à la maison avec ton papa et ta maman, et tu as un lion en plus de moi pour veiller sur toi. Tu es en sécurité. »

Maintenant, à 3 h 45 du matin, Mary était l'image même de l'enfant en train de recouvrer la santé. Mais si elle dormait paisiblement, Mme Greene, elle, était complètement réveillée. Or, il fallait qu'elle se repose encore si elle voulait être opérationnelle d'ici quelques heures.

Du lait chaud. Quand elle avait ce problème, un lait chaud ne manquait jamais de l'endormir. Mais c'était sa première nuit chez les Nordine, et elle ne connaissait pas bien les lieux. Elle ne voulait pas allumer les plafonniers par mégarde, ou faire du bruit en cherchant une casserole. Elle n'appréciait pas du tout M. Nordine, et elle voyait bien qu'il n'avait aucune patience. Si jamais elle le réveillait, il en ferait tout un plat et risquerait de déranger Mary, ou même de lui faire de la peine.

Tout d'un coup, elle se rappela avoir vu une kitchenette, presque cachée, au rez-de-chaussée. Trois étages plus bas, elle pourrait faire tout le raffut qu'elle voulait sans être entendue. Ils devaient avoir du lait dans le petit frigo. Voilà, elle tenait la solution. Elle allait descendre en silence, se faire chauffer du lait, et d'ici vingt minutes, elle serait de retour, ni vu ni connu.

Elle enfila son peignoir et ses chaussons, laissant la porte entrebâillée derrière elle pour que Mary puisse être entendue si elle se réveillait. Elle emprunta alors le couloir incurvé, reconnaissante qu'il y ait de petites lumières par terre. Franchement, tout le monde trouvait la galerie magnifique, mais elle n'aurait pas voulu vivre au troisième étage d'un bâtiment qui tournait, tournait, tournait...

Elle s'accrocha fermement à la rampe et se guida grâce aux petites appliques imbriquées dans les marches jusqu'en bas, mais arrivée au rez-de-chaussée, elle avait le vertige, ce qui n'était pas habituel chez elle. Elle avait toujours été solide, et douée d'une excellente coordination. Certes, elle n'avait jamais vécu dans une maison aussi biscornue, mais cette perte de repères ne lui plaisait pas. Elle se sentait comme la première fois qu'elle avait fait des montagnes russes. Elle s'octroya un instant pour reprendre son souffle. Du regard, elle balaya la grande galerie pleine d'ombres créées par la lumière naturelle et artificielle. Elle qui n'était pas du genre à être nerveuse, eut l'étonnement de sentir un frisson de malaise lui parcourir l'échine, comme un courant d'air froid.

— Allons, ne va pas faire ta vieille bonne femme effrayée, s'admonesta-t-elle. On n'est pas vieux à 63 ans, loin de là. À 83, d'accord...

Elle tâtonna le long du mur. Où étaient les interrupteurs ? Quand elle les trouva, elle les releva tous d'un coup, et la pièce eut l'air de s'embraser. Aveuglée, elle se couvrit les yeux du bras droit et chancela sur le bord de la dernière marche. De la main gauche, elle chercha à éteindre certaines lumières, mais elle les rata plusieurs fois.

Elle baissa lentement le bras droit, chassa les larmes qui avaient jailli de ses yeux et les rouvrit. Il faut éteindre cette lumière infernale, pensa-t-elle. Pourtant, elle n'arrivait pas à bouger. Elle resta clouée sur la dernière marche, tremblante, et laissa ses yeux errer, errer...

Jusqu'au moment où elle vit Ken Nordine. Il était sous le portrait de la belle femme en robe de bal, qui portait un masque avec une étoile noire autour de l'œil.

Exactement comme le trou atroce dans le visage de Ken Nordine, là où aurait dû se trouver son œil droit.

— Est-ce que je ramène ma fille à l'hôpital ? demanda Dana Nordine, l'air perdu, à Éric. Elle vient d'être opérée de l'appendicite. J'ai une infirmière à domicile qui s'occupe d'elle, mais quand elle va savoir...

Dana désigna, horrifiée, le corps de son mari.

— Est-elle au courant ? demanda Éric.

— Elle sait seulement qu'il y a du grabuge. L'infirmière, Mme Greene, a trouvé Ken, et je ne sais pas comment elle a fait pour se retenir de hurler à pleins poumons, mais elle est venue me chercher en silence, on a appelé la police, et vous voilà, et avec Mary au milieu de tout ça, je ne sais pas quoi faire !

Mme Greene, qui était restée à côté de Dana, parla à son tour.

— On peut sans doute demander l'avis d'un médecin, mais je pense qu'il serait préférable de ne pas faire partir Mary maintenant. Je viens de la voir. Elle se réveillait juste, et demandait ce qui se passait. Je lui ai dit qu'on avait un petit problème en bas, j'ai vérifié sa température et sa tension, et elle se rendormait quand je suis redescendue. Il faudrait que quelqu'un aille la voir pour lui expliquer le remue-ménage sans lui dire toute la vérité pour l'instant, pour qu'elle reste au calme. Si on l'emmène ailleurs, elle va s'inquiéter, et en plus, il doit faire froid aujourd'hui.

— Bien, dans ce cas, pas besoin d'appeler un médecin, conclut Éric. Vous êtes d'accord, madame Nordine ?

— Euh, oui. D'accord. Merci, madame Greene. Je ne sais pas ce que j'aurais fait sans vous, ou ce qu'il serait arrivé à Mary, ou...

— Calmez-vous, lui dit doucement l'infirmière. Je sais que c'est horrible, inimaginable, mais l'adjoint en chef et les autres policiers vont tout arranger, et tout va bien se passer. N'est-ce pas, monsieur Montgomery ?

Éric fit un vague signe de tête. Il aurait aimé posséder la confiance de Mme Greene. Quand Mary saurait que son père avait été brutalement assassiné, il n'était pas certain que tout se passe bien pour elle.

Éric et son subordonné Jeff Beal, côte à côte, regardaient la scène du crime.

— J'ai du mal à y croire, dit Jeff. Mardi, on regardait Arcos, qui avait l'œil droit explosé, et qui portait des colliers violets. Maintenant, Ken Nordine, dans la même position exactement.

— Il faudra regarder les photos, mais je pense que tu as raison.

— Je ne sais pas pourquoi, ça me paraît encore pire cette fois-ci. Arcos, lui, il portait des vêtements bizarres, il avait de grands cheveux noirs... il avait l'air un peu irréel, quoi. Ken Nordine, lui, portait toujours des costumes chics, avait la réputation de posséder un charme à l'européenne, et les femmes en raffolaient... Et maintenant, voilà le tableau.

Tous deux sursautèrent en entendant Dana Nordine derrière eux. Jeff, le visage cramoisi, garda le regard sur Ken, et Éric se tourna vers Dana d'un air penaud.

— Je suis confus, madame Nordine. Nous avons dû vous paraître très irrespectueux.

— Pas du tout.

Dans son pâle visage triangulaire, les yeux étaient sans vie. Elle avait rabattu ses cheveux derrière ses oreilles ornées de petits diamants. Ses lèvres minces étaient incolores, et ses mains si serrées que les jointures en étaient blanches.

— Je suis allée voir Mary et, heureusement, elle dort. (Elle baissa la voix.) Qu'est-il arrivé, alors ?

— Nous savons que votre mari a été abattu. Nous n'avons trouvé qu'une balle, mais il a une plaie à l'arrière du crâne. Il a dû être assommé au préalable.

Dana se crispa. *J'ai donné trop de détails*, pensa Éric. *Elle n'a pas besoin de tout savoir dès maintenant.*

— Madame Nordine, pouvez-vous nous décrire la soirée de votre mari ? A-t-il reçu des appels, est-il allé quelque part ?

— Je ne me souviens pas bien du déroulement de la soirée. Avec Mary, j'étais distraite, répondit Dana, le regard rivé sur le corps de Ken. Elle omit ainsi de préciser l'escapade de son mari, soucieuse de ne pas révéler sa liaison avec son employée.

— J'ai des questions à vous poser. Voulez-vous qu'on monte dans vos appartements ?

Dana hésita avant de refuser.

— Je veux rester ici. J'ai déjà vu Ken. Le trou là où il y avait un si bel œil, le sang, ces colliers de pacotille... Pourquoi quelqu'un l'a affublé de ces horreurs ?

Elle regarda Éric d'un air suppliant, et il la prit par le bras.

— Il faut vraiment vous asseoir. Vous êtes un peu bouleversée, là.

Dana se couvrit la bouche, comme si elle allait éclater de rire, puis retira lentement sa main.

— Oui. Ce genre de choses ne m'arrive pas tous les jours.

Éric la guida le plus loin possible de son mari, vers la partie salon de la galerie. Dana s'installa sur le canapé crème en cuir, ramenant sous elle ses longues jambes et les entourant de son peignoir de velours bleu. Avant que ses pieds nus disparaissent de la vue d'Éric en un geste qui devait lui être habituel, il remarqua son vernis rouge sang.

— J'ai vu la kitchenette, commença-t-il. Voulez-vous quelque chose à boire ? De l'eau ? Du café ?

— Un grand verre de whisky single malt.

— Je comprends, et vous pourrez en boire autant que vous voudrez d'ici quelques minutes, mais j'ai besoin que vous gardiez les idées claires pendant l'interrogatoire, expliqua Éric avec douceur.

— Je n'aime pas le whisky, de toute façon. C'était Ken qui en buvait. Je ne prendrai rien.

— Très bien.

Éric s'assit sur l'un des fauteuils assortis au canapé et sortit son calepin.

— Alors, est-ce que M. Nordine a eu un comportement inhabituel ce soir ?

— Inhabituel ? Il était agité, mais il était souvent comme ça le soir. Il était tellement dynamique qu'il avait toujours besoin d'occupation. Aujourd'hui, on n'a pas eu beaucoup de monde à la galerie. Ah, et je ne sais pas pourquoi, mais ça l'énervait que Mme Greene soit là. Pourtant, il ne l'a presque pas vue de la journée. Je voulais la présence d'une infirmière. Je ne suis pas une mère parfaite, surtout pour une enfant malade. Enfin, qui se remet d'une opération.

— Et votre mari s'inquiétait pour votre fille ?

— Il voulait qu'elle aille mieux, bien sûr, mais elle a l'air de bien se rétablir, et on a Mme Greene. Bon, pour tout avouer, il ne s'inquiétait pas beaucoup.

— Je vois. Avez-vous une idée de ce qui le tracassait, dans ce cas ?

— Comme je vous disais, il est souvent agité, et il ne dort pas très bien. Certains soirs, il prend un somnifère. Toujours est-il que ces derniers jours, il était inquiet pour notre employée, Bridget Fenmore. Elle a le titre de gestionnaire, mais en gros, elle fait plus la comptabilité qu'autre chose. Et encore, avec l'aide de Ken. Bref, elle n'est pas venue vendredi, ni hier, et elle n'avait pas prévenu. Il n'a pas réussi à la joindre. Je ne vais pas prétendre que j'étais convaincue par les compétences de Mlle Fenmore, mais dans les deux mois où elle a travaillé pour nous, elle a toujours été fiable et ponctuelle.

— Elle a de la famille, par ici ?

— Je ne sais pas. C'est Ken qui l'a embauchée. Quand il s'inquiétait, hier, je lui ai dit de rechercher des renseignements sur sa famille dans la fiche qu'elle a remplie à son embauche. Il a dit qu'il était passé chez elle, et qu'elle n'a pas relevé le courrier.

— Ah, il la connaissait bien ?

— Je ne sais pas, répondit Dana en détournant les yeux. Peut-être.

Il couchait avec elle, pensa Éric. *Sa maîtresse depuis moins de deux mois n'était pas là depuis deux jours, et ça l'inquiétait plus que l'opération de sa fille.*

— Vous savez s'il a essayé d'appeler sa famille ou ses amis ? demanda-t-il d'une voix neutre.

— Non. Sincèrement, je n'ai pas repensé à elle. Je me suis dit qu'elle reviendrait lundi avec une bonne excuse, suffisante pour que Ken ne la vire pas. Elle n'a que 26 ans, et elle ressemble beaucoup à Renée Eastman... soupira Dana. Si elle n'est toujours pas chez elle, je regarderai les renseignements que nous avons sur elle. J'arriverai peut-être à localiser sa famille.

— Ce n'est pas la peine, madame Nordine. On va regarder tous vos papiers, si vous voulez bien.

— Bien sûr. Tout est en ordre, et pour le moment, je n'arriverais pas trop à me concentrer.

— Personne n'irait vous demander ça. De toute façon, c'est le travail de la police. Et ce soir, avez-vous remarqué quelque chose d'inhabituel ?

Dana garda le silence une minute.

— Excusez-moi, j'essaie de me souvenir. Mme Greene et moi, nous avons passé pas mal de temps avec Mary en début de soirée. Vers 20 heures, je suis descendue à la galerie principale. D'ordinaire, on a du monde le samedi à cette heure-là, mais là, c'était presque désert. Je m'y attendais. Je ne sais pas si vous êtes au courant, mais il y avait le mariage de Blakethorne.

— J'étais invité.

— Oh !

Dana avait eu l'air de trouver qu'un simple policier n'avait pas à être invité au mariage de l'homme le plus riche de la ville. Il crut bon d'ajouter :

— La sœur de ma compagne était demoiselle d'honneur.

Éric, qui évitait d'habitude de parler de sa vie privée lors d'une enquête, perçut la curiosité dans les yeux de Dana. *Tant pis, j'en ai déjà trop dit*, pensa-t-il. Tout haut, il précisa :

— Marissa Gray. Sa sœur est Catherine Gray.

— Ah, je les connais un peu ! Marissa a rédigé deux articles très bons sur la galerie. Je ne connaissais pas le lien... (Devant l'incompréhension d'Éric, elle ajouta :) entre vous et les sœurs Gray.

Ce n'était pas dans mon intention, se dit Éric, qui expliqua, d'un ton plus cassant que prévu :

— Nos familles se fréquentent depuis notre enfance. Donc, vers 20 heures, la galerie était presque vide, et votre mari en était étonné ? Contrarié ?

— Les deux. On était invités au mariage, même si on ne les connaît pas très bien, mais avec Mary qui rentrait juste, il n'y avait pas moyen que j'y aille. Et Ken n'avait pas l'air d'en avoir envie non plus, ce qui était un peu bizarre de sa part. Il aimait beaucoup les mondanités. Enfin, pour être honnête, il voulait avoir l'occasion de faire notre publicité auprès des amis pleins aux as de Lawrence.

— Et finalement, ça ne le dérangeait pas, de rater le mariage ?

— Non. Il était irritable, et il a dit qu'il sentait poindre une migraine. Ça fait des années qu'il en souffre. Je lui ai dit d'aller en haut, de prendre ses médicaments et de se coucher. Il avait besoin de repos, de calme et de noir complet. Je dormais souvent dans la chambre d'amis, dans ces cas-là. C'est là que Mme Greene est venue me chercher après avoir trouvé... le corps.

Elle prit une profonde inspiration, puis poursuivit.

— Je lui ai dit que je fermerais à 21 heures environ. D'habitude, on attend jusqu'à 23 heures, mais ce soir, c'était inutile. Il a refusé, et il m'a dit d'aller au lit, parce que j'avais perdu beaucoup de sommeil ces dernières nuits, avec Mary. Je n'ai pas discuté, et je me suis couchée vers 23 heures.

— Savez-vous s'il a fermé toutes les portes et mis en route le système de sécurité ?

— Il faisait toujours attention, oui. Mais il était distrait par son mal de tête... Pourquoi ?

— L'une de vos portes de derrière n'était pas fermée à clé, et l'alarme n'était pas enclenchée.

— Oh non. Je n'aurais pas dû le laisser tout seul !

Dana émit un bruit étranglé, entre le rire et les pleurs.

— Oh mon Dieu, je n'arrive pas à y croire. Veuillez m'excuser, je me contrôle mieux, d'habitude. Ken détestait les scènes d'hystérie, et je suis là, à me ridiculiser.

— Madame Nordine...

— Et quelqu'un l'a placé sous son portrait, poursuivit-elle, s'étouffant presque. Je sais que leur liaison n'était pas un secret, mais lui tirer une balle dans l'œil et le laisser devant *La Dame de carnaval*... Tout le monde sait que c'est un portrait de Renée Eastman. Il avait une certaine valeur avant, mais après le meurtre d'Arcos, le prix a explosé. Et il a trouvé acquéreur presque tout de suite.

— Qui l'a acheté ?

— Je ne sais pas. Ken voulait me faire la surprise une fois que je ne m'inquiéterais plus pour Mary, pour que je puisse vraiment l'apprécier. Mais je sentais que ce n'était pas la vraie raison.

— Pourquoi, alors ?

— Je ne sais pas trop. Mais il y a une chose que je sais.

Les policiers et ambulanciers firent place à la civière qui allait emporter le corps couvert d'un drap. Dana reprit :

— La vente de cette saleté a causé la mort de mon mari.

CHAPITRE 21

Catherine frappa à la porte de Marissa.

— Va-t'en, grommela celle-ci.

Catherine frappa plus fort.

— Allez, réveille-toi !

— Jamais !

Avec un soupir, Catherine ouvrit la porte et s'adressa à la bosse que formait la couette sur le lit de Marissa.

— Tu te souviens que je dois aller au brunch de lendemain de noces ? Tu avais dit que tu m'accompagnerais, mais je sais que tu es épuisée...

— T'es épuisée aussi.

— Oui, mais c'est mon devoir d'y aller. Tu n'es pas demoiselle d'honneur, donc je te libère de ton obligation. Dors toute la journée si tu veux. Après tout, c'est ma faute si on est rentrées hyper-tard.

— Hyper-tard ?

La bosse se mit à bouger, et bientôt émergea une masse de cheveux blond foncé au balayage doré, puis une Marissa au visage un peu bouffi, avec des yeux de raton laveur.

— Tu étais trop endormie pour enlever ton mascara, hier soir ?

— Hein ?

— Tu comprendras quand tu finiras par te lever et te regarder dans le miroir. Rendors-toi. Désolée de t'avoir réveillée.

— Non, non, je viens avec toi. Tu ne peux pas y aller toute seule.

Marissa s'extirpa du lit, et la chienne accourut comme pour l'aider à se mettre debout.

— Mais si. Quel danger y a-t-il à aller à un brunch ?

— Après hier soir...

— Tu veux dire, quand je suis partie en vrille en croyant voir le père de Renée ?

— Tu l'as peut-être vraiment vu, répondit Marissa en s'asseyant sur son lit.

— Tu parles. Et qu'est-ce qu'il serait venu faire au mariage de Lawrence et Patricia ?

— Il aurait pu venir voir James ?

— Un mariage n'est pas le cadre idéal pour discuter meurtre et morgue. Or, il paraît que Gaston Moreau est un monsieur très comme il faut.

— À ce qu'il paraît. Tu ne l'as vu qu'une fois, il y a des années. Et au mariage de James, on ne peut pas dire que tu étais focalisée sur Gaston. Tu as revu des photos ?

— Certaines que papa a prises, de nous et de James avec Renée. Je ne me souviens pas des Moreau, mais sincèrement, je ne passe pas mon temps à regarder les photos de ce mariage.

— Je sais bien. Elles sont sans doute dans l'un des vingt albums de maman, mais moi non plus, je n'ai pas envie de les regarder tout de suite. Bref, tu ne sais pas grand-chose de Gaston parce que James le connaissait à peine. Et de toute façon, il préfère parler le moins possible de tout ce qui touche de près ou de loin à Renée.

— C'est vrai. Je le comprends.

— Moui, dit Marissa, mi-sarcastique, mi-compatissante. Tu sais que James a besoin d'en parler. Et il reste renfermé sur ce qu'il a vécu de plus traumatisant dans sa vie.

— Je croyais que c'était moi, la psychologue.

— Pas besoin d'être psy pour voir que
vous avez un problème. Il se remettait tout
juste de l'humiliation qu'elle lui avait causée,
et hop, elle reparaît, assassinée. Rien que ça.

— Ce qui m'inquiète, c'est l'idée que
Gaston reparaisse. Je ne sais pas s'il a vu
Renée après son départ d'Aurora Falls. Il ne
l'avait revue que deux ou trois fois après son
mariage. Il avait un... gros problème, avec
elle.

Catherine hésita à évoquer l'inceste subi
par Renée, puis vit dans les yeux de sa sœur
que celle-ci s'en doutait. Bien sûr. Marissa
était presque aussi compétente pour analyser les gens qu'un professionnel. Elle avait
beaucoup plus côtoyé James et Renée
qu'elle pendant qu'ils étaient mariés. Elle
avait dû observer Renée et interpréter les
signes.

— En tout cas, reprit Catherine, j'espère
que si c'est Gaston, il ne vient que pour rem-
porter le corps de sa fille. Mais s'il était venu
pour une autre raison ?

— Comme pour retrouver le meurtrier ? demanda Marissa, qui se ravisa devant la réaction de sa sœur. Oh. Comme tuer toutes les personnes susceptibles d'avoir assassiné sa fille. Écoute, s'il est bien le genre de gars que je crois, il doit être capable de tout.

— Je sais.

— Tu en as parlé à James ?

— Non, pas tant qu'il est hospitalisé. Il a besoin de se reposer, pas de s'inquiéter encore plus. Au fait, Éric ne devait pas passer la nuit ici ?

— Si, mais il a été rappelé alors qu'on venait de s'endormir. Il m'a dit que c'était à la galerie Nordine, et qu'il n'y avait rien de grave. Mais il avait l'air de faire des cachotteries, donc je pense que c'était grave. Enfin, je ne veux pas y penser pour l'instant. Il faut qu'on se coltine le brunch.

— Avoue que tu ne voulais pas manquer l'événement le plus palpitant d'Aurora Falls !

— Bon, c'est peut-être pour ça aussi que je tiens à être présente.

Marissa, qui avait fait un sourire espiègle, se regarda dans le miroir de sa coiffeuse et s'écria :

— Au secours ! Je ne savais même pas que je pouvais avoir une tête aussi affreuse. Je dois avoir trop bu.

— Faux. Tu étais trop occupée à prendre des photos et à chercher Gaston Moreau. Tu travailles trop, Marissa.

— Mais non. J'ai combien de temps pour me rendre présentable ?

— Deux heures.

— Il me faudra bien ça, conclut Marissa.

Un quart d'heure plus tard, elle arriva dans la cuisine, les cheveux brossés et le visage débarrassé de tout maquillage et enduit de crème.

Marissa mit deux tranches de pain de mie dans le grille-pain et demanda :

— On ne retourne pas au Larke Inn, tout de même ? C'est très chouette, comme endroit, mais ça ferait la troisième fois en trois jours...

— Effectivement, tu as peut-être bu trop de champagne hier soir. Les festivités se poursuivent chez les Blakethorne.

— Ah, oui. Et qui a tenu au traditionnel brunch post-nuptial ? Lawrence ou Patricia ?

— Le marié, répondit Catherine en attrapant la margarine dans le frigo. Il pensait que c'était un bon moyen de parler aux gros bonnets de Star Air une journée de plus dans un cadre informel.

— Oh, oh, fit Marissa, feignant un abattement total. Tu sais ce que ça veut dire ?

— Quoi ?

— Maud. Maud Webster, grande inquisitrice, sera là pour te poser encore des questions sur ta découverte du corps.

La tartine sauta du grille-pain, et au même instant, Catherine arrondit la bouche avec terreur.

— Oh, non, c'est pas vrai !

— On va l'éviter comme on l'a fait l'autre soir, proposa Marissa, qui s'anima à cette perspective.

— Tu parles, il y aura moins de monde aujourd'hui. Et tu as l'air de penser que ça va être un roman d'aventures !

— Ça le sera, décréta Marissa en tartinant généreusement son pain. Ne t'en fais pas, j'ai déjà des plans d'esquive.

Un téléphone portable se fit entendre dans le séjour.

— C'est la sonnerie d'Éric, s'écria Marissa en courant répondre. On va enfin savoir quelle catastrophe l'a tiré du lit au milieu de la nuit.

Catherine termina son petit déjeuner, rinça son assiette, et se versa une deuxième tasse de café. Elle regarda les tartines de Marissa, maintenant refroidies avec la margarine solidifiée. Marissa revint alors dans la cuisine, pâle, une lueur d'incrédulité dans les yeux.

— Qu'est-ce qu'il y a ? Éric va bien ?

— Oui. Éric, oui, mais Ken Nordine est mort. Il s'est fait tuer, exactement de la même manière que Nicolaï Arcos.

*
* *

— Souviens-toi, pas un mot sur le meurtre de Nordine.

Catherine regarda sa sœur, très droite et raide au volant de sa Mustang rouge.

— Inutile de me le rappeler toutes les cinq minutes. De toute façon, on va forcément nous demander. Souviens-toi, tu sors avec le remplaçant du shérif.

— Alors je dirai que je ne l'ai pas vu aujourd'hui.

— On te demandera pourquoi il n'est pas avec toi.

— Je dirai qu'il est occupé ailleurs. Je ferai comme si de rien n'était, et je ne dirai rien sur Ken Nordine, même si quelqu'un me demande. Je peux y arriver. Et toi ?

— Bien sûr, s'offusqua Catherine.

— Excuse-moi, je stresse un peu, parce qu'Éric compte sur moi. Il n'aurait rien dû me dire, mais il sait que Patricia écoute tout le temps la fréquence de la police. Il ne voulait pas qu'on soit surprises si elle ou d'autres personnes qui seraient passées à la galerie nous posent des questions.

— Ah, pour le coup, on ne le sera pas. Vu tout ce qui se passe, je pense qu'il a eu raison de t'en parler.

— Il a souvent raison, j'avoue. Il peut être énervant, mais on ne va pas le décevoir.

— Mais non. Je te dis, j'aurais dû être actrice. Toi aussi, il faudra faire appel à tout ton talent.

Marissa ralentit devant la grande maison familiale des Blakethorne. Des voitures étaient déjà garées dans la large allée circulaire. Quand elles ralentirent devant la porte d'entrée à double battant, un domestique vint leur ouvrir la portière.

— Le brunch se tient à l'arrière de la maison, mesdames. Sur la terrasse et sur la pelouse. Je vais garer votre voiture en bout d'allée, c'est le dernier emplacement !

Les deux sœurs contournèrent la maison, leurs tenues aux couleurs d'automne encore plus vives sous le soleil clément. Avant d'arriver, Marissa cessa de sourire.

— On oublie tout de Nordine et on profite du moment pour se détendre.

— Je veux bien, mais je préférerais être invisible, fit Catherine. J'aperçois déjà Maud Webster.

*
* *

— Il est où, papa ?

Mary s'agitait sur le lit. Elle avait voulu se lever pour prendre son petit déjeuner, mais Dana et Mme Greene lui avaient servi du pain perdu et du bacon au lit. Elles avaient fait traîner le repas en lui racontant des histoires. Pour l'instant, Mary ne s'était rendu compte de rien. Les policiers avaient été très silencieux au rez-de-chaussée, et Dana leur en était très reconnaissante. Cependant, midi avait sonné, et Mary avait à nouveau faim. Elle commençait à s'ennuyer et à s'étonner de l'absence de son père. Ken n'avait pas été un bon père, mais il s'efforçait d'être présent pour sa fille le dimanche matin. Surtout parce qu'il aimait voir son visage empli d'adoration tourné vers lui, pensa Dana.

— On pourrait jouer à tes machins vidéo, tu aimes bien ça, proposa Mme Greene.

Elle avait du mal à comprendre l'obsession pour ce genre de jeux, mais il valait mieux qu'elle poursuive son apprentissage dans ce domaine, afin d'être au point pour s'occuper des enfants à domicile.

— J'en ai marre des jeux vidéo, geignit Mary. Je veux papa.

— Il a dû aller quelque part, improvisa Dana, qui chercha désespérément une suite. Il devait aller dans une ville à deux heures d'ici. Ça ne lui plaisait pas, mais il le fallait. Il ne rentrera pas avant ce soir.

— Pourquoi il ne m'a pas fait un bisou avant de partir ?

— Il est venu pendant que tu dormais. Il a laissé un baiser d'ange sur ton front, répondit Mme Greene.

— Comme l'ange qu'a vu Bridget ?

Mme Greene ne sut pas quoi répondre, mais Dana enchaîna :

— Non, c'était un vrai bisou de ton papa. Un baiser d'ange ne serait pas venu de lui. Mme Greene voulait dire « aussi doux qu'un baiser d'ange ». C'est pour ça que tu ne l'as pas senti.

Mme Greene la regarda avec gratitude, comme si Dana avait rattrapé une terrible gaffe. Elle avait bien vu son expression au nom de « Bridget ».

— Et si on regardait un dessin animé ? suggéra Dana. Ça fait longtemps, et on doit même en avoir un ou deux que tu n'as pas encore vus.

— J'ai pas envie, s'entêta Mary.

— On va chercher dans ce que tu as, pour voir si on trouve quelque chose qui te fait envie, proposa Dana en gardant un sourire volontaire. Alors... *Le Monde de Nemo.*

— Non, je l'ai vu un million de fois.

— *Le Roi Lion* ?

— Cinq millions de fois.

— Pas autant, quand même ?

— Si.

— *Cars*, alors ?

— Non.

— *Nos voisins, les hommes.*

— Ah, non.

— Allez, Mary, la supplia Dana.

Mary regarda sa mère, pensive. Enfin, elle dit :

— *Cendrillon.*

— Tu es sûre ?

— Tu veux que je regarde un dessin animé, non ?

— Un que tu as envie de voir.

— Eh ben, voilà, je veux regarder *Cendrillon*, c'est romantique.

— Va pour le romantique, alors, conclut Dana, soulagée. Madame Greene, vous voulez bien regarder *Cendrillon* avec Mary ?

— Avec plaisir, s'exclama l'infirmière. Je ne l'ai jamais vu, en plus.

— C'est vrai ? s'écria Mary, incrédule.

— Vrai de vrai.

— Ah, ça sera encore mieux de le regarder, alors !

— Moi, je l'ai déjà vu plusieurs fois, s'excusa Dana après avoir lancé le film. Je vais vous laisser et voir ce qui se passe en bas. Ça vous ira ?

— Oui ! dit Mary. Comme ça, tu ne vas pas gâcher le plaisir à Mme Greene en racontant ce qui va se passer.

— Bien vu, ma chérie. À tout à l'heure.

Dana descendit lentement les trois étages. Depuis l'arrivée de la police, elle avait réussi à prendre une douche et se laver les cheveux, et portait des vêtements propres. Malgré cela, sans sa séance soigneuse de maquillage et de coiffure, elle affichait cinq ans de plus que d'habitude. Dix ans, même. Même les meilleurs cosmétiques et la chirurgie esthétique ne pouvaient effacer le passage du temps.

Dans la galerie principale, Dana évita l'endroit où, encore quelques heures plus tôt, se trouvait le corps de Ken, les jambes écartées, la tête tournée sur un côté, la bouche ouverte, un trou à la place de son bel œil bleu, trois rangs de perles de pacotille autour du cou. Dana était souvent allée au carnaval de La Nouvelle-Orléans, et avait jeté des colliers comme ceux-là. Elle préférait les perles dorées, qui symbolisaient le pouvoir. Celles-là, elles étaient violettes. Pour la justice.

— Madame Nordine ?

Une policière arrivait dans le hall d'entrée qui menait au bureau. Dana se dirigea vers elle.

— Je regarde vos comptes depuis plusieurs heures...

— Nos comptes ?

— Oui. M. Montgomery nous a dit que vous étiez d'accord.

— C'est vrai. Je ne pensais pas que vous commenceriez si vite.

— Le shérif remplaçant avait une idée qu'il voulait vérifier, et effectivement, il y a un problème. J'aurais besoin que vous m'éclairiez.

— Je ferai tout ce qu'il faudra, dit Dana en la suivant dans le couloir. C'était moi qui m'occupais de toute la comptabilité, mais comme on a commencé à prendre de l'importance, Ken s'y est mis aussi, et il y a deux mois, nous avons pris une gestionnaire, Bridget Fenmore.

— D'accord. Elle est joignable, aujourd'hui ?

— Apparemment, elle a disparu. Enfin, pas vraiment, rectifia Dana devant la surprise de son interlocutrice. Elle n'est pas venue au travail vendredi, ni samedi, et elle n'a pas prévenu. Pourtant, jusque-là, elle n'avait pas posé de problèmes de ce genre.

— Elle est mariée ?

— Non. J'en ai parlé à M. Montgomery, et il a dit qu'il allait regarder sa fiche de renseignements pour retrouver sa famille.

— Ah, effectivement. Asseyez-vous, madame Nordine, dit la policière, en désignant le fauteuil le plus confortable du petit bureau. Vous avez l'air très fatiguée.

— Je le suis. Mais je pourrais prendre toute une boîte de somnifères sans m'endormir, à mon avis. Rassurez-vous, je n'ai pas l'intention de faire une overdose ! précisa Dana en voyant la policière ouvrir des yeux affolés.

— Bien sûr, mais ce sont des moments très difficiles, pour vous. Il ne faut pas hésiter à appeler un médecin.

— J'ai une infirmière qui s'occupe de ma fille, en ce moment. Elle va m'aider à passer le cap. Physiquement, en tout cas. Alors, que voulez-vous savoir ? demanda-t-elle en essayant de sourire.

— Ça concerne deux ventes de la semaine dernière. Les virements ont attiré mon regard, parce que ce sont des œuvres de Nicolaï Arcos. Évidemment, nous regardons de près tout ce qui le concerne.

— Je comprends. J'ai vu le panonceau « vendu » sur *La Dame de carnaval* l'autre soir, mais j'étais tellement distraite, avec l'opération de ma fille, que c'est mon mari qui a dû s'en occuper, et je n'ai pas voulu l'embêter avec des questions.

Forcément, la policière la regarda sans comprendre. Ce n'était pas embêtant de demander qui avait acheté un tableau, mais Dana ne pouvait en dire plus sans révéler où en étaient les choses entre elle et Ken juste avant le meurtre. Ce n'était pas le moment de laisser entendre qu'elle aurait pu lui en vouloir.

— Quel est le problème pour cette vente ? poursuivit-elle.

— Votre entreprise est bien enregistrée au nom de Galeries Nordine, société commerciale ?

— Oui, bien sûr.

— Vous avez d'autres comptes ?

— Nous avons un compte joint personnel, à notre nom.

— Aucun autre ?

— Non, nous avons ces deux-là depuis longtemps.

— Vous n'en avez pas ouvert dans les deux derniers mois ?

— Non ! s'impatienta Dana. Que voulez-vous dire ?

— Un compte au nom de KGN & associés, ça ne vous dit rien ?

— Ce sont les initiales de mon mari : Ken Guy Nordine. Vous êtes en train de me dire qu'il a ouvert un nouveau compte il y a deux mois ?

— Plutôt il y a six semaines, apparemment. Le premier relevé est arrivé mercredi.

— Je peux le voir ?

— Bien sûr.

D'une main tremblante, Dana saisit le papier et constata que mercredi dernier, le compte était à vingt-cinq mille dollars. Agrafé au relevé, un bordereau de versement daté de vendredi annonçait cent cinquante mille dollars. Écrit de la main de Ken, on voyait : « Merci, Dame de carnaval !! »

CHAPITRE 22

— Vous avez dû faire des cauchemars, d'avoir retrouvé ce cadavre ? Allez, racontez-moi !

Je le savais, pensa Catherine, assise devant des œufs Bénédicte. *Je savais que je ne pourrais pas lui échapper. Elle s'est jetée sur moi à peine j'ai posé un pied sur la terrasse.*

— Non, je ne fais pas de cauchemars, répondit-elle.

— Oh, je n'en crois pas un mot, proclama la petite bonne femme. Vous essayez de me faire croire qu'une horreur comme ça ne vous a pas donné de cauchemars ? Moi, j'en ferais pour le restant de mes jours.

Et je suis d'autant plus soulagée de ne pas être vous, pensa Catherine.

— Je me suis peut-être entraînée à rejeter ce qui me fait peur pendant mon sommeil.

— Oh, impossible ! La peur, la répulsion, tout ça, c'est le subconscient ! Je l'ai lu. Vous qui êtes psychiatre, vous avez bien dû lire ça aussi.

— Je suis psychologue, pas médecin.

— Et vous me dites que les psychologues ne croient pas au subconscient ? Alors, ça !

— Bonjour, madame Gray.

C'était Mme Frost, la gouvernante des Blakethorne. Catherine l'aimait bien. Elle ne la voyait que quelques minutes chaque fois, mais elle avait rendu de nombreuses visites à Ian dans les années suivant son accident.

— Madame Frost ! Ça me fait plaisir de vous voir. Je ne suis pas venue depuis des mois.

Le soleil faisait briller les cheveux argentés de la vieille dame.

— Je sais que vous avez eu beaucoup à faire, avec le lancement de votre cabinet. Je voulais juste vous dire bonjour.

— Eh bien, il faudrait qu'on arrive à se dire plus que bonjour, une autre fois. Vous savez, vous êtes toujours la bienvenue chez moi.

— Je n'aime pas trop sortir le soir, et pendant la journée, j'ai du travail.

— Alors je viendrai. Je sais que Ian ne vit plus ici, mais je viendrai vous voir, ainsi que Lawrence. (Mme Frost sourit.) Et Patricia, bien sûr. (Le sourire s'évanouit.) Et une autre fois, on pourra s'arranger pour qu'il n'y ait que vous, Ian et moi. Ou alors, on pourrait aller faire la tournée des antiquaires un samedi après midi...

Catherine n'avait jamais fait ça de sa vie, mais Ian lui avait dit que Mme Frost adorait visiter les boutiques d'antiquaires, et y faisait de temps en temps des achats qu'elle gardait en sécurité et bien conservés dans une pièce de Blakethorne Charters. De temps en temps, Ian ou Lawrence l'emmenaient les regarder.

— Je suis contente de vous revoir. Je vous ai vue de loin au mariage, mais il y avait trop de monde. Je me suis tenue à l'écart, mais je voulais vous dire que vous étiez très belle, avec cette robe verte. Les bijoux étaient magnifiques.

— Merci, c'étaient ceux de ma mère.

— Qu'elle repose en paix. Bien, je dois repartir. Il reste des tas de choses à faire.

À peine s'était-elle éloignée que Maud Webster demandait :

— C'est qui, celle-là ?

Catherine remarqua le léger mouvement de tête de Mme Frost. Elle avait failli se retourner.

— C'est la gouvernante des Blakethorne. Elle est chez eux depuis des années.

— Vous avez l'air de bien la connaître. Vous avez parlé de lui rendre visite.

— Oui, je connais les Blakethorne depuis l'enfance, et je me suis rapprochée d'eux.

— Vous voilà, Maud.

C'était Patricia, qui venait encore une fois au secours de Catherine.

— Je pensais vous trouver ici. Il y a quelqu'un qui vous cherche, une femme aux cheveux gris et aux yeux bleus, un petit peu plus grande que vous.

— Oh, elle, fit Maud avec dédain. J'essaie de l'éviter, c'est une vraie commère. En plus, j'avais une conversation très intéressante sur

514

le subconscient avec Cathy. Elle pense que ça n'existe pas, figurez-vous !

— Ce n'est pas ce que j'ai dit, soupira Catherine.

— Un autre cocktail mimosa, madame ? intervint un serveur, que Catherine eut envie de bénir.

— Oh, vous savez, j'adore ça ! annonça Maud à la dizaine de personnes alentour. Ça ne serait que de moi, j'en boirais tous les dimanches matin, mais Ed prétend qu'il ne faut pas avoir une haleine au champagne quand on va à la messe. Au retour, il dit qu'il est trop tard dans la journée. Pour moi, il n'est jamais trop tard dans la journée ! Lawrence doit penser la même chose, dit-elle en s'adressant à une Patricia un peu effarée. Ah, cette scène, hier soir ! Il aurait pu balancer cette pauvre fille par la fenêtre, s'il ne s'était pas cogné contre Cathy et Ian.

Un petit silence gêné suivit. Patricia pâlit sous son maquillage et son sourire avait l'air taillé dans du béton.

— Alors, un autre mimosa pour Maud, entonna Catherine d'une voix gaie et sonore au serveur. On va peut-être en prendre un toutes les deux, même.

— Voilà qui est parler ! Bon, j'en étais où ? Ah oui, Lawrence. Alors Patricia, votre nouvel époux s'est saoulé ? Pas génial, pour la nuit de noces. Enfin, comme vous viviez déjà ensemble, ça ne devait pas faire une grosse différence.

— Lawrence n'était pas saoul. Il ne se sentait pas bien, fit Patricia avec raideur.

— Si vous voulez, allez, fit Maud avec un clin d'œil à Catherine. On donnera votre version des faits, hein, Catherine ?

Elle était maintenant trop ensevelie par la honte pour être gênée. Mais elle avait de la peine pour Patricia, qui, les yeux plissés de colère, pinçait les lèvres.

C'est alors qu'une femme aux cheveux grisonnants trébucha devant Maud lui renversant dessus une assiette de saucisses italiennes et d'œufs brouillés. Maud glapit et se leva d'un bond, ce qui fit glisser les aliments sur ses talons hauts, teints dans la même nuance de rose bonbon que son tailleur. Elle fusilla du regard la maladroite, qui devait être la fameuse « commère ».

Ensemble, elles partirent vers la maison pour que Maud puisse se nettoyer.

Patricia s'assit à côté de Catherine.

— Désolée, elle est odieuse, mais son mari est très important dans les négociations avec Star Air. Enfin, il fallait que j'arrive à l'éloigner.

— Tu ne peux pas savoir comme ça me soulage. J'espère juste que Lawrence ne te soupçonnera pas d'avoir organisé « l'accident ».

— Oh, si, mais tant qu'Ed ne lui en veut pas, il s'en fichera. Ils sont en pleine conversation en ce moment, et pas au sujet de Maud, à mon avis. Je ne sais pas comment fait Ed, qui est si gentil, pour la supporter. Il doit passer beaucoup de temps au bureau.

Catherine rit et regarda en direction de Lawrence, à la tête de la table. Ed Webster s'était assis dans la chaise laissée par Patricia.

— Tu lui trouves bonne mine ? s'inquiéta Patricia, qui avait suivi son regard.

Catherine le regarda en train de parler, non sans entrain, à Ed Webster : posé, robuste, il avait le teint normal.

— Il a l'air bien.

— J'avais entendu parler du petit incident d'hier soir. Sinon, j'aurais été mise au courant par Maud.

— Lawrence a dû boire une flûte de trop, c'est tout. Et il a eu deux grosses soirées de suite. Ce n'est pas rien, un mariage.

Récemment, Catherine l'avait souvent trouvé pâle et fatigué, et elle pensait lui suggérer un check-up complet chez le médecin, mais avec tous les gens soudain très silencieux à côté, ce n'était pas le moment. Elle avait aussi envie de demander à Patricia comment s'était comporté Lawrence après, mais cette question-là paraissait trop intime. Peut-être chargerait-elle James de la poser.

— Après tout, il est resté longtemps célibataire, ajouta-t-elle. Il était au taquet.

— Oui, et il surestime ses talents de danseur. Il a dû tenter un pas de tango qui n'a pas marché comme prévu.

En voyant les sourires autour d'elle, Catherine comprit qu'elle avait raison de penser qu'elles étaient écoutées.

— Eh bien, vous pourriez prendre des cours de danse de salon. Ce serait une de vos premières activités de jeunes mariés, et ça doit être sympa.

— Tu parles, il a pris des leçons deux fois. Tu as vu les résultats. Non merci, je préférerais vivre assez longtemps pour voir au moins mon premier anniversaire de mariage !

Une heure plus tard, le brunch avait l'air d'enfin se terminer. Quelques personnes avaient commencé à se promener dans le jardin, et d'autres prenaient une dernière tasse de café accompagnée d'une viennoiserie. Lawrence se leva et fit tinter plusieurs fois sa cuillère sur sa tasse de porcelaine.

— Mesdames et messieurs, votre attention, s'il vous plaît ! tonna-t-il.

Les invités se rapprochèrent, et tous regardèrent Lawrence. Seule Mme Frost croisa le regard de Catherine avec une expression inquiète qui l'intrigua. Lawrence avait l'air bien, il parlait simplement plus fort que d'habitude. Maud était invisible. *Peut-être qu'elle est tombée dans l'étang*, se dit Catherine, se demandant si quelqu'un essaierait de la repêcher.

— Comme vous le savez, commença Lawrence, Blakethorne Charters et Star Air négocient une fusion depuis plusieurs mois. Nous avons encore quelques détails à régler, mais cette fusion s'annonce très bien !

Tout le monde applaudit. À côté de Lawrence, Patricia avait l'air méfiante, et Ed Webster affichait un sourire forcé. Il n'est pas content de cette annonce, comprit Catherine. Lawrence s'est précipité, mais le marché n'est pas encore conclu.

— Je ne surprendrai personne en disant que je suis maintenant un homme marié. C'est un moment qui a été attendu, mais je voulais être sûr de ne pas faire...

Oh, non, pourvu qu'il ne dise pas « une erreur », se dit Catherine.

— ... Sûr de pouvoir rendre heureuse la merveilleuse femme à côté de moi, se reprit Lawrence.

Catherine était certaine de ne pas avoir été la seule à retenir son souffle. Marissa avait fermé les yeux de soulagement. Patricia, elle, avait encore pâli. Toutefois, elle se rapprocha de son mari et l'entoura de son bras, un grand sourire plaqué sur le visage.

— Tu te rends compte, chérie ! s'exclama Lawrence. En quelques heures, j'arrive à t'avoir, toi, plus Star Air ! On est loin d'être des vieux croûtons, hein ? Tiens, pour le prouver, on devrait te tatouer une étoile ici !

Sa main frôla l'entrejambe de Patricia, s'y éternisa de longues secondes, puis remonta vers son épaule.

— Euh, pardon, les amis ! Je voulais dire ici !

De faibles rires s'élevèrent parmi l'assistance. Les gens restèrent fixés sur l'entrejambe de Patricia avant de détourner les yeux d'un air embarrassé. Celle-ci, droite comme un I, avait l'air de défier quiconque de la penser humiliée ou gênée. *Mais elle l'est*, pensa Catherine. *Elle l'est*.

— Je n'ai pas fini ! s'époumona Lawrence en voyant les gens commencer à battre en retraite. Je profite de l'occasion pour vous annoncer que mon fils Ian fait désormais officiellement partie de la direction chez Blakethorne Charters. Il sera mon second, mon copilote.

Lawrence s'esclaffa à son propre trait d'humour.

— Et pour le remercier des services inestimables qu'il va me rendre, je vais lui offrir un cadeau. Bon, moi, je suis un homme simple, qui n'a pas fait d'études très prestigieuses, mais qui avait une grande idée. Mon fils, ce n'est pas le même topo. Il a de grandes idées, mais il a aussi fait des études prestigieuses. C'est un vrai gentilhomme, qui s'y connaît en cuisine raffinée, en littérature, et surtout, en art. Ce jeune homme est un grand amateur d'art, alors je lui ai acheté un tableau qu'il m'a dit adorer. Ian, je le garde en sûreté ici pour toi, mais tu pourras venir voir quand tu voudras, *La Dame de carnaval* de Nicolaï Arcos !

*\
* *

— Quelle chance tu as d'avoir raté tout le mariage, dit Catherine à James en s'asseyant sur le lit d'hôpital. Tu es sûr que tu n'as pas comploté pour te faire tirer dessus ?

James éclata de rire.

— On dirait plutôt que j'ai manqué de bons moments.

— C'est ce que tu crois quand je te les raconte, mais se trouver au milieu, c'était hallucinant. Je ne serai plus la même pendant au moins un mois.

— Tu t'en es magnifiquement tirée.

— Je ne me sens pas magnifique. Et tu me manques ! J'ai l'impression que tu es là depuis une semaine.

— Et moi, j'ai l'impression que ça en fait deux ! Mais demain, je m'échappe enfin.

— Oui, mais interdit de reprendre tes activités. Accro au boulot ou pas, tu ne retournes pas au bureau pendant huit jours, compris ?

— N'importe quoi...

— Ordre de ton père. Et de Patricia.

— Et je vais faire quoi, pendant huit jours ?

— Tu pourrais venir au cabinet avec moi.

— Je croyais que les séances avec tes patients étaient confidentielles.

— Oui, mais tu pourrais rester avec Beth. Je t'ai dit qu'elle avait chanté, au mariage ?

— Deux fois.

— Je ne savais pas qu'elle avait une aussi belle voix.

— Si je vais au travail avec toi, elle pourra me chanter des chansons toute la journée, plaisanta James, qui lui passa les mains sur les bras avec tendresse. Ma chérie, sans vouloir casser l'ambiance, je suis tracassé par quelque chose. J'adore ta patience, ton optimisme, et j'ai peur que ces derniers jours n'aient affecté ta vision du monde réel.

— Les événements récents ne représentent pas entièrement le monde réel. C'est un vrai cauchemar, mais on a déjà vécu un cauchemar avant, et tu en as traversé un avant mon retour à Aurora Falls. De toute façon, les cauchemars ont une fin. Toi comme moi, on s'en est sortis. Ces moments ont été horribles, mais brefs à l'échelle de notre vie. Il faut voir la totalité, James, pas seulement les mauvais côtés. Il y a de bons côtés, pleins de lumière, et c'est peut-être naïf, mais je pense qu'il y a plus de lumière que d'ombre, si tu la recherches.

— Ton optimisme est toujours intact, conclut James avec sérieux.

— Oui, mais on ne parle pas assez de choses personnelles et importantes, je m'en rends compte maintenant. Franchement, on pense à ta relation avec Renée depuis qu'on est ensemble. Je comprenais pourquoi tu ne voulais pas en parler. Votre mariage désastreux s'est terminé par sa disparition, et tu as été soupçonné de l'avoir assassinée. La police a enquêté sur toi ! Qui ne serait pas traumatisé ? Mais c'est fini, mon amour.

— Vraiment ? Tu dois être la seule personne de la ville qui ne me croit pas coupable.

— Pas du tout ! Ne dis pas ça.

— Mais qui l'a tuée ? Et qui a tué Arcos, Nordine, et a voulu me descendre ?

Catherine baissa la tête en serrant les lèvres. Était-ce le moment de tout lui dire ? Il ne sortait de l'hôpital que demain. Il risquait de ne pas dormir de la nuit si elle lui en parlait maintenant...

— Tu me caches quelque chose, Catherine. Ça ne doit plus arriver entre nous. Fini, le silence par peur de faire mal. C'est ce qui nous a maintenus éloignés, et je ne veux plus qu'on soit éloignés. Je veux qu'on soit ensemble : esprit, corps et âme. Alors dis-moi ce qui se passe dans ton esprit.

Venait-il vraiment de prononcer ces paroles ? C'était à peine croyable. Catherine l'aimait avec passion depuis des années, mais une barrière était toujours restée dressée entre eux. Même au cours des derniers mois, ils étaient séparés par leur propre silence. Si elle négligeait cette occasion de tout partager avec James, celle-ci ne se représenterait peut-être plus jamais.

— C'était à la réception du mariage, commença-t-elle. J'ai repéré un homme à la fenêtre. Il regardait les chutes d'eau, puis il s'est tourné vers moi, et il m'a dévisagée. Il devait avoir la soixantaine. Très grand et mince, avec des cheveux noirs à peine grisonnants. Ses yeux étaient très noirs, enfoncés dans leurs orbites, cernés... Je n'ai pas compris pourquoi il soutenait mon regard, et puis j'ai eu le souvenir d'un autre mariage, avec une belle mariée aux yeux noirs qui me regardait avec l'air de se moquer de moi. James, je pense que c'était Gaston Moreau.

— Tu en es sûre ? demanda James au bout d'un moment. Tu l'as assez regardé ? Tu ne l'avais vu qu'une fois.

— Oui, et je n'étais pas dans mon meilleur jour. J'étais malheureuse, et j'étais focalisée sur Renée, mais je me souviens de Gaston comme de quelqu'un de peu ordinaire. Pas vraiment beau, mais qui reste en mémoire.

— Il avait l'air de vouloir te parler ?

— Non, il s'est contenté de me regarder, avec une espèce de mépris. Ou en tout cas, de me toiser.

— De t'évaluer ? Mais pourquoi ?

— Je ne sais pas, et ça m'a fait tellement peur que j'ai couru chercher Éric. James, tu essaies de le prévenir que sa fille est morte depuis des jours. Tu m'as dit que Renée était détestée de sa mère, et lui, je n'ai aucune idée de ce qu'il peut ressentir pour elle maintenant, mais il doit bien ressentir quelque chose. Il a signé l'accusé de réception du courrier concernant le divorce, et s'il est là, il doit forcément savoir qu'elle a été assassinée. Et je suis certaine qu'il est là.

James regarda par la fenêtre la nuit qui tombait. Le visage contracté, il lui serra la main si fort qu'elle eut envie de la dégager. Mais James avait besoin d'elle, peut-être plus que jamais. Pas question de lui montrer le moindre signe de faiblesse.

— Éric te fait suivre tout le temps ?

— Oui. C'est Tom en ce moment, et il est très consciencieux. Il est dans le couloir, il va me suivre chez moi et rester devant la maison jusqu'au moment où Jeff prendra la relève à 3 heures du matin.

— Tant mieux. Je ne veux pas que tu restes seule, même une minute.

— Ça n'arrivera pas.

— En sortant de l'hôpital, tu fermeras bien toutes tes portes, tes fenêtres, et tu resteras à l'intérieur. Ne va pas au travail demain.

— Si, il le faut, M. Hite ne revient pas avant le milieu de la semaine, et je n'ai pas le temps d'annuler mes rendez-vous. Mais je ne serai pas seule. Beth et Jeff seront là. Je n'ai des patients que le matin. Je viendrai te chercher à midi, et on sera ensemble pour le reste de la journée.

— Mais ne viens pas ici sans surveillance. Promets-moi.

— Promis, dit Catherine d'un ton solennel. James, est-ce que tu as peur de Gaston Moreau ?

— J'ai peur de ce dont il est capable. Avant, je le trouvais bizarre. Il ne m'inspirait pas confiance. Je ne l'ai pas revu depuis qu'elle m'a avoué ce qu'il lui avait fait pendant des années, je sais que c'est un monstre.

Il s'interrompit pour la regarder avec intensité.

— Catherine, je sens que si Gaston Moreau est à Aurora Falls, ce n'est pas juste pour ramener le corps de sa fille.

CHAPITRE 23

Catherine se réveilla avec un mal de tête sourd et une anxiété lancinante. Le mal de tête était compréhensible : n'importe qui en aurait eu un, avec les événements du week-end. En revanche, cette anxiété l'intriguait. James sortait aujourd'hui, et elle avait prévu un petit dîner intime et une soirée détente pour tous les deux.

Elle prit un petit déjeuner rapide et par la fenêtre, constata que Jeff Beal était en poste dans sa voiture. Il lui fit signe, et elle passa au garage. La voiture de Marissa n'était déjà plus là. Elle devait être sur une enquête ou à la recherche d'un bon sujet.

Le ciel était d'un gris décevant et semblait peser vers le bas, annonçant l'hiver. Elle qui avait espéré une belle journée ensoleillée comme hier pour ramener James !

Elle s'arrêta sur le parking du Centre Aurora Falls, et Jeff se gara un peu plus loin. Éric avait dû donner pour consigne de ne pas mettre la voiture de police en vue pour ne pas effrayer les patients. En général, M. Hite n'arrivait pas avant neuf heures et demie du matin, et Beth était toujours la première. Le policier annonça qu'il était « sur site », et pendant ce temps, Catherine regarda la voiture de Beth, déjà garée tout au bout du parking. Cabossée, rouillée, les pneus presque lisses, elle trahissait une douzaine d'années de négligence, mais son mari refusait qu'elle en change.

— C'est bon, annonça Jeff, qui la tira de sa contemplation. Tout va bien, madame Gray ?

Jeudi et vendredi, le policier en faction était passé faire un tour du Centre et avait pris un café en sa compagnie avant de retourner à sa voiture.

— Si vous n'arrêtez pas de m'appeler « madame », je vais casser votre gyrophare.

— Ah, je suppose que la réponse est non, alors ?

— La réponse est : s'il vous plaît, appelez-moi par mon prénom. Je vous appelle bien Jeff, moi. À part ça, si j'ai l'air un peu sonnée, c'est parce que je me suis amusée tout le week-end.

— Ah oui, Tom m'en a parlé, dit Jeff en riant. Pour tout dire, il n'était pas ravi à l'idée de vous suivre à un grand mariage, mais il a trouvé qu'en fait, c'était plutôt drôle.

— Tant mieux, si ça lui a plu, répondit Catherine, mi-figue mi-raisin. Moi, j'espère pouvoir passer au moins un an sans gala de trois jours dans ce genre. Euh, plutôt dix ans, en fait.

Sur le perron, elle ouvrit la porte, que Beth gardait fermée à clé jusqu'à l'ouverture, à 9 heures.

Elle fit quelques pas dans la salle d'attente, parlant toujours à Jeff, et referma derrière lui. Elle remarqua que l'odeur de café n'emplissait pas la pièce comme d'habitude. Et Beth n'était pas à son bureau. Étrange.

Soudain, quelqu'un s'avança depuis un renfoncement, à côté d'une bibliothèque. C'était Ian Blakethorne, beau, lisse, serein.

Avant que Catherine ait eu le temps de comprendre ce qui se passait, il avait enfoncé une seringue dans le cou de Jeff.

*
* *

Elle resta figée sous le choc. Jeff, lui chancela et chercha son arme. Ian abattit la main sur lui, avec plus de force que n'aurait cru Catherine. Le policier trébucha, tendit à nouveau la main vers son arme. Ian lui fit un croche-pied qui l'envoya à terre. Il se tortilla, mais cette fois Ian lui prit son revolver et lui donna un coup de pied dans l'abdomen. Jeff grogna et se roula en boule, les yeux clos, bougeant les jambes dans des mouvements saccadés, de plus en plus lents.

— C'est pas vrai, dit Catherine quand elle retrouva enfin sa voix. Tu lui as injecté des somnifères pour animaux, ou quoi ?

— Oh, presque, répondit Ian d'un ton nonchalant.

— Où est Beth ? Qu'as-tu fait d'elle ?

— Je suis arrivé un peu avant elle, et je m'en suis occupé sur le perron. Elle dort déjà, désolé.

— Elle dort, ou elle est morte ?

— Je te laisse le suspense.

Un instant, Catherine perdit conscience du monde autour d'elle. Elle crut s'évanouir. Puis la lumière terne derrière les vitres parvint à ses yeux, et elle vit Jeff bouger à nouveau. Elle respira avec force, attendant l'attaque de Ian. Elle savait qu'elle n'aurait pas la force de le repousser. Pourtant, il restait immobile, l'étudiant du regard. Elle garda sur lui des yeux vaguement horrifiés.

— Catherine, tu ne vas pas défaillir comme une damoiselle de roman d'amour ?

— Non, répondit-elle d'une voix faible. Je vais te demander ce qui ne va pas.

— C'est tout ? Pas mieux que : « Qu'est-ce qui ne va pas ? »

Catherine resta aussi droite et immobile que possible, rassemblant toute sa force et tout son courage.

— C'est tout, dit-elle d'une voix forte, ferme. Tu voulais quoi ? Que je crie ? Que je pleure ? Que je te supplie ?

Le ton un peu suffisant s'effaça en même temps que son masque d'impassibilité. Il la considéra d'un air intrigué et répondit lentement, intrigué :

— Non. Je pensais le vouloir, mais non. Si tu agissais ainsi, tu ne serais pas Catherine. Ma chère Catherine... que j'aime depuis mes 10 ans.

— Que tu aimes ?

— Oui. Oh, pas comme ça, non. Je n'ai jamais pensé à toi d'une manière sexuelle. Pas de fantasmes cochons. Seulement des rêveries romantiques. Voilà le genre d'amour que j'avais pour toi. (Il plissa le front, les yeux préoccupés.) Mais elle ne m'a jamais cru. Elle n'aimait pas que je parle de toi. Elle ne voulait même pas entendre ton nom. (Il regarda Catherine d'un air surpris.) Tu étais le seul obstacle entre nous deux.

— C'est qui, « nous deux » ? demanda prudemment Catherine.

— Tu sais bien.

Elle allait dire non, mais comprit que ce n'était pas la bonne tactique.

— Je veux l'entendre de ta bouche. C'est qui, « nous deux » ?

— Moi... et Renée.

Comme dans un rêve, Catherine vit Ian pointer un revolver sur elle avant de déclarer d'une voix courtoise qu'il voudrait entrer dans son bureau. Elle hocha la tête et lui montra le chemin, attentive à ne pas sursauter ou lui faire croire qu'elle essayait de s'enfuir. En fait, Ian aurait pu être un de ses patients habituels.

Ça ferait une sacrée séance, pensa-t-elle. Elle s'assit en croisant les jambes et regarda le jeune Ian, toujours aussi beau, qui s'était arrêté à côté de son bureau.

— Alors, de quoi veux-tu parler aujourd'hui ? dit-elle en produisant un faible sourire.

— C'est la question que tu poses à tous tes patients ?

— Oui.

— Tu me traites comme un patient ?

— Je te traite comme quelqu'un qui a l'air d'avoir envie de parler. Cela te paraît insultant ?

— Non, je ne crois pas, répondit Ian après un temps de réflexion.

— Tu veux me parler ? Sinon, on ne serait pas allés dans mon bureau.

— Oui, je suppose.

Il regarda autour de lui sans bouger le revolver, toujours pointé sur sa poitrine.

— J'aime bien la décoration de ton bureau.

— Merci, mais tu as participé. J'ai eu des compliments sur le vase de temple que tu m'avais offert.

— Des compliments de qui ?

— Dana Nordine. Elle s'y connaît.

— Dana Nordine, répéta Ian d'une voix dolente. Effectivement, elle peut avoir besoin d'une thérapie...

Soudain, des coups sonores retentirent à la porte d'entrée. *Pourvu que ce soit la police*, pensa Catherine, pleine d'espoir, avant de revenir à la raison. Des policiers n'auraient pas frappé à la porte.

— C'est mon père, expliqua Ian avec calme. Je l'ai appelé avant d'arriver, et je lui ai dit de venir, seul. Il a intérêt à être venu seul, fit-il, la voix rude.

— Tu as dit à ton père de venir ?

— Oui. C'est si incroyable que quelqu'un puisse donner des ordres à Lawrence Blakethorne ? Sans doute, mais c'est ce que j'ai fait. Va ouvrir la porte, dit-il en relevant son arme. Je l'ai fermée à clé. Fais-le entrer. Il va te harceler de questions, mais ne réponds pas. Dis-lui que tu avais besoin de le voir. N'essaie pas de lui faire des signes ou ce genre de bêtises. De toute façon, il ne les remarquerait probablement pas. Une fois qu'il sera dedans, redonne un tour de clé.

— Et là ?

— Et là, il aura le choc de sa vie.

CHAPITRE 24

Catherine ouvrit la porte d'entrée pour trouver un Lawrence passablement énervé.

— Catherine, dit-il sans ambages. C'est quoi, ces histoires ? « Soyez là à 8 h 45 précises. Ne dites à personne où vous allez. » C'est une embuscade pour abuser de mes charmes, ou c'est du chantage ?

— Aucun des deux, mais c'est important. Entrez.

Lawrence s'exécuta en tapant des pieds, comme s'il portait des bottes couvertes de neige. Elle referma la porte derrière lui, comme indiqué. Elle esquissa ensuite quelques pas hésitants. Que faire ? Lui proposer un café et lui avancer un siège ?

— Écoutez, Catherine, je ne veux pas paraître impoli, mais je n'ai pas que ça à faire. Je suis toujours à mon bureau avant

9 heures. Pourquoi vouloir me voir si tôt ? Si c'est une surprise pour Patricia, vous auriez pu avoir le savoir-vivre de m'appeler à mon bureau, à une heure décente.

— C'est une heure décente, père, mais ce n'est pas Catherine qui voulait te parler. C'est moi.

Lawrence regarda, perplexe, son fils, qui encore une fois, sortait du renfoncement. Ensuite, il se mit à rire.

— Qu'est-ce que tu fabriques, mon fils ? Et depuis quand tu m'appelles « père » ?

— Tu es mon père, non ?

— Hein ? Catherine, c'est vous qui lui avez raconté des trucs de psy ?

— Non, c'est lui qui a des choses à nous dire, apparemment.

— Bon, je n'ai pas le temps pour vos histoires. Toi non plus, Ian. Le travail. Il faut penser au travail avant tout. Viens, on va être en retard.

— Oui, tu as toujours pensé au travail avant tout, répondit Ian avec calme. Monter ton entreprise, construire ton *empire*...

— Ne fais pas le malin comme ça. J'ai créé une entreprise multimillionnaire à partir de rien ! Rien, je te dis ! Maintenant, viens avec moi !

Lawrence tendit la main vers son fils qui, aussitôt, pointa son revolver sur son visage.

— Cette fois-ci, je ne vais pas obéir à tes ordres, père, et on ne va pas penser au travail avant tout.

Lawrence recula, bouche ouverte, yeux ronds. Pour la première fois, il regarda autour de lui et aperçut Jeff Beal, étalé par terre.

— C'est quoi, ça ? Il est mort ? Vous êtes pris en otage ?

— Ça, c'est un policier qui a été drogué. Nous ne sommes pas otages. Enfin, pas moi. Toi et Catherine, c'est une autre histoire. Vous êtes mes otages, et pour une fois, père, tu vas faire ce que je te dis.

— Pourquoi tu m'appelles père ?

— Parce que tu es mon père. Rien de plus. Tu n'as jamais été mon « papa ».

— Je... je ne comprends pas, dit Lawrence, plus bas, la voix chevrotante.

— Tu vas comprendre. On va aller parler dans le charmant bureau de Catherine.

Catherine précéda Lawrence, dont les pas lourds étaient assourdissants, même sur la moquette épaisse. Dans son bureau, elle se dirigea tout de suite vers son fauteuil, par habitude ou pour se rassurer, elle ne le savait pas. Ian fit signe à son père de s'asseoir sur le canapé et s'appuya contre son bureau, pointant alternativement son arme sur son père et sur Catherine. Le silence était pesant. Lawrence transpirait dans son manteau, malgré la fraîcheur ambiante.

— Parlons de Renée, commença Ian.

— Renée ? s'étrangla Lawrence. Renée Eastman ?

— Bien sûr. Tu sais depuis le début que tout tournait autour d'elle.

— Tout ? s'étonna Lawrence. Son meurtre ? Ah non, tu veux dire les autres meurtres ?

— Oui. Ne me dis pas que tu pensais qu'il n'y avait pas de rapport.

— Euh, si, il paraît. Quelqu'un a essayé de tuer son mari...

— Son ex-mari.

— Oui. Enfin, ça a été une semaine cauchemardesque pour Aurora Falls. Tous ces assassinats... (Lawrence sembla se perdre dans le vague un instant, puis se concentra à nouveau.) Mais quel rapport entre nous et Renée ?

— C'était la femme que j'aimais plus que la vie elle-même, déclara Ian d'une voix atone. Et l'un de vous l'a tuée.

Le silence s'installa à nouveau. Catherine eut envie de hurler face à la scène qui se déroulait sous ses yeux. Elle ne voulait pas y croire. Elle rêvait, peut-être ? Voilà, c'était un cauchemar. D'une seconde à l'autre, elle allait se réveiller, essoufflée, le cœur battant, et reviendrait doucement à son quotidien si tranquillement ordinaire...

Puis les autres parlèrent, et elle sut que ce n'était pas un cauchemar.

— N'importe quoi ! disait Lawrence. Tu ne la connaissais même pas.

— Nous étions amants, père. Renée Moreau était l'amour de ma vie depuis mes 17 ans.

C'est faux ! cria une petite voix puérile en Catherine. Mais une voix plus forte, plus raisonnable, lui soufflait que Ian ne mentait pas. C'était tout à fait logique que Renée prenne un jeune amant impressionnable, sensible et gentil, qui verrait en elle bien plus que ce qu'elle était. Son esprit affamé et sans scrupules devait avoir envie d'un tel amant, sans jamais que vienne l'effleurer l'idée du mal qu'elle lui infligeait.

— 17 ans ! Cette traînée a abusé de toi quand tu avais 17 ans ? tonna Lawrence, avec un effort maladroit pour se relever.

— Ne l'appelle pas comme ça ! dit Ian en rapprochant le revolver du visage de son père.

— C'était une traînée ! Tu mens. Tu n'as pas pu la laisser te toucher, cette salope, cette...

Lawrence fit encore un pas chancelant en direction de son fils, qui lui parla, les yeux dans les yeux :

— Assieds-toi, père, ou je t'abats sur-le-champ.

La voix douce de Ian était maintenant d'acier. Il avait l'air plus grand, plus fort. Et pas tout à fait sain d'esprit. Catherine fut submergée par une vague de peur, et avant de s'en rendre compte, elle se mit à parler :

— Ian, personne ne va plus insulter Renée. On est dans mon bureau, et je ne le permettrai pas. Lawrence, rasseyez-vous et fermez votre clapet, pour une fois. Ian, raconte-nous ton histoire avec Renée, s'il te plaît.

Lawrence la regarda avec hargne. Puis ce fut comme si ses jambes cédaient, et il s'affaissa sur le canapé.

— Ian, vas-y, si tu veux bien. Je ne le laisserai pas t'interrompre.

Ian la regarda avec méfiance, puis, voyant que ses otages ne bougeaient pas et ne disaient rien, se détendit un peu.

— Tu ne connaissais pas Renée, Catherine.

— Non, je ne l'ai vue qu'à son mariage. (Elle dut déglutir pour arriver à articuler la suite d'une voix calme.) Parle-moi d'elle. Comment vous êtes-vous rencontrés ?

— Il est possible que tu l'aies tuée. Tu t'en fiches ?

— Non, Ian, je trouve ça important.

Catherine s'exprimait avec gravité. Inutile de se lancer dans les dénégations. Ian lança des regards autour de lui, avec l'air de se demander s'il devait répondre. Finalement, il reprit :

— J'ai fréquenté un lycée privé, loin d'ici. C'était l'été, et j'étais à la maison. Je m'ennuyais. Je n'avais pas d'amis. J'ai décidé de prendre des cours d'arts plastiques avec un professeur réputé : Nicolaï Arcos. Renée aussi y assistait. J'étais ultratimide. Je ne parlais à personne. Mais elle s'est présentée, elle m'a dit que c'était son premier été à Aurora Falls, et qu'elle n'avait pas d'amis non plus.

« Bien entendu, Arcos a très vite engagé la conversation avec elle. Elle avait été scolarisée en Europe, ce qu'il prétendait trouver très intéressant. En réalité, c'était sa beauté qui l'attirait. Elle devait s'en rendre compte, mais ça ne l'a pas arrêtée. D'ailleurs, elle ne m'a pas pour autant repoussé en faveur d'un artiste exotique. Elle a préféré nous transformer en un triangle amoureux. J'avais deux amis. Je n'étais plus seul.

— Tu n'étais pas seul, Ian. Tu étais à la maison, avec moi, l'interrompit Lawrence.

— Avec toi ? Et quand ? Tu partais tôt le matin et tu ne rentrais pas avant 9 heures du soir, avec du travail à terminer dans ton bureau. Le week-end, c'était travail le samedi, ou déjeuners, golf, tennis ou squash avec tes partenaires.

— Et je t'invitais à te joindre à nous.

— Moi ? Je déteste le golf, je te rappelle. Et j'ai peut-être l'air d'avoir complètement récupéré de l'accident, mais je ne peux pas jouer au tennis ou au squash. Mais tu as oublié aussi, apparemment.

Lawrence ouvrit la bouche comme pour s'excuser, puis la referma. Ian avait raison, il n'avait pas d'excuse, se dit Catherine. Il avait oublié que son fils ne pouvait pas pratiquer de sport violent.

— Alors Arcos, Renée et toi, vous êtes devenus amis, résuma-t-elle.

— Plus ou moins. On se serait cru dans une pièce de théâtre. Arcos voulait coucher avec elle. J'étais amoureux d'elle. Chacun connaissait les sentiments de l'autre, et faisait semblant de ne rien savoir.

— Et Renée, elle était au courant ?

— Renée était très malheureuse, et perdue, répondit Ian avec brusquerie. Je pense qu'elle ne savait pas vraiment ce qu'on ressentait pour elle. Elle avait peut-être un doute, ou même pas.

Foutaises, pensa Catherine. Elle connaissait exactement les sentiments des deux hommes à son égard. Elle appréciait d'être au centre de l'attention, de les voir rivaliser d'affection.

— Et un jour, on a parlé de mon retour au lycée, très prochain. Renée s'est mise à pleurer.

Ian se tut, les yeux dans le vague, une expression de tristesse émerveillée sur le visage.

— C'est la première fois qu'elle m'a emmené au cottage.

Catherine s'attendait à une explosion de Lawrence, mais celui-ci, les mains croisées, avait l'air sans énergie.

— Vous avez fait l'amour, compléta Catherine.

— Oui ! Oui ! Nous avons fait l'amour. Elle m'a dit qu'elle m'aimait, et je lui ai dit aussi.

Depuis ce jour, nous avons été ensemble, nous n'avons formé qu'un.

— Je vois.

— Non, tu ne vois pas, parce que tu penses à sa liaison avec Arcos !

Catherine s'attendait à ce qu'il la passe sous silence ou la nie. Surprenant.

— Quand je suis retourné au lycée, poursuivit Ian, nous avons gardé le contact. Elle m'en a parlé, et m'a dit qu'il ne fallait pas que j'en souffre, parce que ça ne voulait rien dire. Elle se sentait très malheureuse, voilà tout.

— Oh, Ian, comment as-tu pu...

Catherine coupa Lawrence.

— Si Renée était tellement malheureuse avec James, pourquoi elle n'est pas repartie chez ses parents ?

Ian la regarda d'un air étonné.

— Mais, son père avait abusé d'elle. Tu n'avais pas deviné ? Il n'a voulu un enfant que pour des fins sexuelles, et il a commencé quand elle était tellement jeune qu'elle ne s'en souvient pas.

— Et la mère n'a rien fait ?

— Audrey est beaucoup plus jeune que le père. Elle n'avait pas d'argent. Elle et Gaston avaient un accord. Elle devenait Mme Moreau à condition d'avoir une enfant. Si c'était un garçon, il attendrait une fille. Et la fille était à lui. C'était un marché. Audrey a toujours su.

Renée avait donc pas mal parlé à Ian. Où était la vérité dans tout ce qu'elle lui avait raconté ?

— Pourquoi avoir épousé James ? reprit Catherine. Elle aurait pu choisir quelqu'un de plus fantasque, non ? Et il n'était pas riche.

— Il connaissait des choses sur Gaston. Elle n'était pas amoureuse de lui, mais il pouvait la protéger contre celui qu'elle redoutait plus que tout : son propre père. Voilà pourquoi elle est restée avec lui, alors qu'elle ne pouvait pas l'encadrer.

— Et c'était quoi, cette chose qu'il savait ?

— Elle ne m'a jamais dit. Elle disait qu'elle me protégeait, moi aussi. Gaston aurait pu le découvrir, et là...

— Et là ?

— Il m'aurait tué.

Catherine le regarda sans répondre. Renée n'y était pas allée de main morte. Ces histoires de menaces de James à Gaston semblaient tirées d'un film ou d'un roman. Et Ian, malgré son intelligence, avait bien voulu croire tout ce qu'elle lui racontait. Elle l'avait ensorcelé, ou quoi ? Catherine fut prise d'un fou rire nerveux, qu'elle masqua par un bruit étranglé avant de regarder Ian avec sérieux.

— Qu'est-ce qu'il y a ? demanda-t-il.

— J'ai avalé de travers, dit-elle, se raclant la gorge à nouveau pour accréditer son mensonge. Et que s'est-il passé quand tu es revenu, l'été suivant ?

— J'avais terminé le lycée. J'ai proposé qu'on parte tous les deux, mais elle a refusé. Elle voulait que je fasse des études. C'est ce que j'avais prévu depuis longtemps, et elle ne voulait pas m'en priver. Elle disait qu'on pouvait attendre un an ou deux, le temps de faire des économies. On n'avait pas grand-chose à nous, ni l'un ni l'autre. Ensuite, on aurait pu partir dans un endroit où ni Gaston ni James ne nous trouveraient.

— Et ton père, tu penses qu'il ne serait pas venu te chercher ?

— Je savais que non. Il aurait été furax, mais il n'aurait pas pris le temps de me rechercher. Il n'avait pas une grande estime pour moi, de toute façon.

— Ce n'est pas vrai ! cria Lawrence. Tu es mon fils ! Je t'aime !

— Tu sais, père, les actions ont plus de poids que les mots. Tu m'as fait des cadeaux somptueux, tu t'es vanté de moi auprès de tes amis, mais tu n'as jamais passé avec moi plus de temps que le strict nécessaire. Surtout après l'accident. Est-ce que tu trouvais que je n'étais plus tout à fait le même ?

— Mais si, tu l'étais !

— J'étais atteint physiquement, donc je n'étais pas aussi costaud que les autres garçons de mon âge. J'ai dû passer des mois alité. (Ian s'interrompit un instant, puis esquissa un sourire mauvais.) Et puis, il y avait ma blessure à la tête. C'est ce que tu disais aux gens : « Ian a reçu un mauvais coup sur la tête. » Tu parles ! J'avais des lésions cérébrales ! Les médecins ont bien cru que mon cerveau ne fonctionnerait plus correctement, au début. C'est ça que tu trouvais insupportable, hein ? L'idée d'avoir un fils qui ne soit pas normal ?

À la réaction de Lawrence, Catherine comprit que c'était vrai. N'importe quel parent aurait été en détresse face à des blessures d'une telle gravité, mais Lawrence s'était inquiété avant tout des dommages au cerveau pour sa propre fierté, et non le bien-être de son fils. Emplie de haine, elle eut envie de dire quelque chose de détestable, de méchant, à Lawrence. Puis elle le vit, affaissé et pâle sur le canapé ; c'était l'ombre de lui-même. Elle ne dit rien, et se retourna vers Ian.

— Tu appelais Renée, quand tu étais à la fac ?

— Tout le temps. Et elle me disait tout. J'étais au courant pour Nordine et Arcos, mais quand je revenais, c'était comme si je n'étais jamais parti.

— Vous étiez à nouveau amants ?

— Oh, oui.

— Mais tu n'es pas parti avec elle.

— On économisait encore. Je n'allais pas toucher mon héritage avant la mort de grand-mère. Renée voulait que je prenne un an de plus pour décider si elle était vraiment ce que je voulais.

— Elle savait que ta grand-mère allait te laisser son argent ? demanda soudain Lawrence.

— Oui. Je te dis, on n'avait pas de secrets l'un pour l'autre. Je sais, tu penses qu'elle voulait rafler mon argent. Tu penses que tout le monde veut de l'argent, et rien d'autre, mais pas elle. Elle se fichait de l'héritage. Elle ne s'intéressait qu'à moi.

Lawrence commençait à reprendre des couleurs. Il retrouvait ses forces. Il allait se mettre à crier, ou alors tenter quelque chose sur Ian.

Vite, Catherine se pencha et poussa un petit cri. Les deux hommes la regardèrent. Elle se massa vigoureusement le mollet droit et expliqua :

— Ce n'est qu'une crampe. Ça m'arrive quand je reste trop longtemps immobile, ou que je suis nerveuse. Ce n'est rien.

Non, ce n'était vraiment rien.

— Désolée, Ian.

— Les crampes, je connais.

— Ah, ça oui ! Qu'est-ce que tu en as eu, en rééducation !

— Des centaines.

Ouf, il s'en souvenait.

— Et tu me massais jusqu'à ce qu'elles passent, ou que le médecin vienne me faire une piqûre.

— Oui, je me rappelle. Ça a été pénible pour toi, pendant des mois.

— Et je me reposais sur toi. Patricia venait de temps en temps, mais elle passait beaucoup de temps au travail, ou avec grand-mère. Et toi, père, tu ne venais presque jamais.

Catherine resta penchée, et tout en se massant la jambe, regarda sa montre. 8 h 55. Elle était là depuis moins d'une demi-heure. Elle avait l'impression d'écouter Ian depuis une journée entière.

— Ta jambe va mieux ? demanda-t-il avec gentillesse.

— Un peu. Il y a un an, j'ai fait une mauvaise chute sur ma hanche droite. Je n'ai rien eu de cassé, mais je pense que ma jambe en a gardé des séquelles.

Ian eut l'air de réfléchir, puis se décida.

— Lève-toi, et fléchis doucement la jambe. C'est comme ça qu'on fait. Je ne veux pas te voir souffrir.

Tu ne veux pas me voir souffrir, et ça ne t'empêche pas de me pointer un revolver dessus, pensa Catherine. Dément. Mais il ne fallait pas laisser passer l'occasion.

— D'accord.

Elle se leva lentement et fit la grimace en se penchant.

— Oh, c'est pire que ce que je croyais.

— Continue à masser, ordonna Ian. Tu te souviens comment c'est.

— J'avais de la peine pour toi. J'aurais voulu avoir des mains magiques pour faire partir la douleur. Mais en général, je devais reconnaître ma défaite et appeler un médecin pour qu'il t'injecte un décontractant musculaire. Tu avais peur des aiguilles.

— Pas peur. Je détestais ça.

Elle fit un petit pas sur la droite, et se cogna contre le coin du bureau.

— Ça va, je vais plier un peu la jambe. Mais pour reparler de Renée, quelque chose a dû changer entre vous. Elle est partie peu après ta rentrée en... troisième année d'université. Que s'est-il passé ?

— Rien ! Dans notre cœur, rien n'a changé. Mais après tout ce qu'elle avait vécu à Aurora Falls, ses années avec James, la rivalité entre Arcos et Nordine, alors que c'était moi qu'elle voulait... Elle a dit qu'elle n'en pouvait plus. Je l'ai suppliée de me rejoindre, mais elle ne voulait pas me mettre en danger.

Elle voulait te fuir, toi aussi, pensa Catherine, pleine de pitié pour le jeune Ian, d'une intelligence hors du commun, et naïf malgré tout.

— Elle m'a promis de me tenir au courant, et c'est ce qu'elle a fait. Elle ne m'a pas abandonné. Je connaissais sa cachette, et je la savais en sécurité. Ensuite, elle a dit que les choses se corsaient. Je ne sais pas trop ce qu'elle voulait dire. Elle n'est pas revenue en juin, quand je suis rentré pour les vacances. Je ne te dis pas dans quel état j'étais. Et puis, un mois après ma rentrée en dernière année, ma grand-mère est morte. Elle m'a laissé une fortune. Pas impressionnante pour des milliardaires, mais presque douze millions de dollars, quand même. Même après les frais de succession, ça me laissait suffisamment pour nous mettre en lieu sûr, Renée et moi. J'étais euphorique.

C'était peut-être l'espoir, ou son imagination, mais Catherine eut l'impression de voir une silhouette par la fenêtre, quelqu'un qui marchait lentement, prudemment.

— Mais elle ne savait pas que ta grand-mère était morte, dit-elle.

— Si, elle prenait de mes nouvelles pendant tout ce temps, parce qu'elle m'aimait, dit-il avec un sourire ému. On faisait des projets d'avenir. Le testament devait être authentifié, ce qui peut prendre jusqu'à un an. Je logeais dans un appartement, mais elle avait toujours peur, et préférait attendre qu'on puisse s'enfuir tous les deux. Je comprenais. Elle n'aurait pas été en sécurité. Mon père s'était mis à s'intéresser à moi de plus près. Il savait depuis toujours que j'allais hériter de tout cet argent, mais il croyait qu'elle vivrait cinq ou dix ans de plus.

« Quand j'ai terminé mes études, je suis revenu ici, et j'ai prétendu que j'allais tout investir dans Blakethorne Charters. Cela a fait très plaisir à mon père. On en parlait depuis un moment, mais en fait, il en avait vraiment besoin. Je suis plus calé en management que ce qu'il croit. Je regardais les comptes régulièrement, et je savais qu'il s'était trop agrandi. D'où la folle course après la fusion avec Star Air. Même mon argent aurait été insuffisant pour le sortir de l'impasse.

— La fusion avec Star Air est une bonne idée ! protesta Lawrence.

— Je suis d'accord. Mais je te connais, tu aurais préféré garder ton entreprise bien à toi plutôt que de la fusionner avec une autre. Mon héritage allait aider, mais tu avais besoin des ressources d'une autre boîte, même une que tu détestes, comme Star Air.

— Je n'ai pas besoin de Star Air ! tonna Lawrence ! C'est moi qui leur donne une chance unique !

— Épargne-moi tes salades, père. Je t'ai dit, je sais tout de ta situation financière. Tout le monde ne t'a pas à la bonne chez

Blakethorne Charters. Il y a des employés qui te détestent, et qui n'ont aucun scrupule à partager certains renseignements avec ton propre fils.

Lawrence serra les points en grognant sourdement. Il était furieux, mais il n'avait pas l'air d'être capable d'agir. *L'effet du choc, peut-être ?* se demanda Catherine. Pas la peur, en tout cas ; une peur paralysante paraissait très improbable chez Lawrence Blakethorne.

— Quand Renée est-elle revenue à Aurora Falls ? demanda Catherine.

— Je t'ai dit qu'on continuait à s'appeler. Toutes les formalités concernant le testament ont pris fin début septembre. Père voulait que je balance tout de suite mon argent chez Blakethorne, mais je traînais des pieds ; j'attendais Renée. On s'envoyait des messages, on s'appelait, et on avait prévu de se retrouver vendredi soir, début octobre. Le rendez-vous était à 9 heures au cottage. On n'y allait pas toujours, mais pour nous, ça restait notre cottage à nous. Mon père me mettait une pression grandissante, et il avait de plus en plus de soupçons. Chaque heure était comme une journée entière. J'attendais de retrouver Renée. J'avais retiré beaucoup d'argent. Je n'aurais pas eu besoin d'en retirer d'autre avant longtemps. Je me disais que d'ici ce moment, mon père aurait bien eu une crise cardiaque, ou qu'il se serait suicidé à cause de toutes ses dettes, et qu'il ne me poserait plus de problème.

Père et fils échangèrent des regards meurtriers.

Catherine avait beau dresser l'oreille, elle n'entendait rien à côté. Et si Ian avait injecté une dose fatale à Beth et Jeff ? À cette pensée, elle fut prise d'un violent frisson.

— Qu'est-ce qu'il y a, encore ? s'énerva Ian.

— Ma jambe...

— Ta jambe, ta jambe... Ça commence à bien faire, ta crampe !

Ian n'avait plus sa voix habituelle. Elle était plus grave, plus rude, plus agressive.

— Tais-toi, maintenant, ajouta-t-il. Tu me tapes sur les nerfs.

Catherine s'appuya sur le bureau au point que les jointures de ses doigts ressortirent.

Elle fit mine de réprimer sa douleur, et fit encore un pas de côté.

— Alors tu es allé au cottage retrouver Renée samedi. Et là, que s'est-il passé ?

Ian la regarda, son beau visage dévasté par la souffrance.

— Elle n'était pas là. J'ai attendu des heures, mais ma Renée n'est pas venue me retrouver.

CHAPITRE 25

— Et alors, qu'est-ce que tu as fait ? demanda Catherine avec douceur, tout en s'assurant que Ian la voyait faire une petite grimace.

— Que pouvais-je faire ? Je suis allé au cottage. Il était toujours vieux et mal entretenu, mais il n'y avait pas de traces de violences, aucune affaire de Renée. Je l'ai appelée, je lui ai envoyé des messages. Rien. J'étais sûr qu'il lui était arrivé quelque chose d'horrible. J'ai regardé les actualités, cherché sur Internet. J'ai passé une semaine d'enfer. J'évitais mon père autant que possible, pour qu'il ne se rende compte de rien. Mais je gardais espoir. Renée disait qu'il fallait toujours avoir de l'espoir, et qu'on serait ensemble un jour. Elle avait toujours raison. Les gens voyaient sa beauté, sa sensualité, mais ils ne voyaient pas son intelligence. C'était la femme la plus extraordinaire qui ait existé.

Elle a joué les mères pour toi, pensa Catherine. *Pauvre garçon, dont la mère ne s'est jamais comportée comme telle, et qui a failli te tuer. Pendant tous ces mois, alité, en rééducation, avec très peu de visites à part les miennes, tu as dû te demander si ça lui aurait importé, si elle avait su qu'elle avait mis tes jours en danger. Et puis est arrivée Renée, belle, pleine de vie, qui partageait tes intérêts, qui couchait avec toi et remplaçait ta mère par son amour inconditionnel, à la fois physique et spirituel.*

Cette fois-ci, Catherine eut la certitude d'avoir vu quelqu'un à la fenêtre derrière son bureau. Il ne fallait pas regarder par là-bas, et s'accrocher à l'idée que le Centre n'était plus isolé.

— Tu ne la pensais pas morte, reprit-elle.

— Non. Je ne pouvais pas croire cela. Renée avait dit que rien ne pourrait nous séparer.

— Et quand as-tu découvert qu'elle était vraiment morte ? chuchota Catherine.

— Le samedi suivant, fit Ian, le visage décomposé. J'avais un rendez-vous avec une amie. Je l'ai emmenée à la galerie Nordine.

— Tu étais ami avec les Nordine ?

— Ami ? Avec Ken ? Ça va pas, non ? J'allais à la galerie pour voir les nouvelles œuvres, mais surtout pour rendre visite à Mary... cette pauvre petite fille négligée. Elle me rappelait moi au même âge. Je l'aimais, Catherine. Je ne m'attache pas aux enfants, d'habitude, mais sincèrement, je l'adorais, et c'était réciproque. Une fois, elle m'a dit que j'étais son prince charmant.

— Je suis sûre qu'elle t'adorait. Tu es beau, doux, et tu devais lui donner l'attention qu'elle ne recevait pas de ses parents.

— J'essayais, en tout cas. Bref, le samedi soir, j'ai présenté mon amie à Arcos, et tout se passait relativement bien. Et là, quelqu'un a parlé du corps découvert au cottage des Eastman. Le corps que tu as découvert, Catherine.

— Oui. C'était horrible, Ian. Mais je n'ai fait que le découvrir. Je n'ai pas tué Renée.

Il fit signe que ça ne l'intéressait pas, et poursuivit :

— La fille qui m'accompagnait voulait aller à une fête avec des amis. J'étais à peine en état de parler, et quand on est arrivés chez ses copains, je suis allé droit à la salle de bains pour vomir. Quand je suis ressorti, elle m'a dit qu'elle avait rencontré un ex-petit ami. Elle m'a proposé de repartir : son ex la ramènerait.

— C'était le samedi soir, tu as dit. Ce soir-là, James était au cottage, et quelqu'un a essayé de le faire sauter au cocktail Molotov. Ça ne pouvait pas être toi.

— Et pourquoi ? À cause de l'heure ? Je suis rentré chez moi vers 10 heures. Tu crois que ça prend des heures, de fabriquer quelques cocktails Molotov ? Eh bien, non. Je suis devenu expert. Je m'entraîne dans mon appartement.

— Tu étais bizarre, comme gosse, intervint Lawrence. Quand tu étais petit, je t'emmenais au terminal, pour montrer mon fils à tout le monde. Mais après l'accident, tu es devenu spécial. Tu n'avais pas les mêmes occupations que les garçons de ton âge, les fils de mes amis. Tu parlais de choses qu'aucun enfant de 11 ou 12 ans ne connaissait. D'après les médecins, il n'y avait pas de séquelles neurologiques, mais moi, je n'y croyais pas.

— Alors c'est pour ça que nos quelques sorties ont cessé, comprit Ian. Tu pensais que j'étais atteint. Tu avais honte de moi.

— Lawrence, votre fils a un QI élevé, expliqua Catherine, qui avait de la peine pour Ian malgré la situation. Son intelligence était supérieure à celle des enfants de vos amis. Il a passé un an en convalescence après l'accident. Pendant cette année, il a lu tout ce qui lui passait sous la main, et il a regardé toutes les émissions scientifiques et tous les documentaires destinés aux adultes. Effectivement, il était différent des enfants de son âge : il était plus intelligent, plus cultivé.

— Pff, dit Lawrence, en un borborygme méprisant qui lui demandait un étrange effort.

Ian garda son arme dirigée droit sur son père, la haine éclatant dans ses si beaux yeux hypnotiques qui lui avaient valu son surnom. Catherine était horrifiée par la dégradation de l'être humain qu'elle aimait comme un petit frère depuis des années.

— Donc tous les événements de cette semaine étaient des tentatives pour tuer le meurtrier de Renée, dit-elle, sonnée. Tu étais décidé à la venger.

— Bien sûr que je voulais la venger ! Tu aurais voulu que j'accepte le meurtre de la femme la plus extraordinaire que j'aie connue ? Ma Renée... dit-il d'une voix possessive.

— Ian, à ta place, la première personne à qui j'aurais pensé, c'était celle qui a tout fait pour la garder pendant des années, et à qui elle avait échappé : James. Tu avais l'intention de le tuer, au cottage ?

— Le tuer ? Avec des cocktails Molotov, lancés d'aussi loin ? gloussa doucement Ian. Oh, Catherine, tu n'y connais rien. Tu imagines la maladresse et l'imprécision ? Je voulais juste faire flamber la baraque, mais sans que personne ne me voie. J'ai lancé les cocktails aussi loin que possible. Je n'avais même pas vu James avant le départ de Patricia.

De toute façon, je savais qu'il n'avait pas tué Renée. J'avais voulu prendre toutes les précautions, sachant que nous allions enfin être réunis. Je savais par Patricia qu'il partait en conférence à Pittsburgh, mais je me suis dit que c'était peut-être une ruse, si jamais il était au courant du retour de Renée. J'ai fait appel à un détective privé, qui a suivi James pendant tout le week-end. Le meurtre a sans doute eu lieu vendredi soir, d'après la police, et James, parti jeudi, n'est rentré que dimanche.

— Mais tu as essayé de le tuer !

— Avec une carabine de calibre .22 ? Depuis aussi loin ? Non, j'avais trois raisons pour lui tirer dessus. Un, pour tout le mal qu'il avait fait à Renée. Deux, pour qu'on le croie autant en danger qu'Arcos l'avait été. Et trois, difficile à croire maintenant : pour te détacher de lui.

— Pour moi ?

— Je t'aimais, Catherine, comme une sœur. Tu as été si gentille avec moi, tout ce temps. Quand j'ai entendu que tu étais en couple avec lui après le départ de Renée, ça m'a énervé. Tu méritais mieux. Et tu t'es contentée de ça. À mes yeux, il ne vaut pas beaucoup mieux que Gaston. Je pensais te faire peur, en lui faisant voir la mort de près, pour que tu t'éloignes de lui. Le coup de fil à Marissa pour qu'elle passe voir Arcos à la morgue n'a pas suffi. Je pensais que tu comprendrais tout de suite que toute personne liée à Renée était en danger. En voyant Arcos de près, avant l'arrivée des flics, Marissa aurait pu te convaincre, mais ça n'a pas marché non plus. Pas plus que le déshabillé que j'ai laissé dans la chambre de James. Je le gardais depuis deux ans, et je vaporisais toujours son parfum dessus.

— Mais ça ne m'a pas éloignée de James, et le masque dans ma voiture non plus.

— Je me disais qu'à ce moment-là, tu comprendrais que le fait d'être avec James faisait de toi une cible vivante. Mais tu es plus têtue que je ne pensais, Catherine. Tu ne lâches pas.

— Pas quand je crois en quelqu'un.

— Et tu crois en lui ?

— Oui.

— Bof, tu as peut-être raison. De toute façon, il n'aurait pas eu le courage de la tuer.

— Et Arcos, si ?

— Arcos était fou à lier, même quand il était à jeun. Mary m'a dit avoir vu une femme qui ressemblait à la Dame de carnaval. Elle m'a aussi dit qu'elle en avait parlé à Arcos. Je ne lui en ai pas voulu, ce n'est qu'une enfant. Elle pensait qu'il serait content de savoir qu'il y avait vraiment une femme qui ressemblait à « sa » dame, comme il disait.

Ian prit une profonde inspiration.

— Arcos était baraqué, très lunatique, et il est devenu presque fou quand Renée est partie d'ici. Je savais qu'il était assez cinglé pour la tuer de l'avoir quitté. Alors j'ai attendu, et j'ai planifié. Après la découverte du corps de Renée, il est resté enfermé deux jours dans son loft.

« Ensuite, j'ai entendu qu'il s'en était pris à toi. La police le recherchait. Alors j'ai roulé pendant des heures, mais j'avais l'intuition qu'il se rendrait à la morgue pour retrouver son corps. C'était typique de lui, un truc pervers dans ce genre. J'ai attendu, sans relâche, et enfin, il est arrivé, complètement défoncé, et il a essayé de s'introduire dans le bâtiment. Je ne lui en ai pas laissé le temps. Je pense qu'il n'a même pas su ce qui lui tombait dessus.

— Tu as tiré dans son œil droit, comme ça avait été fait à Renée. Comment étais-tu au courant ?

— Les gens parlent.

— C'est Robbie ?

— Robbie ? Mais non, elle refusait de me donner des détails sur le crime, mais je me suis débrouillé. Je peux le dire, tant que j'y suis. C'était un ambulancier. Je le voyais quand il y avait un accident au terminal. Il avait les cheveux d'un roux inoubliable. C'était un lèche-bottes de première, et il s'y croyait. Je savais qu'il était sans scrupules, alors je l'ai payé pour des renseignements. Ça n'a plus d'importance. Ils l'ont viré la semaine suivante. Je n'ai aucune idée d'où il est.

Mais aux urgences, ils le sauraient peut-être, se dit Catherine. Et s'il était trouvé, il paierait pour ce qu'il avait fait.

— Tu as mis des colliers de carnaval à Arcos.

Ian eut un sourire distant.

— Il aimait les bijoux, il n'aurait jamais porté de la pacotille vendue à la douzaine comme ça. J'ai choisi le violet, qui symbolise la justice. C'est la justice que j'ai rendue à Arcos.

— Tu as aussi mis des colliers violets près de James.

— Il ne l'a pas tuée, mais il n'a pas été correct avec elle.

— Et Ken Nordine ?

— Au moins, Arcos était vraiment épris de Renée. Quand il a su qu'elle était morte, il a agi comme un cinglé, mais c'était mieux que Nordine, qui a poursuivi son train-train, continué à penser à lui avant tout, cracha Ian, le visage dur. Et il a déjà trouvé une remplaçante à Renée. Pas aussi intelligente, sensible, belle et cultivée, mais une remplaçante.

— Bridget Fenmore. Ian, tu l'as tuée aussi ?

Le silence s'installa dans la pièce. Ian regardait à ses pieds, les yeux voilés. Au moment où Catherine crut entendre un faible bruit métallique dans la pièce d'à côté, Ian répondit avec fermeté :

— Non. Mais je l'ai éloignée de Ken. Je voulais qu'il passe quelques jours en sachant ce que c'était de ne plus avoir la femme qu'on aime. Bon, il ne l'aime pas vraiment. Je ne le pense pas capable d'amour. Mais il ne supporte pas l'idée de ne pas dominer la situation. Il n'a rien pu faire quand Renée a disparu, et rien quand Bridget a disparu à son tour.

— Qu'as-tu fait d'elle, Ian ? demanda Catherine en se déplaçant imperceptiblement vers la droite. Elle va bien ?

— Elle te dirait sans doute que non. C'est une faible, elle passe son temps à se plaindre, et elle est tellement facile à effrayer que c'en est écœurant. Mais oui, elle va bien. La police a quitté le loft d'Arcos jeudi, et je l'y ai emmenée après m'être occupé de James. Je l'ai gardée au chaud, je lui ai donné à manger, et je l'ai fait appeler Ken dans la nuit de samedi. Elle lui a dit de venir la chercher dans un terrain devant chez Arcos. Elle lui a bien dit de ne pas venir avec la police, sous peine qu'elle soit exécutée, mais je n'étais pas serein. Je voulais avoir une marge de dégagement si je voyais quelque chose de suspect. Mais Ken a fait comme on lui a dit. Et il a eu ce qu'il méritait.

— Et là, tu l'as ramené à la galerie ?

— Oui. Il n'a pas été évident à trimballer, même si j'avais pris une bonne couverture. J'avais les clés de Bridget, et elle m'avait donné le code d'accès.

— Donc après avoir tué Ken, tu l'as mis devant le tableau *La Dame de carnaval.*

— Oui, c'était un petit bonus, fit Ian, qui poussa un soupir épuisé. Je croyais en avoir fini. Avoir tué tous ceux qui étaient susceptibles d'avoir commis le meurtre. Mais il s'est passé deux choses.

La voix de Ian s'étouffa, comme un vieux phonographe. Catherine avait l'impression que l'air s'était figé dans la pièce – à part le souffle bruyant de Lawrence, qui gardait les yeux baissés, peut-être incapable de supporter la vue de son fils. Catherine pria pour qu'on n'entende rien depuis la salle d'attente. Elle était certaine qu'on venait les aider. Il fallait qu'elle arrive à faire traîner les choses assez longtemps...

— Deux choses ? Lesquelles ?

— Hein ? demanda-t-il d'un air vague, comme s'il avait oublié leur conversation. Deux choses ? Ah, oui. La première te concernait.

— Moi ?

— Oui, toi. Je perds facilement les téléphones portables. Je les pose quelque part, et j'oublie. Et quelqu'un les prend.

Catherine attendit qu'il continue. Il regarda le vase de temple qu'il lui avait apporté deux semaines auparavant, quand elle avait emménagé officiellement dans son nouveau bureau.

— Tu te souviens que je t'ai offert ce vase.

— Bien sûr. On vient d'en parler.

— Pendant le mariage, tu es venue me demander d'utiliser mon téléphone. Tu m'as dit avoir laissé le tien quelque part. Ça a été comme une révélation pour moi. Quand je t'ai apporté le vase, j'échangeais des messages avec Renée. C'était le jeudi, et on devait se voir le lendemain. J'ai reçu un appel de mon père pendant que j'étais ici, et j'ai laissé le téléphone sur ton bureau. Au moment où j'ai voulu l'utiliser pour rappeler

Renée, je ne l'avais plus. En fait, c'était ici que je l'avais oublié. Tu l'as utilisé pour envoyer un message à Renée, et lui dire de ne pas venir au cottage samedi soir, mais vendredi.

Catherine était stupéfaite. Soudain, elle entendit un minuscule bruit, et se mit à parler avec précipitation.

— Ian, je ne savais pas que tu avais une liaison avec Renée, et encore moins qu'elle était à Aurora Falls.

— D'autres personnes l'ont vue.

— Oui, mais elles ne m'en ont pas parlé. Et qu'est-ce qui te fait croire que j'aurais pu connaître votre rendez-vous ?

— James ou toi, vous auriez pu avoir quelqu'un qui la surveillait... Sinon...

— Sinon ?

Ian se tourna vers son père.

— La deuxième chose, c'est ce qui s'est passé au brunch du mariage. Tu as porté un toast à une fusion qui est loin d'être finalisée, et tu parlais trop fort en dérangeant tout le monde. Tu as parlé de faire un tatouage en forme d'étoile à Patricia, en pointant ton verre en plein sur la zone du pubis. Renée avait un tatouage de pentagramme à cet endroit. Je sais que tu l'avais vu. Elle a pu utiliser Arcos et Nordine parce qu'elle se sentait seule et qu'elle avait peur. Mais toi ? C'était comme avec Gaston. Tu l'as violée. Alors, tu as dû la tuer pour ne pas être dénoncé.

— La violer ! explosa Lawrence. Personne n'avait besoin de la violer, cette fille ! clamat-il, son visage reprenant tout à coup des couleurs. Je ne l'ai pas violée ! D'ailleurs, je ne l'ai jamais touchée, cria-t-il de manière peu convaincante. Je n'en savais rien, de cette histoire de pentagramme. J'ai parlé d'étoile, et j'ai levé mon verre. Patricia était juste là, et le verre a pu se trouver à ce niveau, mais c'était, un, euh, un...

— Un quoi ?

— Un accident ! Tu penses que je ferais une suggestion pareille devant tout ce monde ?

— Je pense surtout que tu fais beaucoup de choses dont tu te serais abstenu il y a un ou deux ans. Tu n'es pas pareil. Je ne sais pas si c'est la fusion ou le mariage, mais tu es différent.

— Merde, je n'ai rien ! s'époumona Lawrence. Je suis comme j'ai toujours été ! Je vais bien !

Un autre son, plus fort, se fit entendre à côté. *Oh s'il vous plaît, encore deux ou trois minutes*, pensa Catherine. *Il leur faut encore un tout petit peu de temps.*

— Ian, dit-elle d'une voix forte, pour détourner son attention. Pourquoi aurais-je envoyé un message à Renée pour lui dire de venir vendredi plutôt que samedi ?

— Tu as pu utiliser mon téléphone pour qu'elle pense que c'était moi. Et vendredi soir, c'est toi qui serais allée la retrouver. Tu savais bien que si James savait qu'elle était de retour, il en finirait avec toi. C'est toujours elle qu'il a aimée, et pas toi. J'y avais pensé avant, à part que je ne te croyais pas capable de meurtre. Mais connaît-on jamais vraiment une autre personne ? demanda-t-il d'un ton fatigué, baissant la tête. Est-ce que je savais vraiment de quoi tu étais capable pour garder James ?

Ian avait l'air de ne plus avoir de force, et n'était plus aussi attentif. Catherine rassembla son courage et sauta sur le vase de temple en porcelaine. Avec un grognement d'effort, elle souleva le vase de quarante centimètres de haut, et d'un geste vif, l'abattit sur la tête de Ian. À cet instant entrèrent Éric, déterminé, Robbie, les yeux tragiques, et Mme Tate, le sourire triomphant.

— Pas un geste, dit Éric.

Ian resta debout une seconde, puis s'affaissa doucement à terre.

— Catherine, mets son arme hors de portée, ajouta Éric aussitôt.

Elle donna un coup de pied sur le revolver pour l'éloigner. Elle ne sentait rien, pas même de soulagement, en regardant le corps inconscient roulé en boule de Ian Blakethorne. Alors, elle vit le puissant Lawrence Blakethorne trembler, sa tête majestueuse baissée, ses grandes mains couvrant ses yeux d'où coulaient les larmes.

CHAPITRE 26

Cinq jours plus tard

— J'étais peut-être trop confiante, mais je pensais vraiment me remettre plus vite de ces horreurs.

Catherine était chez elle, sur le canapé, la tête sur l'épaule de James, qui la tenait serrée contre lui.

— Tu es attachée à Ian Blakethorne depuis ses 10 ans.

— Oui, mais je suis formée à affronter ce genre de situations.

— Avec des patients. Ce que tu ressentais pour Ian, c'était un amour fraternel et maternel à la fois, et c'était fort. Tu ne peux pas te remettre de sa déchéance en quatre jours.

— Oh, ne dis pas « déchéance », James !

— Alors je dis quoi ? Dépression nerveuse ? Tu penses que d'ici six mois, il ira bien et il vivra une vie normale ?

— Non. Ne sois pas méchant.

— Ce n'est pas mon intention. J'essaie de te faire accepter la réalité. Il a tué deux personnes, en a kidnappé une, m'a tiré dessus. Lawrence répète à qui veut l'entendre que c'est le résultat du traumatisme crânien qu'il a subi lors de son accident. Peut-être, peut-être pas. Dans tous les cas, Ian sera jugé pour le premier meurtre, et même si son avocat essaie d'obtenir une non-culpabilité pour démence, soit il perdra, ce qui arrive le plus souvent, soit Ian se retrouvera dans une structure spécialisée pour un temps indéterminé. Et sincèrement, je pense qu'il a besoin d'être enfermé quelque part. Ne me regarde pas comme ça. Pense à ce qu'il a fait. Pense que même s'il t'aime soi-disant comme une sœur, il était prêt à te tuer. Heureusement qu'il y avait Mme Tate !

— Oui, c'était vraiment l'héroïne de l'histoire. Elle est arrivée bien à l'heure, et en trouvant la porte fermée et en ne voyant pas

Beth par la fenêtre, elle en a conclu que c'était louche, et a appelé la police.

— La voiture de police vide a dû lui mettre la puce à l'oreille, aussi.

— Oui. En tout cas, elle peut être fière d'elle, et elle a besoin de ressentir de la fierté. Je l'ai remerciée une dizaine de fois.

— Et tu as une amie pour la vie.

— Au secours. Il y a des chances que ça soit aussi risqué que d'avoir Maud Webster pour amie. Ah, je voudrais pouvoir parler à Ian. Je sais que je ne me sentirais pas mieux, mais je veux savoir... J'ai besoin de savoir s'il a tué Renée.

— Pourquoi l'aurait-il tuée ?

— Peut-être qu'ils se sont retrouvés ce soir-là, et qu'après des années d'attentes et de promesses, elle l'a rejeté, pour quelqu'un de « mieux » qu'elle aurait trouvé. Il aurait pu la tuer dans un accès de délire psycho-tique. Il pourrait ne même pas en avoir le souvenir.

— Tu en sais plus que moi sur le déni, répondit James avec délicatesse. Écoute, tu voudrais savoir, mais je pense que tu te sen-tirais encore plus mal si c'était le cas.

Il frotta le menton contre les cheveux de sa compagne.

— Ma chérie, je sais que c'est impossible, mais il faut que tu essaies d'oublier cette histoire. M. Hite est revenu, ce qui te permet d'avoir le reste de cette semaine de libre, plus la semaine prochaine et...

— Je ne vais pas prendre la semaine prochaine. Je ne peux pas rester à traîner en essayant de ne pas penser à quelque chose. Je dois être occupée.

— Je te comprends tout à fait, parce que je suis pareil. Nous avons énormément en commun, Catherine, et on n'en a pas beaucoup parlé jusqu'ici. En fait, je dirais même qu'on se comprend étonnamment bien, en sachant qu'on a si peu échangé.

— Oui, tu n'as pas tort.

James pencha la tête vers elle, et leurs lèvres allaient se rencontrer, quand quelque chose bougea à côté d'eux. C'était le téléphone de James qui vibrait sur le canapé. Il proféra un juron, à voix si basse qu'il lui sembla que Catherine ne remarquait rien. Dès qu'il décrocha, il entendit une voix inconnue s'excuser de le déranger, lui dire que quelque chose de terrible risquait de se produire, et le supplier de l'aider.

James plaça la main dans le dos de Catherine et lui dit :

— C'est sans doute important. Je ne sais pas qui c'est.

Catherine prit un air grave et dit à Lindsay de se taire, alors qu'elle n'avait pas bougé.

— Excusez-moi, vous pourriez répéter, s'il vous plaît ? demanda James en plaçant le téléphone entre lui et Catherine.

— Ici Mme Frost. La gouvernante des Blakethorne ? Mlle Catherine me connaît.

— Je suis là, madame Frost, dit Catherine. Qu'est-ce qui se passe ?

— Je ne sais pas !

La gouvernante parlait d'une voix tremblante et précipitée. Depuis douze ans qu'elle la connaissait, Catherine ne l'avait entendu s'exprimer qu'avec calme, et avec un accent britannique impeccable.

— L'ambiance est affreuse, ici, après toute l'histoire de M. Ian. Affreuse. Personne n'y croit. Je n'y crois toujours pas. Mon cher petit Ian... (Elle eut un hoquet, puis respira à fond.) Je ne devrais pas parler de ce qui se passe ici, mais bien sûr, il y a eu des tensions entre M. Lawrence et Mlle Patricia. Je ne comprends pas trop. J'ai l'impression qu'il lui en veut, pour une raison ou une autre. Un soir, je l'ai entendu dire qu'elle aurait dû voir ça venir il y a des années.

— Aucun d'entre nous n'a rien vu venir, madame Frost.

— Oh, je sais. Pas même moi. M. Blakethorne était parti la plupart du temps, et maintenant que j'y pense, Ian aussi. Il prétendait avoir des amis, mais bon. Quand il a terminé ses études, il a pris son appartement par ici, et à part au moment où il s'y est installé en juin, il n'y a plus invité personne. Enfin, voilà, ce matin, M. Blakethorne n'était pas là. Mlle Patricia est allée dans son bureau. Normalement, M. Blakethorne n'aime pas qu'on aille dans son bureau, mais qu'est-ce que j'y pouvais ? C'est sa femme, maintenant.

— Bien sûr, madame Frost. Je comprends. Vous ne pouviez pas lui dire de sortir du bureau de son mari.

— J'entendais qu'elle fouillait. Dans les dossiers, les tiroirs... Elle forçait les serrures quand les tiroirs étaient fermés à clé ! J'ai pensé à appeler M. Blakethorne, mais je ne savais pas trop quoi faire. Et là, il est rentré. Il est monté en courant dans son bureau, et ils se sont disputés, de plus en plus fort. Finalement, M. Blakethorne est reparti, et Mlle Patricia est restée dans son bureau, à faire encore un bruit pas possible avec les tiroirs. Ensuite, elle était au téléphone, et je l'ai entendue dire : « Il fait quoi ? Il se balade dans son putain d'avion ? » Elle a descendu l'escalier comme une folle, en marmonnant des histoires d'aéroport. Je lui ai demandé où elle allait, mais elle n'a pas répondu. Elle était en furie, elle a pris la Jaguar, et elle est partie à une de ces vitesses ! J'espère que la police va l'arrêter, mais sinon...

— Elle va aller droit chez Blakethorne Charters.

— Oui. Oh, mademoiselle Catherine, je sais que je devrais sans doute prévenir la police, mais c'est une affaire de famille. Après tout ce qui s'est passé, je ne peux pas les appeler. Je sais que M. Eastman s'entend bien avec M. Blakethorne. S'il pouvait faire quelque chose sans que ça s'ébruite, et que ça cause encore du malheur dans cette famille. J'ai peut-être mal fait d'appeler, mais...

— Vous avez fait ce qu'il fallait, l'interrompit James. Je me rends tout de suite chez Blakethorne Charters. Je vais arranger ça, madame Frost. De votre côté, essayez de vous calmer.

— Oh, merci, monsieur. Je sais que M. Blakethorne et Mlle Patricia ne seront pas contents que j'aie...

— Ne vous en faites pas pour l'instant. Ils devraient en être reconnaissants. Je vous tiendrai au courant dès que j'aurai compris ce qui se passe. Encore une fois, s'il vous plaît, essayez de vous calmer. Vous n'avez rien fait de mal. En fait, ils ne vous méritent pas. Faites-vous une tasse de thé, et je vous rappelle bientôt.

— Je viens avec toi, dit Catherine dès que James se leva.

— Non, il pourrait y avoir du grabuge.

— Je crois avoir prouvé que j'étais capable de me tenir en cas de grabuge, dit Catherine, qui allait récupérer son fourre-tout. Je viens avec toi.

Vingt minutes plus tard, James entra dans le parking de Blakethorne Charters, puis en ressortit.

— Tu vas où ? demanda Catherine.

— Derrière. Le bureau de Lawrence donne sur les pistes. En plus, Mme Frost a dit qu'il avait l'intention de faire un tour en avion. Si on errait dans le terminal, on ne ferait que perdre notre temps.

Ils contournèrent la partie nord du terminal et s'arrêtèrent tout près pour regarder les deux pistes. Un Lear Jet s'élança sur l'une d'elle, avant de s'élever gracieusement dans le ciel bleu clair. Plus loin, le soleil éclairait les chutes d'Aurora.

— Ils sont là ! Apparemment, Lawrence vient de revenir de son tour en avion. Patricia est avec lui.

Tous deux à côté d'un petit avion, ils étaient en pleine dispute. Lawrence, massif, se tenait très raide face à Patricia. Elle parlait si fort que James et Catherine l'entendirent dès qu'ils ouvrirent leurs portières. Ni l'un ni l'autre ne les virent s'approcher.

— Lawrence ! s'écria James. Qu'est-ce qui se passe ?

Tous deux les regardèrent, éberlués. Ils se turent et les laissèrent s'approcher.

— Je me suis offert un petit vol dans mon Cessna Station Air, répondit Lawrence avec naturel. Un seul moteur, mais c'est l'un de mes engins préférés. Parfait quand on a envie d'être seul, bien au-dessus des petites fourmis qui s'activent en bas, sans notion de ce qui est important dans la vie.

— Salaud, cracha Patricia. Des petites fourmis qui s'activent en bas. C'est tout ce qu'on est pour toi, hein ? Et depuis toujours.

— James, tu savais que cette merveille peut s'élever de trois cents mètres par minute ?

— Non, je ne savais pas.

— Et tu savais qu'il était malade ? cria Patricia. Tu étais dans le secret ? Il t'a promis de l'argent, James ? Tu étais au courant de quoi ?

— Je n'ai aucune idée de ce que tu me racontes, répondit James, abasourdi.

— Voyez-vous ça. Et toi, Catherine ? Tu es docteur. Tu avais deviné !

— Je ne suis pas médecin, Patricia, et non, je n'ai rien deviné. Du calme !

— Du calme ! Avec ce que je viens de découvrir ?

Lawrence regarda les pistes, et suivit des yeux le cours de l'Orenda, dont les eaux qui se jetaient vers les chutes.

— Voilà, mon aéroport sera le plus beau du monde. Les gens se déplaceront rien que pour le regarder. D'ici dix ou quinze ans, la population d'Aurora Falls aura presque doublé. Tout ça, grâce à Blakethorne Charters. J'ai toujours su que c'était écrit.

— Tu commences déjà à perdre la boule ? demanda Patricia avec hargne. Bien sûr. Tes neurones dégénèrent, c'est parti. J'avais vu les signes, mais je n'avais pas compris.

Elle se jeta sur Lawrence avec tant d'énergie qu'elle le renversa presque, ce qui relevait de l'exploit.

— Maintenant, je sais pourquoi tu t'es décidé à m'épouser, du jour au lendemain ! Tu voulais une infirmière !

— Doucement ! l'interrompit Catherine. Qu'est-ce que tu veux dire ? Ses neurones dégénèrent ?

— Oh, ne fais pas l'innocente, Catherine. Tu n'es peut-être docteur qu'en psychologie, mais tu as bien suspecté quelque chose, quand au mariage, il t'a presque fait tomber. Tu l'as confié à Ian, à qui tu as dit de trouver un endroit où son père puisse se reposer.

Patricia agita une liasse de papier au visage de Catherine.

— Une sclérose latérale amyotrophique ! La maladie de Lou Gehrig. Voilà ce qu'il a. Il a été diagnostiqué il y a deux ans pour la première fois, et cinq fois depuis !

Lawrence saisit le bras de Patricia.

— Tu es allée fouiller dans mon bureau ! Tu as regardé dans mes dossiers secrets, mes tiroirs, mon coffre-fort, même ! Comment as-tu su la combinaison ? Des caméras secrètes ?

— Exactement, siffla Patricia, qui se tourna vers James. Les premiers symptômes sont en train d'empirer. Les étranglements. La perte de contrôle musculaire. La faiblesse. Les difficultés d'élocution. Tous ces rires au mauvais moment. Le fait qu'il soit bien plus fatigable qu'il y a ne serait-ce que deux ans. J'attribuais ça au stress pour la fusion avec Star Air, mais il faisait vraiment n'importe quoi : cette explication ne suffisait pas. Puis est venue la demande en mariage que j'attendais depuis le suicide de ma sœur. J'étais aux anges. Vous vous rendez compte ! C'est ridicule. J'aurais dû comprendre.

— La demande en mariage que tu attendais depuis le *suicide* de ta sœur ? répéta soudain Lawrence, plus en forme que jamais.

— Peut-être. Elle avait envie de mourir. Tu l'as su ? J'en doute. Toi et ma mère, vous n'avez jamais rien su d'autre que ce que vous vouliez bien savoir.

— Tu l'as poussée à se tuer.

— N'importe quoi !

— Tu allais la voir. Tu restais dans sa chambre, et tu parlais sans fin. Quand tu partais, elle était encore plus triste, encore plus distante. C'est Mme Frost qui me l'a dit.

— Ah tiens ? Elle m'a toujours détestée. Et si tu la croyais, pourquoi n'avoir rien fait ? Pourquoi ne pas m'avoir interdite de séjour ? Je vais te dire pourquoi. Parce que je m'occupais d'Abigail. Quand j'étais là, pas de risque qu'elle vienne te chercher, qu'elle te fasse honte, qu'elle te dise de rentrer à la maison. Je faisais du baby-sitting !

— Et le jour de l'accident ?

— Ça faisait des années que j'étais amoureuse de toi, que je la voyais se balader avec ta bague au doigt, sans rien faire d'autre que rester dans sa chambre, l'esprit embrumé par les cachets. Ce jour-là, elle était pire que d'habitude, et j'avais envie de l'étrangler. Alors, j'ai préféré lui parler de tes maîtresses. Je t'ai toujours eu à l'œil, Lawrence. Je savais qu'il y avait d'autres femmes. Elle s'est mise dans tous ses états, et elle a fini par partir en courant avec les clés de sa voiture.

Enfin, des larmes brillèrent dans ses yeux.

— Je ne savais pas qu'elle allait prendre Ian au passage, et l'emmener dans ce cauchemar avec elle. Je ne voulais pas qu'il arrive quelque chose à Ian, je te le jure.

— Mais tu l'as poussée à bout !

— Tu l'as vue partir, et tu n'as rien fait pour l'aider !

— Je bâtissais mon entreprise. Je consacrais tout mon temps et mon énergie à créer une vie confortable pour ma famille !

— Pour toi, tu veux dire. Et regarde un peu ce que ça a donné, Lawrence. Tu es en train de mourir, et ton fils est un malade, un assassin. Il a tué Arcos et Nordine, et il vous aurait tués, toi et Catherine, tout ça parce que vous auriez pu tuer sa bien-aimée Renée, la femme qui avait pris pour proie un mineur innocent.

Ce fut comme si un gong résonnait dans la tête de Catherine.

— Patricia, intervint-elle. Comment sais-tu que Ian a commencé à fréquenter Renée quand il était mineur ?

— Quoi ? Oh, je ne sais plus. Il avait dû me le dire.

— Il ne te l'a pas dit. Il n'en parlait à personne. Tu gardais un œil sur Lawrence, mais sur Ian aussi.

— Oh, non. J'étais trop occupée.

— Je pense qu'on n'est jamais trop occupé pour faire ce qu'on a vraiment envie de faire.

Lawrence regardait Patricia, l'air stupéfait.

— Tu savais que mon fils était avec cette traînée ?

— Tout comme toi ? Elle avait sans doute besoin de noter les rendez-vous sur son agenda, pour ne pas confondre le père et le fils.

— J'ai couché avec Renée une fois. Une seule.

— Mais tu avais envie de plus. Je voyais bien la façon dont tu la regardais. Tu te fichais que James soit ton ami. Et ensuite, tu as eu le culot d'acheter son portrait ! Tu parles, comme c'était pour Ian ! C'était pour toi.

— C'était un investissement, bon Dieu ! cria Lawrence. Pourquoi tu ne m'as pas dit que Ian était avec elle ?

Comme elle ne répondait pas, il répéta sa question. Elle ne répondit toujours pas.

— Tu voulais me punir parce que je ne te regardais pas, c'est ça ? Abigail était morte depuis des années, et je ne t'avais pas prise pour maîtresse, et encore moins pour femme. Alors laisser Renée prendre Ian sous sa coupe, c'était ta vengeance.

Lawrence s'exprimait d'une voix de plus en plus grave et éraillée. Les yeux jetant des éclairs, il serra encore plus fort le bras de Patricia.

— Lâche-la, dit James. Lâche-la.

— Je n'ai compris que plus tard qu'ils étaient amants depuis longtemps, commença

Patricia, parlant si vite qu'elle en bégayait presque. J'ai deviné, c'est tout.

— Je pense que tu n'as rien laissé aux devinettes, dit Catherine. Au contraire, tu devais les surveiller depuis des années, surtout depuis que ta mère était morte en laissant son argent à Ian. Tu te doutais que Renée reviendrait à ce moment-là. Quand il serait riche.

Sous le regard assassin de Patricia, Catherine poursuivit :

— Ian avait laissé son téléphone portable sur mon bureau, le jour où il devait retrouver Renée au cottage pour s'enfuir avec elle – et l'argent. J'avais rapporté le portable à ton cabinet, et je l'avais remis à Mitzi, ta jeune recrue, puisque tu allais sans doute voir Ian ce soir-là.

— Elle ne me l'a pas donné, répliqua Patricia.

— Je suis certaine que si. Ian n'avait pas effacé ses messages récents. Tu as avancé le rendez-vous au vendredi en envoyant un texto à Renée depuis le téléphone de ton neveu. Renée s'y est rendue ce soir-là, pensant retrouver Ian. En fait, c'était la mort qui l'attendait. Quand Ian est allé au cottage le samedi soir, Renée était déjà morte, mais il n'en avait aucune idée. Il n'y avait pas d'impacts de balle dans les murs. Après ton crime, je suppose que tu as transporté le corps sur le tapis au crochet très épais que la police a trouvé dans la citerne. Tu auras mis le corps là, en attendant de trouver un meilleur endroit pour t'en débarrasser. Tu n'as même pas laissé de traces de sang à nettoyer. Tu as remis toutes les affaires de Renée dans sa voiture, et caché la voiture dans le garage d'une maison du voisinage.

— C'est absurde ! cria Patricia.

— C'est pourtant vrai, s'exclama Lawrence, médusé. Incroyable. Tu l'as tuée. Avoue ! cria-t-il en la secouant sans ménagement.

— D'accord ! C'est pour toi que je l'ai tuée. Ian laisse toujours traîner ses portables, et c'est vrai que ça a été facile de surveiller ses activités à distance. Je connaissais ses projets avec Renée. Lawrence, tu es au fond du gouffre. Tu as trop dépensé pour Blakethorne Charters. La mort de ma mère était une aubaine. Tu avais désespérément besoin de l'héritage qu'elle laissait à Ian, et voilà qu'il allait s'enfuir avec, pour le donner à cette Renée ! L'idée était insupportable. C'était un fléau, cette femme. Pas seulement pour toi ou lui, mais pour tout le monde. Il fallait que je le fasse. Je devais délivrer le monde d'elle, une bonne fois pour toutes.

— C'est toi que tu voulais délivrer, répliqua Lawrence. Si mon fils s'était enfui avec elle une semaine avant notre mariage, notre couple aurait été fini. J'aurais été laminé, et ça aurait détruit tous nos projets. Tu attendais depuis douze ans de devenir Mme Lawrence Blakethorne. Renée allait tout compromettre.

— C'est toi qu'elle allait compromettre.

— Et ça aurait gâché ta vie, conclut Lawrence, qui la sonda du regard. Tu savais qui avait tué Arcos et Nordine ? Et qui avait tiré sur James ?

— Mais non, pas du tout !

— Tu mens.

— Lawrence, comment aurais-je pu savoir ?

— C'était évident qu'il s'agissait de quelqu'un qui cherchait à venger Renée. Avoue, Patricia. Tu savais.

— Je... je n'étais pas sûre. Ses lésions au cerveau. Son attachement aveugle à Renée...

— Mais tu n'es pas venue me parler de tes doutes. Tu as préféré laisser ce garçon continuer à tuer, et maintenant... (Lawrence s'étrangla.) Maintenant, il va passer le restant de ses jours en institution psychiatrique.

— Eh bien au moins, tu ne seras pas là pour voir ça ! Dans deux ans, tu seras mort. Le supermacho Lawrence Blakethorne, homme d'affaires à succès, va se transformer en vieux croulant tremblant, grabataire, aux gestes saccadés. Il ne pourra rien tenir dans ses mains, ne saura pas marcher, ne sera même pas capable d'avaler sa salive. La fin idéale pour un homme comme toi. Que vont penser les femmes, quand tu baveras partout ?

Tout à coup, Lawrence tordit le bras de Patricia et la tira jusqu'à l'avion. Elle se mit à crier, puis à gémir doucement quand il resserra sa prise sur elle. James se jeta vers eux mais, avec une force inattendue, Lawrence le repoussa de la main, et il manqua de tomber.

— James ! s'écria Catherine, impuissante, en venant le soutenir. Qu'est-ce qu'il fait ?

— Il la met dans l'avion.

— Patricia ! cria Catherine.

La brutalité de Lawrence était impressionnante, et les efforts de la svelte Patricia pour se libérer demeurèrent vains. James tenta à nouveau d'intervenir, mais Lawrence envoya un coup de pied en arrière qui le fit tomber sur le sol de béton.

Lawrence avait réussi à littéralement fourrer Patricia dans la cabine. *Tout comme Patricia devait avoir fourré le corps de Renée dans la citerne*, pensa Catherine, comme dans un rêve. Lawrence claqua la porte et mit le moteur en marche.

— Oh non, murmura Catherine. Qu'est-ce qu'il va faire ?

Sans répondre, James suivit des yeux Lawrence, qui, sans regarder le tableau de bord ni prendre un micro, amena l'avion sur une piste de décollage et fit tourner le moteur au ralenti. À côté de lui, Patricia résistait, mais Lawrence la tenait par les cheveux. On aurait dit qu'il allait lui briser la nuque.

Sans transition, Catherine se souvint du moment où les femmes proches de la mariée étaient rassemblées dans la suite du Larke Inn.

« Lawrence a des affaires à régler, mais dans deux semaines, on se baladera sur les Champs-Élysées, avait gaiement déclaré Patricia. Vous imaginez ? Les petites boutiques, les cafés, les cinémas... »

De façon tout à fait illogique, Catherine eut de la peine pour Patricia. Il n'y aurait plus de Champs-Élysées pour elle, désormais...

Perdue dans ses souvenirs, elle ne regarda pas vraiment l'avion avant qu'il ne se mette à parcourir la piste dans un rugissement de moteur. Autour d'elle, elle vit des employés atterrés du danger que faisait courir Lawrence Blakethorne à tout le monde, en partant ainsi sans vérification de la tour de contrôle. Catherine saisit la main de James. Elle était terrifiée de regarder ce qui pouvait se passer, mais incapable de détourner les yeux.

Après un temps qui parut interminable, l'appareil décolla, puis s'éleva dans les airs. Le soleil timide de l'après-midi se refléta sur ses ailes. L'avion décrivit un virage, puis fonça sans prendre plus d'altitude. En un éclair brillant, le soleil étincela sur l'eau jaillissante, et là, Lawrence dirigea le Cessna droit dans les chutes Aurora, mettant fin à la tragédie dans une grande boule de feu.

ÉPILOGUE

Deux semaines plus tard

— Il fait beau, aujourd'hui, et on joue les ermites depuis deux semaines, déclara James. Ça ne nous ressemble pas, des accros au travail comme nous. Si on allait faire un tour en voiture, pour évacuer les toiles d'araignées de notre tête ?

— Ah, tu as des toiles d'araignées ? demanda Catherine. Moi, j'ai juste l'impression d'avoir la tête ensablée. Bonne idée, allons faire un tour.

Ils prirent de la vitesse sur la route, et leur visage se fit moins grave peu à peu. James répéta qu'il était content qu'Éric, gagnant de l'élection, soit devenu le shérif Montgomery.

— Je vais pouvoir faire annuler mes amendes pour stationnement.

— C'est ce que tu crois. Éric n'aime pas trop contourner le règlement.

Catherine s'évada un instant, puis revint à la réalité quand James parla de Gaston.

— Éric avait demandé que la morgue l'appelle quand Gaston viendrait demander le corps de sa fille. Il l'a acculé dans un coin et lui a posé quelques questions. Il ne pouvait pas faire grand-chose d'autre, puisque Gaston n'a rien fait de répréhensible à Aurora Falls. Bref, ce vieux pervers a dit qu'il était venu rechercher la personne qui avait tué sa fille. Évidemment, il a prétendu que s'il avait retrouvé le tueur avec des preuves, il serait allé voir le shérif. Bizarrement, Éric comme moi avons des doutes sur sa dernière affirmation.

— Des doutes justifiés. Avec quelqu'un comme Gaston, on ne peut pas savoir s'il voulait seulement connaître l'identité du meurtrier, ou s'il voulait le descendre. Il est impossible de savoir ce qu'il ressentait pour elle. Juste un instinct de propriété, sans doute. Il voulait venger sa mort parce qu'elle lui appartenait, pas parce qu'il l'aimait. Il est incapable d'amour.

— Au moins, il a ramené son corps à La Nouvelle-Orléans. Apparemment, elle ira dans le mausolée des Moreau, malgré les objections d'Audrey.

Ils roulèrent en silence un moment, et Catherine remarqua qu'ils se dirigeaient vers le sud. En passant à côté des chutes d'Aurora, elle espéra que d'ici le printemps, elle serait capable de les voir sans revivre le souvenir horrible de l'explosion. James continua dans la même direction et introduisit dans le lecteur un CD de Tchaïkovski qu'elle aimait. À ce moment, elle reconnut les champs de maïs moissonnés, qui lui rappelèrent un lumineux après-midi d'octobre où elle avait pris cette route dans la Mustang rouge de Marissa.

— James, on va où ?

— C'est une surprise.

— Non. James, je crois que tu m'emmènes à un endroit où je n'ai pas du tout envie d'aller.

— Tu pourras te décider une fois sur place. Pour l'instant, laisse-moi le bénéfice du doute.

Catherine se renfonça dans son siège de mauvaise grâce, et ne fut pas surprise que James prenne à droite juste après les champs de maïs. Enfin, ils empruntèrent Perry Lane. Catherine se souvint de la colère de Marissa d'être avertie au dernier moment, ce qui l'avait obligée à écraser la pédale de frein sur une voie rapide. Elle avait détourné l'attention de sa sœur en lui demandant si c'était bien le titre de la chanson des Beatles. Finalement, ils prirent un grand virage, et après avoir dépassé des rangées d'arbres au loin, dont les tons variaient entre le rouge sombre, le jaune et l'orange, James s'arrêta sur le bas-côté. Il garda le silence un instant, puis demanda :

— Alors ?

— Ce n'est plus le même endroit. Enfin, si, ça l'est forcément, mais c'est vraiment différent du temps où il y avait le cottage.

— Je l'ai fait raser complètement, j'ai fait évacuer toutes les saletés, et arracher les arbres malades. Le terrain a été aplani, et on a construit une grande volière, à une centaine de mètres au nord de l'emplacement du cottage. C'est le point de repère qui marquera maintenant le centre du terrain. Enfin, ça a toujours été le centre, mais mon grand-père avait préféré bâtir le cottage près de l'embarcadère.

— Je vois.

— Au printemps, je pense faire reconstruire un embarcadère, accompagné d'un superbe hangar à bateaux, remplacer le revêtement des berges, monter une barrière pour séparer le niveau du sol de celui de la rivière en contrebas, et planter plein d'arbres et d'arbustes, pour ajouter de la couleur, et... parce que c'est sympa.

— Et la citerne ?

— Elle a été enlevée, Catherine. Il n'y en a plus la moindre trace.

Elle regarda l'endroit où elle la situait.

— Non, tu n'y es pas, dit James. C'est à une bonne dizaine de mètres. Tu vois ? Tu ne t'en souviens pas si bien que ça.

— Oh, je m'en souviens. Peut-être pas de l'emplacement exact, mais je m'en souviens.

— Très bien, je le saurai. En tout cas, je vais faire appel à un paysagiste pour concevoir un grand jardin de plantes vivaces, avec des allées de brique. Ça recouvrira complètement l'ancienne zone de la citerne. Ah, et regarde un peu les pommiers de ma grand-mère ! Les feuilles sont marron. Je trouve que ça fait petit, comme verger. On pourrait l'agrandir. Allons voir de plus près.

Catherine sortit lentement de voiture. Il fallait l'admettre, sans le cottage décati, les résineux malades qui prenaient des proportions gênantes, les volets tombés à terre et l'allée de gravier défoncée, l'endroit ne donnait plus du tout la même impression. Malgré quelques nuages denses, un soleil pâle parvenait à éclairer les feuilles aux couleurs d'automne. Des oiseaux avaient déjà commencé à investir la volière.

— Qu'est-ce que tu en penses ? demanda James.

— Alors là... J'aimerais pouvoir dire que c'est mieux qu'avant, mais on ne dirait même pas que c'est le même lieu... On dirait que... ça pourrait être magnifique.

— Ça pourrait, seulement ?

— J'y vois une jolie petite maison.

— Avec une cheminée, dirent-ils ensemble.

Ils éclatèrent de rire.

— Les grands esprits se rencontrent, fit remarquer Catherine.

— Les bons goûts se rencontrent, rectifia James, qui, s'approchant de Catherine, lui passa un bras autour du cou et mit son autre main à sa poche. Tu penses que tu pourrais te plaire, ici ? Je sais que c'est plus éloigné de la ville que là où tu es maintenant. Et il n'y a pas beaucoup de voisins, mais il paraît que quelques familles sont en train d'acheter des terrains par ici, pour remplacer les vieux cottages de pêche par de jolies maisons.

— James, tu es en train de me dire que tu voudrais faire construire ici ?

— Je suis en train de te dire que j'y ai beaucoup réfléchi. Ça ne dépend que d'une chose.

— Et laquelle ?

— Est-ce que toi, tu voudrais vivre ici avec moi ? Acceptes-tu d'envisager l'idée de m'épouser ?

Catherine émit un soupir hoquetant incontrôlé.

— Dieu du ciel, c'est un oui ?

Elle confirma de la tête.

— Quand tu seras décidée, et si c'est bien « oui », préviens-moi dès que tu seras prête à une vraie demande. J'achèterai une bague.

— Une très grosse, dit-elle en reniflant.

— Oui. Au moins dix carats.

— Douze.

— Tout ce que tu voudras, dit James en désignant le terrain dont le cottage avait disparu. On n'est pas obligés de vivre ici, tu sais. Si tu penses t'y sentir malheureuse, même un tout petit peu, on peut acheter un terrain à l'autre bout de la ville.

Catherine regarda longuement le terrain de plus d'un hectare, imaginant une belle maison à cheminée, dans le style de la Nouvelle-Angleterre, une multitude de fleurs en été, des guirlandes lumineuses sur les sapins en décembre.

— J'ai envie de vivre ici, de faire pousser des fleurs, d'agrandir le verger avec des pêchers, et d'avoir plein de chiens et de chats.

— C'est tout ?

Catherine prit l'air pensif, puis finit par déclarer :

— Ah, c'est vrai, j'aimerais bien avoir deux enfants. Peut-être trois, si tu n'y vois pas d'inconvénient.

— Je n'y vois aucun inconvénient.

Le visage éclatant de bonheur, James se pencha vers elle et dégagea doucement une mèche de cheveux qui lui tombait sur le visage. Juste avant de poser les lèvres sur les siennes, il murmura :

— Les rêves peuvent se réaliser, Catherine. La preuve, je tiens enfin le mien.

*Ce volume a été composé et mis en pages
par Étianne Composition
à Montrouge.*

Achevé d'imprimer par N.I.I.A.G.
en avril 2014
pour le compte de France Loisirs, Paris

Numéro d'éditeur : 76678
Dépôt légal : mai 2014
Imprimé en Italie